JÓN HALLUR STEFÁNSSON

MISSTAP

Uit het IJslands vertaald door Kim Middel

DE GEUS

Oorspronkelijke titel *Krosstré*, verschenen bij Bjartur
Oorspronkelijke tekst © Jón Hallur Stefánsson, 2005
Published by agreement with Licht & Burr Literary Agency, Denmark
Nederlandse vertaling © Kim Middel, via het Scandinavisch Vertaal- en
Informatiebureau Nederland, en De Geus BV, Breda 2008
Omslagontwerp Mijke Wondergem
Omslagillustratie © Ilona Wellmann, Trevillion Images
Druk Koninklijke Wöhrmann BV, Zutphen
ISBN 978 90 445 0995 3
NUR 331

Misstap

een

Het begon met die blik (begint alles niet met een blik?). Met die speelse blik, waar ik niets in las omdat er van een bijzondere betekenis gewoon geen sprake kon zijn. Zo'n soort relatie hadden we toch niet? Onze relatie berustte op iets heel anders en daarom hoefde ik me geen zorgen te maken over de glans in zijn ogen wanneer hij naar me keek. Of maakte hij echt avances? Naar zijn vrouw keek hij immers niet zo: haar wierp hij een blik van verstandhouding toe, waaruit – volgens mij – liefde sprak. Misschien was dat ook zo, maar toch ben ik daar nu niet meer zeker van.

In de regel sla ik mijn ogen niet neer; doe je dat wel, dan is het alsof je in een machtsstrijd verzeild raakt. Ik vermijd dus nooit oogcontact en daarom ontmoetten onze blikken elkaar, want hij bleef me aankijken. Ongetwijfeld wilde hij, met al zijn kennis, levenservaring, wijsheid en gezag, een superieure positie ten opzichte van mij innemen. Ik had niet genoeg ervaring om te beseffen hoe weinig moeite hij deed om te verbergen dat hij me wilde en hoe hij me feitelijk stond uit te dagen. Dat besefte ik pas naderhand, nadat ik mijn behoedzaamheid al had laten varen en nadat mijn eigen verlangen was gewekt en ik ernaar verlangde dat hij me stevig in zijn armen zou nemen. Toen wist ik nog niet hoe ontrouw hij was en hoe oppervlakkig zijn gevoelens in feite waren. Tegen de tijd dat ik dat wel wist was het voor mij – uit hetzelfde soort gemakzucht als hij tegenover mij aan de dag had gelegd – te

7

laat om nog uit dit avontuur te stappen. Hij deed zich dan wel ongelofelijk nobel voor, want hij zei dat hij me zo ongeveer een dienst had bewezen door onze relatie niet al te serieus te nemen, maar wat mij betreft kon hij doodvallen. Ik wilde hem pijn doen zoals hij mij pijn had gedaan, maar dat ging natuurlijk niet op dezelfde manier.

Er volgde een periode van sporadisch contact. Misschien had hij minder vaak de gelegenheid gehad om contact op te nemen, als ik die gelegenheid niet gecreëerd had. De nieuwsgierigheid om te zien waartoe dit allemaal kon leiden maakte zich meester van me. O, de eerste keer dat hij zijn hand op mijn schouder legde was het alsof er stroomstoten door me heen gingen! Ik wist dat hij achter me stond en in gedachten had ik hem uitgedaagd, met zijn spottende blik. Nu zouden we zien of hij er de man naar was om de volgende stap te nemen, dacht ik. En ik was ook wel bang voor wat ging komen, maar die angst was vermengd met verlangen en schaamte: hoe kwam ik in vredesnaam op het idee om een of andere vent van middelbare leeftijd in mijn gevoelsleven toe te laten? Hij had letterlijk mijn vader kunnen zijn!

Hij vermande zich en legde een hand op mijn schouder. Ik nam mijn petje voor hem af en de stroomstoot die over mijn rug liep, was zo echt dat ik me serieus afvroeg of ik een schok had gekregen, zoals iemand die op zijn sokken over een wollen tapijt loopt. Ik bloosde natuurlijk en toen ik me omdraaide, ontmoette mijn blik de zijne, die nog net zo speels was, maar waar inmiddels ook iets ernstigs in flikkerde. Zou ik dit het vuur der liefde durven noemen?

De volgende keer raakte hij mijn hand aan, als ik me goed herinner, en weer voelde ik die siddering, alsof er een regen van vonken op mijn huid sprong. Ik durfde niet omhoog te kijken; ik keek gewoon voor me naar het computerscherm en voelde zijn nabijheid achter en boven me. Had ik hem toen maar aangekeken en hem duidelijk gemaakt dat wat hij aan het doen was – wat wij aan het doen waren – ongepast was, dat we daarmee over de schreef gingen en dat we er geen van beiden gelukkig van zouden worden; integendeel, we waren hard bezig onszelf in het onheil te storten. Maar dergelijke vermanende woorden kwamen niet in me op; in plaats daarvan stortte ik me vol blijmoedige overgave in onvermijdelijke verdoemenis, wat echt niet zo had hoeven zijn, als hij maar meer van mij en ik minder van hem had gehouden en als ik mezelf maar in bedwang had gehouden. Maar moet je jezelf nu echt in bedwang houden als iemand gevoelens bij je opwekt die je nog nooit eerder hebt beleefd? Iets wat je prachtig en zelfs volmaakt vindt? Moet je jezelf er werkelijk steeds aan blijven herinneren dat zoiets smerig en slecht kan zijn? Ik vond van niet.

Vrijdag

twee

Waar moet je na een mislukte inbraakpoging op een vrijdagochtend naartoe? In Marteinns geval kwam daarvoor maar één plek in aanmerking. Op zijn werk had hij zich ziek gemeld en al zijn kennissen hadden elders een zomerbaantje of zaten in het buitenland, op Hallgrímur na, want die werkte 's avonds in een café. Hallgrímur woonde in Vogar, in een rijtjeshuis dat zijn moeder van haar ouders had geërfd. Het was een vrij groot huis voor zijn moeder en hem alleen, zodat Hallgrímur de bovenverdieping voor zichzelf had. Zelfs als zijn moeder toevallig thuis was, konden de twee vrienden daar in alle rust zitten.

'Heb jij net gebeld? Heb je de koffie misschien klaar? Ik moet even terugkeren tot de realiteit.'

'Hoezo, zat je in de ruimte of zo?'

'Dat kun je wel zeggen, ja.'

'Kom langs; ik wilde toch al even bijpraten.'

'Ik ben op de fiets. Ik ben er met een minuut of twintig.'

Marteinn had nog nooit ingebroken en hij verwachtte ook niet dat hij dat nog eens zou doen, maar hij had een heerlijk soort zorgeloosheid gevoeld toen hij door het kelderraam aan de Fjólugata naar binnen was geglipt: het kon hem op dat moment geen reet schelen of hij op heterdaad betrapt zou worden of niet.

Zijn voorbereidingen waren minimaal geweest: hij had

13

een hamer, een nijptang en een schroevendraaier op zak en was van plan om desnoods een raam los te schroeven, mocht hij geen open raam vinden. Dat had hij zijn vader thuis een keer zien doen; daar was het heel makkelijk gegaan en dus hoopte hij er het beste van. Om acht uur was hij er al; hij had een paar huizen verderop in de straat bij een lantarenpaal staan wachten. Hij had gedaan alsof hij op iemand stond te wachten, wat op zich ook klopte. Zijn fiets, die hij niet op slot had gezet, stond tegen een muur naast hem. Hij probeerde ongeduldig te kijken en wierp regelmatig een veelzeggende blik op zijn horloge. Het leek hem onwaarschijnlijk dat iemand getuige zou worden van zijn pantomime. Een paar slaperige bewoners waren naar hun auto's gesjokt en weggereden. De krantenbezorger van *Fréttabladid*, het *Nieuwsblad*, slenterde langs: een uit de kluiten gewassen vent, met een piercing in zijn ene wenkbrauw en een sikje, die een tikje wanhopig keek, alsof hij te laat ging komen voor een belangrijke vergadering waarvan hij zich niet herinnerde waar die was.

Om kwart voor negen verlieten alle bewoners van de bovenverdieping tegelijk hun woning: een echtpaar van achter in de dertig en hun twee kinderen die zo te zien op de lagere school zaten. Hij wachtte nog een half uur. Inmiddels was het na negenen en hij raakte gespannen van het daar moeten rondhangen, want al gauw zouden er ook oude vrouwen op straat verschijnen, van die oude vrouwen met argusogen die jongeren die bij lantarenpalen rondhingen, bepaald verdacht zouden vinden.

Uiteindelijk pakte hij zijn gsm en belde voor de zekerheid haar nummer. Hij hield lang aan, maar er werd niet opgenomen, dus kennelijk was ze al weggegaan voordat hij gekomen was. Prachtig.

'Heb je ervoor gezorgd dat jouw nummer niet herkend kon worden?' vroeg Hallgrímur toen Marteinn hem alles vertelde.

'Nee, daar heb ik helemaal niet aan gedacht. Ik was veel te opgewonden.'

'Reken er dan maar op dat de politie bij je gaat aanbellen.'

Marteinn was zonder nog verder te aarzelen naar het tuinhek gelopen en was naar binnen geglipt. Hij was de trap op gelopen alsof hij er dagelijks kwam. Bij de bovenste bel stond INGIBJÖRG, GEIRHARDUR, ELLIDI EN BIRTA, bij de onderste SUNNEVA EN ELVIS. Die laatste naam was een verrassing voor Marteinn, want hij had aangenomen dat Sunneva hier alleen woonde. Bijna had hij zijn hele actie gestaakt vanwege de bewoner van wie hier onverwacht sprake scheen te zijn, maar hij had zich vermand en aangebeld. Het kon immers ook nauwelijks een mens zijn die Elvis heette. Hij wachtte een hele tijd. Weer belde hij aan, ditmaal lang. Er deed niemand open. *Elvis has left the building*, dacht Marteinn sarcastisch. Hij liep rustig de trap weer af, deed alsof hem iets te binnen was geschoten – wat was hij toch goed in pantomime – en liep door de tuin om het huis heen. Alsof hij er woonde. Of zijn hart bonsde? Ja, zijn hart ging als een gek tekeer en het bloed suisde hem door de oren. Hij was lamgeslagen van angst, maar tegelijkertijd maakte deze waaghalzerij hem overmoedig. Hij genoot van de spanning. Als hij ook maar één moment had geaarzeld, was hij er meteen mee opgehouden, maar hij had geen enkele keer geweifeld en was gewoon doorgegaan.

'Wacht even, vertel me nog even waarom je daar aan het inbreken was', zei Hallgrímur, die duidelijk een beetje verward werd doordat hij deze onverwachte kant van zijn vriend te zien kreeg.

'Tja, het was misschien gewoon een domme actie van me.'

Het idee om in te breken was vlak voor de zomer in Marteinn opgekomen toen hij, zoals gewoonlijk, op weg van school naar huis door de Fjólugata was gefietst. Hij had Sunneva als een godin onder een zilverkleurige paraplu uit haar woning zien zweven en bij zijn vader, die hij net in het oog had gekregen, zien instappen. De autoramen waren beslagen, maar Marteinn had kunnen ontwaren hoe Sunneva zijn vader om de hals was gevlogen en hem langdurig had gekust, voordat zijn vader de auto had gestart en de straat uit was gereden. Bij deze aanblik waren diverse puzzelstukjes die Marteinn eerder niet begrepen had, op hun plaats gevallen: bijvoorbeeld de reden waarom zijn vader de laatste tijd zo vaak weg was geweest. Hij overnachtte minstens twee keer per week in hun zomerhuisje bij Thingvellir, omdat hij daar – naar eigen zeggen – zo goed kon werken. Marteinn had zich bij het avondeten een keer laten ontvallen dat elke dag een rit van veertig minuten volgens hem vrijwel geen tijd bespaarde, maar die opmerking was op algeheel zwijgen gestuit. Zijn moeder had wat merkwaardig gekeken en zijn vader had iets gemompeld over mensen die helemaal in Hveragerdi woonden en toch in de stad werkten. Maar nadat Marteinn die kus had gezien, was hij ervan overtuigd geraakt dat zijn vader niet helemaal naar Thingvellir hoefde om te overnachten.

Hij wist heel goed wie Sunneva was. Sunneva was de dochter van Gunnar, die tot voor kort een vriend en collega van Björn, Marteinns vader, was geweest. Björn en Gunnar hadden samen een architectenbureau gehad, dat Björn nu in zijn eentje leidde sinds Gunnar zich – voor zover Marteinn had begrepen – als het ware uit het bedrijf had gezopen. Sunneva studeerde architectuur en had vorig jaar een zomerbaantje bij het bureau gehad. Ook deze zomer werkte ze er weer, ook al zat haar vader daar niet langer. Kennelijk had Marteinns vader de situatie uitgebuit. Sunneva was natuurlijk veel te jong voor Björn. Marteinn was bijna kwaad op zijn vader omdat hij zo'n knappe vrouw aan de haak had geslagen. Zo veel geluk had hij zelf nooit, maar hij moest toegeven dat zijn vader een aantrekkelijke man was met zijn slanke lichaam, zijn zwarte haar tot op zijn schouders en zijn zwarte stoppelbaard. In de weken na die kus had Marteinn haar een paar keer op weg van haar werk naar huis gevolgd, gewoon om te zien of ze weer met zijn vader had afgesproken, maar zonder succes. Hij had ook geprobeerd meer te weten te komen over die halve latrelatie die ze begonnen waren, en over mogelijke veranderingen daardoor in hun gezinsleven, maar hij had alleen uitvluchten en leugens als antwoord gekregen. Hij had er genoeg van: hij wilde niet dat zijn ouders nog langer tegen hem zouden liegen over dingen waarvan hij vond dat ze hem net zo veel aangingen als hun. Als ze wilden gaan scheiden, dan wilde hij dat weten. En om iets meer over de stand van zaken te weten te komen had hij besloten om te kijken of zijn vader min of meer bij Sunneva was ingetrokken. Het zou hem niet veel tijd kosten, had hij tegen zichzelf gezegd, om te zien of er overhemden van zijn vader bij haar in de kast hingen, of het scheerapparaat dat uit de badkamer thuis verdwenen was, nu hier in huis lag en of er een sixpack van zijn lievelingsbier in de koelkast stond. Het was daarom geen echte inbraak geweest, want hij was nooit van plan geweest iets te stelen. En als zijn vader zogezegd bij haar was ingetrokken – iets waarvan Marteinn overtuigd was – dan kon je bijna stellen dat hij het volste recht had om hier op bezoek te komen. Als het raam tenminste openstond.

En het eerste wat Marteinn zag toen hij de tuin in liep, was dat open raam. Het was alsof de hele omgeving – de tuin en de aangrenzende huizen – maar een kader rond deze ingang tot de woning vormden, alsof al het andere volkomen buiten beeld bleef. Het was een ouderwets venster met vier ruitjes en een ijzeren spanjolet, net boven de aarde. De ruit aan de bovenkant rechts was een openstaand schuifraam. Hij liep recht op het raam af, stapte in het bloembed maar paste ervoor op dat hij niet op de bloemen trapte. Hij stak zijn hand door het open raampje naar binnen, haalde de raamsluiting van de haak en de weg was vrij. Toen zette hij zijn rechtervoet op de vensterbank en glipte zonder op of om te kijken door het raam naar binnen. Onder het raam stond een bed, had hij gezien, dus hij was niet bang om te vallen.

Hij greep met beide handen het raamkozijn vast en probeerde zijn voeten aan weerszijden van het raam te manoeuvreren. Op dat moment viel zijn gsm uit zijn zak op het bed en kletterde over de parketvloer. Zonder erbij na te denken probeerde Marteinn zijn gsm met zijn linkerhand nog te pakken, maar daardoor verloor hij zijn evenwicht. Zijn voeten schraapten langs het raamkozijn en hij kon niets anders doen dan vlug zijn hoofd intrekken, waardoor hij met een salto zachtjes op het bed belandde, vervolgens met zijn achterste van de rand van het bed stuiterde en op zijn stuitje viel. Het deed zeer, maar hij was niet gewond. Hij keek om zich heen.

Dit was vast Sunneva's slaapkamer, als hij de mogelijkheid dat Elvis hier zelf sliep buiten beschouwing liet. Er lag een gestreepte sprei over het bed, een anderhalf meter brede matras op een onderstel. Aan de andere kant van de kamer, bij de linkermuur, stond een oude, witgeverfde kleerkast met een spiegel aan de binnenkant van de rechterdeur, die hem in het gezicht sprong aangezien de deur openstond. Daar stond hij met wijd open ogen als iemand in een horrorfilm vlak voordat hij gekeeld wordt. Hij probeerde te glimlachen, maar dat mislukte. Hij knielde op het bed, deed de raamsluiting weer op de haak en veegde toen wat modder van de beddensprei.

Toen ging zijn gsm op de vloer.

'Dat was jij dus', zei hij tegen Hallgrímur.

'Ik snap het; dus daarom hing je op zonder iets te zeggen.'

Bij mijn volgende inbraak moet ik hem uitzetten, had Marteinn tegen zichzelf gezegd. Het gerinkel van zijn gsm had hem volkomen van zijn apropos gebracht. Nu kreeg hij het gevoel dat er iemand in de woning was, iemand die aan de andere kant van de deur stond te wachten totdat hij de kamer uit zou komen. Hij overlegde serieus bij zichzelf of hij weer door het raam naar buiten zou klauteren, maar dat durfde hij inmiddels niet meer. Hij stond als aan de vloer genageld en merkte ineens dat hij inmiddels veel te snel en te vaak ademhaalde, maar niet fatsoenlijk adem kreeg. Hij probeerde rustig adem te halen, zoals hem geleerd was, en aan rustgevende dingen te denken. Kon er iets ergs gebeuren?

'Je deed het dus in je broek van angst?'

'Ja, ook omdat ik dacht dat ik een of ander geluid buiten die slaapkamer hoorde.'

De gedachte aan de aanwezigheid van iets aan de andere kant van de deur was steeds benauwender geworden. Hoorde hij nou iets? Marteinn was opgestaan. Hij had immers door aan te bellen en op te bellen al uitgesloten dat er iemand thuis was. Hij liep op de deur af. Er was niemand thuis. Zachtjes draaide hij de knop van de deur om. Dacht dat hij rustiger kon ademhalen. Volledige stilte. Deed de deur open. Er stond niemand aan de andere kant.

De slaapkamer kwam uit op een grote en lichte woonkamer met mooie meubels. Hij deed een paar passen naar binnen en hoorde toen achter zich zacht getrippel over de parketvloer. Hij draaide zich met een ruk om.

Hij had doodstil achter de deur staan wachten, pikzwart en huiveringwekkend met ontblote tanden en een vastberaden blik. Marteinns adem stokte in zijn keel, maar hij kon gewoon geen woord uitbrengen toen Elvis-de-hond hem besprong en hem zonder te grommen of te blaffen in één klap vloerde.

'En toen? Beet hij je?'

'Nee, hij besprong me alleen ... en ik viel ... en toen stond hij gewoon over me heen en ik durfde me niet meer te bewegen', antwoordde Marteinn.

Daar lag hij nu op zijn rug onder een gapende hondenbek. De tijd leek een eeuwigheid te duren. Hij kreeg het gevoel dat hij zich in een vreemd universum bevond waarin dit scenario de enige gangbare status-quo was.

Het monster deed zijn bek open en grijnsde, zoals honden grijnzen, met zijn tong uit zijn bek. Hij was tevreden: hij had een ongenode gast in zijn huis gevloerd en hield deze nu in afwachting van zijn baasje gevangen. Zijn baasje zou op een gegeven moment wel thuiskomen en bepalen wat er verder moest gebeuren.

Af en toe viel er een druppel kwijl op Marteinns gezicht.

Elke keer dat hij probeerde zich te bewegen deed de hond zijn bek dicht en gromde zachtjes vanuit het diepst van zijn zwarte hondenlichaam. Verder was er niets te horen, afgezien van de ademhaling van het beest, het gedempte gezang van de lijsters in de tuin, het rumoer vanuit de verte van het verkeer op de Hringbraut en het geluid van een enkele auto die door de straat kwam aanrijden, voorbijreed en weer verdween.

Terwijl Marteinn daar lag, had hij het gevoel dat zijn lichaam langzamer ging functioneren. Eigenlijk was hij over zijn angst heen; hij wachtte met een vreemd soort gelatenheid op wat ging komen en doodde de tijd met het nader inspecteren van de zwarte huid rond de mondhoeken van het beest, alsof daarin belangrijke gecodeerde berichten verborgen lagen die hij moest kunnen ontcijferen en begrijpen voor later.

Hij leerde zelfs een trucje om zijn leven op deze wereld, dat zich afspeelde op zijn rug en onder een hond met gezonde speekselklieren, te veraangenamen. Elke keer dat er een druppel kwijl op je gezicht gaat vallen, beweeg je je vanzelf; de eerste keer is dat misschien een automatische reactie op het moment dat de druppel valt, zodat je hem niet in je oog krijgt, maar na enige ervaring trek je je hoofd al weg zodra je een druppel ziet hangen. En weet je wat? Een hond trekt net voordat hij begint te grommen, zijn tong in en slikt dan zijn kwijl in. Zo kun je dus voorkomen dat die druppel kwijl op je gezicht valt. Elke druppel die Marteinn op deze manier kon ontwijken, was een miniem overwinninkje. De wedstrijd in het ontwijken van vallende kwijldruppels bood hem de enige kans op overwinning in dit merkwaardige universum; dat wil zeggen, afgezien van het ontwijken van iets veel ergers: dat de hond op hem zou plassen. Maar gelukkig hield Marteinns verblijf op planeet Onder De Bek Van Elvis op voordat het zover was gekomen.

'Hoelang heb je daar gelegen?'

'Minstens een uur.'

'Een uur? En je hebt niet één keer geprobeerd op te staan?' vroeg Hallgrímur verbaasd.

'Nee, dat durfde ik gewoon niet', antwoordde Marteinn. 'Niet zolang die hond over me heen stond.'

Na een eeuwigheid had iemand een sleutel in het slot van de voordeur gestoken. Zonder erbij na te denken had Marteinn opgekeken, als je het zo kon noemen: vanuit zijn positie had hij omhoog en over de vloer in de richting van de deur gekeken, volgens de analyse van een ruimte in de gewone wereld.

De hondenkop boven hem had gegromd om hem eraan te herinneren dat hij hem nog steeds bewaakte. Toch had Marteinn de indruk dat het beest met zijn gedachten er niet helemaal meer bij was. Ergens aan de andere kant van de woonkamer ging een deur open; vervolgens werd er geroepen: 'Elvis!'

Nu blafte de hond boven hem, na zo veel tijd een onaangename en oorverdovende onderbreking van de stilte.

'Elvis!' werd er weer geroepen. Het was Sunneva's stem. De hond blafte weer en begon daarop hartverscheurend te janken, wat eerlijk gezegd helemaal niet paste bij de genadeloze persoonlijkheid die Marteinn hem had toegedicht.

'Elvis Presley!' werd er nu voor de derde keer met nadruk vanuit de deuropening geroepen. Nu sprong de hond op zijn vrouwtje af en Marteinn sprong als een gespannen veer overeind. Hij keek in het wilde weg om zich heen. Hij kon kiezen tussen het raam en de deur. Toen verstarde hij, want Sunneva kwam binnen. Ze had hem nog niet gezien. Zonder erover na te denken keek hij de andere kant op; zij zag dat er iets bewoog, keek op en sloeg een doordringende kreet toen ze hem in het oog kreeg. Hij had net zijn capuchon over zijn hoofd getrokken en worstelde met de rits van zijn sweater. Sunneva bleef gillen en nu begon ook de hond weer te grommen en te blaffen. Marteinn kreeg eindelijk de rits dicht. Het was net een onwerkelijke droom:

alles ging zo langzaam, terwijl hij heel erg haast maakte. Hij trok het koordje in zijn capuchon aan totdat er nog maar een klein kijkgat was. Elvis gromde en Sunneva krijste en hield tot Marteinns grote geluk het beest stevig vast.

Hij rende in Sunneva's richting – of liever gezegd in de richting van de deur – en zij deinsde gillend voor hem terug en zakte naast de kapstok in elkaar zonder haar grip op het keffende beest te laten verslappen. Zie daar de vluchtweg; Marteinn maakte dat hij wegkwam, de trap naar de voordeur af.

'Wat had je gedaan als ze had geprobeerd je tegen te houden?'

'Ik weet het niet, man', mompelde Marteinn. 'Misschien had ik haar weggeduwd.'

Hij was al halverwege de trap geweest toen hij was teruggegaan om de voordeur achter zich dicht te gooien.

'Waarom deed je dat?' vroeg Hallgrímur.

'Ik was als de dood dat die hond achter me aan zou komen.'

Daarna was hij op zijn fiets gesprongen en als een gek weggefietst: de straat uit, de heuvel af en het parkje Hljómskálagardur in. Hij kreeg last van piepende ademhaling: zijn astma stak de kop op, dat had hij kunnen weten.

Terwijl hij de Fríkirkjuvegur uit schoot, had hij opeens heel hard moeten lachen. Hysterisch gelach, dat tussen huilen en opluchting in hing, ook al bestond het voor het grootste gedeelte uit enorme spanning die zich ontlaadde.

Hallgrímur vond dit zo te zien helemaal niet zo grappig; hij leek geïrriteerd.

'Je had jezelf goed in de nesten kunnen werken', zei hij; hij nam een slok van zijn koffie en trok een vies gezicht toen hij merkte dat die koud was geworden.

drie

'Was er iets bijzonders, Valdimar?'
  'Ja, ik moet iets met je bespreken.'
  'Dat komt nu niet erg gelegen.'
  'Het duurt niet lang.'
  'Kom dan maar binnen, oude vriend', was het antwoord.
De deur zoemde. Valdimar duwde de deur knarsetandend
open en liep met vlotte passen de trap in deze blauwgeverfde
flat aan de Háaleitisbraut op.
  Toen hij op de op één na hoogste verdieping was aanbe-
land, stond de deur daar op een kier en Elvar stond erachter.
Valdimar wachtte niet totdat Elvar hem zou vragen binnen te
komen. Hij duwde de deur verder open; niet ruw, maar wel
vastberaden.
  'Wat is dit voor vrijpostig gedoe?' vroeg Elvar. Valdimar
grijnsde, draaide zich even om teneinde de deur achter zich
dicht te doen en stompte Elvar toen keihard in zijn maag.
Zoals te verwachten viel hapte Elvar naar adem. Voordat hij
onderuitging, pakte Valdimar hem bij zijn kin vast; vervolgens ramde hij hem met zijn vuist boven op zijn hoofd,
waardoor hij hard op zijn achterste viel. Terwijl Elvar als
een zak zout op de vloer zat, schopte Valdimar hem tegen
zijn schenen. Pas nu kwam er geluid uit Elvar: hij slaakte
een soort gil. Valdimar keek hem aan en legde zijn vinger op
zijn lippen als teken dat Elvar zich gedeisd moest houden.

Elvar keek hem eerder verbaasd dan bang aan.

Hij was om en nabij de zestig; een slanke en tamelijk fitte man, maar wel een tikje ongespierd, had Valdimar gemerkt. Zijn ooit rossige haar begon grijs te worden. Hij droeg een zijden pyjama en zijn blote voeten staken in chique leren slippers met een open teen.

'Wat zijn dat voor manieren?' kreunde Elvar terwijl hij moeizaam opstond en zijn kapsel fatsoeneerde. Valdimar hield hem met een dreigende blik nauwlettend in de gaten. 'Ben je klaar?'

'Nee.'

'Ook goed, zoals je wilt. Zullen we er niet bij gaan zitten, oude vriend?' zei Elvar. Hij ging hem voor naar de woonkamer. Valdimar pakte van een kastje naast de voordeur een elegante witgroene glazen vaas en smeet hem rakelings langs het hoofd van Elvar tegen de muur. Elvar sloeg zijn handen voor zijn gezicht om dat tegen de rondvliegende scherven te beschermen.

'Waarom doe je toch zo?' jammerde hij. Eindelijk had Valdimars gewelddadige gedrag het gewenste effect gehad: Elvar was bang geworden.

'Ik hoorde dat mijn neefje Skúli afgelopen weekend bij jou heeft gelogeerd', gromde Valdimar.

'Ja, en wat dan nog?' vroeg Elvar.

Zo te zien moest deze vent nog harder aangepakt worden. Valdimar greep hem bij de kraag van zijn pyjama en schudde hem als een jonge hond door elkaar. Hij voelde hoe de glasscherven op het parket onder zijn voeten versplinterden. Hij trok Elvar naar zich toe, dwong hem ertoe om hem in de ogen te kijken en siste: 'Ik wil niet dat dat nog een keer gebeurt, hoor je me? Een volgende keer kom je er niet zo goed meer van af.'

'Kalm aan, kalm aan, oude vriend. Je weet niet wat je zegt', zei Elvar. Valdimar voelde Elvars zachte en warme handen op de zijne. Meteen liet hij Elvars kraag los alsof hij zich eraan gebrand had en deed een paar passen achteruit.

'Vergeet niet dat ik weet wie jij bent. Ik weet precies wie jij bent, Elvar.'

'Kennelijk heb je geen idee wie ik ben en nu ga ik de politie bellen', zei Elvar terwijl hij een gsm uit de zak van zijn pyjama haalde. Valdimar sprong op hem af, griste de gsm uit zijn handen, liet hem op de vloer vallen en ging erop staan.

'Ben je gek geworden?' zei Elvar buiten adem. 'Dat was een gloednieuwe gsm van vijfenveertigduizend kronen!'

'Had je maar beter op moeten passen', beet Valdimar hem toe.

'En dat noemt zich politie!' zei Elvar op een toon alsof hij het allemaal niet kon geloven.

'Ik ben hier niet ambtshalve: dit is privé', zei Valdimar. Terwijl hij een pakje sigaretten uit zijn zak haalde, merkte hij dat er naast hem iets bewoog. Hij keek vlug opzij en zag alleen zichzelf in een spiegel, bleek van kwaadheid in zijn zwarte, versleten leren jack met ogen vernauwd tot spleetjes onder zijn zware wenkbrauwen. Hij zag er om eerlijk te zijn uit als een moordenaar, als iemand die gewoon op een gelegenheid wachtte om gewelddadig te worden. Hij zag hoe onder het koele oppervlak de wrok ziedde. Toen hij enigszins geschokt door zijn eigen uiterlijk weer tot zichzelf kwam, stond er een magere, blonde jongen in de deuropening van wat wel een slaapkamer moest zijn. Valdimar staarde de jongen verbluft aan. Hij droeg alleen een witte broek en in zijn uitgestoken hand hield hij een gsm alsof het een afstandsbediening was. Hij rilde en beefde, waarschijnlijk van angst, en keek Elvar aan met zo nu en dan een zijdelingse blik naar Valdimar.

'Moet ik de po-politie bellen?' stamelde hij.

'Dat hoeft niet, jongen,' zei Elvar, 'Valdimar gaat net weg.'

Valdimar begreep heel goed waarom Elvar zo zeker wist dat hij weg zou gaan: deze jongen was getuige van iets wat gebeurd was – en van dingen die hadden kunnen gebeuren – en dat had de hele situatie veranderd. Toch deed hij nog een futiele poging om zijn dreigende houding weer aan te nemen.

'Hoe oud ben jij?'

'Dat ga-gaat u niets aan', antwoordde de jongen.

Valdimar nam hem eens wat beter op en zag dat hij al best over de dertig kon zijn. Hij moest toegeven dat hij verslagen was. Hij draaide zich om en kon op weg naar de voordeur de verleiding niet weerstaan om tegen een stoffen tas die hem in de weg stond, te schoppen. Dat had hij beter niet kunnen doen, want er zat niets in en daardoor raakte hij bijna zijn evenwicht kwijt. Hij draaide zich vlug om om te zien of een van de heren hem uitlachte, maar ze waren waarschijnlijk te bang voor hem om het te wagen.

'Ik kom terug', zei hij dreigend vanuit de deuropening.

'Prima, oude vriend, maar bel de volgende keer van tevoren even op', zei Elvar vriendelijk.

'En als ik nog één keer hoor dat Skúli hier ...' begon hij, maar hij maakte zijn zin niet af omdat er een getuige bij was. Politiemensen konden waarschijnlijk beter niet links en rechts mensen met de dood bedreigen.

'Doe je vader de groeten van me, oude vriend.'

Valdimar beantwoordde deze vraag door op de mat in de gang te spugen. Toen gooide hij de deur achter zich dicht.

Op het moment dat hij de woning verliet, begon Valdimars gsm te trillen. Hij haalde het ding uit zijn zak en keek naar het nummer, voordat hij opnam. Hij voelde hoe zijn maag zich samentrok.

'Hoi', zei hij mat, terwijl hij de trap afliep.

'Ja, hoi. Ben je aan het werk?' vroeg de vrouw aan de andere kant van de lijn behoedzaam.

'Ja, ik was iemand in elkaar aan het slaan', antwoordde hij.

'O ja? Waarom?' vroeg ze een beetje verbaasd.

'Waarom? Omdat ik daar zin in had', antwoordde hij bot, terwijl hij de buitendeur opendeed en naar buiten liep.

'O', antwoordde ze koeltjes.

'Was er iets bijzonders?' vroeg hij net zo koel.

'Ach, het ging over mijn laptop', zei ze iets vriendelijker. 'Weet je nog? Ik had jou de sleutel van mijn flat weer gegeven.'

Valdimar wist dat nog maar al te goed. Hij ging in zijn auto zitten. 'Je hebt wat kleren bij me laten liggen, wat onderbroeken en zo.'

'Wil je ze niet houden? Als aandenken aan mij?' vroeg ze vlug.

Hij grijnsde bitter: die flauwe humor was typisch Drífa. Hij werd ineens overmand door spijt om hoe het was gelopen; spijt waarvan hij juist probeerde af te komen.

'Drífa? Weet je heel zeker dat je ...? Wat mij betreft is het nog niet voorbij tussen ons. We zouden het toch opnieuw kunnen proberen? Je zou toch bij me kunnen komen wonen?' zei hij. Het was voor het eerst dat hij iets dergelijks zei en hij moest even pas op de plaats maken om de gedachten die in hem omgingen, onder woorden te brengen.

'Ach, Valdimar ...' zei ze verdrietig, 'jíj wilde mij geen

28

gelegenheid geven er nog eens over na te denken. Jíj eiste je sleutel terug.'

'Ik kan gewoon niet tegen dubbelzinnigheid', zei hij bitter. 'Mensen moeten open kaart met elkaar spelen.'

'Hoezo dubbelzinnigheid?' vroeg ze pinnig. 'Jij wist donders goed dat tussen mij en Baldur alles nog mogelijk was. Daar kwam bij dat ik ook om Illugi moest denken.'

'Ik wist alleen dat het langgeleden nog onduidelijk was hoe het met jullie zou aflopen, en gebruik dat kind niet als uitvlucht', zei hij. 'Dat soort hypocrisie gaat me te ver.'

'Nou goed, bedankt voor je eerlijkheid!' zei ze sarcastisch. 'Zou ik mijn laptop misschien terug mogen hebben?'

'Ja, natuurlijk', zei hij gelaten. Hij was er in een gesprek met deze vrouw nog nooit in geslaagd het laatste woord te hebben. De enkele keer dat het hem was gelukt haar ergens te raken, was zijn geweten meteen beginnen te knagen.

'Wanneer ben je thuis?'

'Bel gewoon even van tevoren, dan probeer ik langs te komen.'

'Prima', zei ze en ze hing vervolgens zonder afscheid te nemen op. Het drong ineens tot Valdimar door dat hij drijfnat was van het zweet. Hij was nadat hij Elvar aangevallen had nog steeds lichamelijk gespannen en daarnaast had het feit dat hij Drífa's stem voor het eerst in vier dagen had gehoord er geestelijk flink op ingehakt. Bij elkaar opgeteld hadden deze twee zaken een dusdanig ontwrichtend effect dat hij al zijn kracht nodig had om de sleutel in het contact te steken en zijn auto te starten.

vier

Badend in het zweet en volkomen van de kaart werd Ingi Geir wakker. Hij had voor de zoveelste keer over Sunneva gedroomd: een nare, afschuwelijke droom, waarmee hij zich geen raad wist. Ze was topless naar hem toe gekomen en had erg bedroefd gekeken. Toen hij probeerde zich te herinneren hoe haar borsten er in de droom hadden uitgezien, besefte hij dat hij niet eens meer wist hoe haar borsten er in het echt uitzagen. Ze waren al zo lang geleden uit elkaar gegaan dat hij was vergeten hoe Sunneva's borsten eruitzagen. Dit besef sneed als een mes door zijn ziel, want sinds Sunneva op die koude dag in februari huilend naar hem toe was gekomen om te zeggen dat ze veel om hem gaf, maar gewoon niet langer bij hem kon blijven, had hij elke dag urenlang aan haar gedacht. Elke dag had hij nauwkeurig nagelopen hoe het precies was gegaan. Hij had zijn gekwelde ziel in de herinnering ondergedompeld als in een hoop zout; dat zout had hij in zijn wonden gewreven om de pijn levend te houden, om niets te vergeven of te vergeten en vooral om te voorkomen dat hij zich beter zou gaan voelen. Van haar had hij meer gehouden dan van al het andere bij elkaar, hield hij zichzelf steeds weer voor wanneer hij 's avonds lag te huilen in zijn bed, het bed waarin zij ooit had geslapen, bij hem; het bed waarin ze onder hem en hij op en in haar had gelegen; het bed waarin hij die borsten had gekust waarvan hij zich nu niet meer kon herinneren hoe ze eruit zagen, omdat het beeld dat hij van ze had, vervaagd was en was samengesmolten met dat van die duizenden andere borsten die avond aan avond op zijn beeldscherm voorbijkwamen. Ontelbare borsten en konten en opengespreide, roze venusheuvels met stijve pikken erin kwamen op zijn beeldscherm voorbij, evenals zwarte en Aziatische en Indiase kutten, behaarde en haarloze schaamheuvels en kleine en veel te kleine kutten, maar niets daarvan interesseerde hem nog. Soms moest hij huilen wanneer hij voor zijn computer klaarkwam. Dan snikte hij haar naam en riep daarna soms: 'Val toch dood!' Daarna moest hij nog harder huilen, sloot dan zijn browser en keek naar de vrouw wier foto zijn bureaublad sierde. Ze was voor de camera een beetje verlegen geweest. De foto was zo levensecht dat hij dacht dat hij haar bijna met zijn hand kon aanraken, zo jong en onschuldig als ze daar zat op dat bankje bij de waterval. Ze had hem net voor de eerste keer in zich laten klaarkomen en hij had gezegd: 'Ik wil een foto van je nemen, zodat ik me altijd kan herinneren hoe mooi je nu bent.'

In zijn droom was ze topless naar hem toe gekomen – waarom had hij haar nooit gedwongen om hem een foto van haar borsten te laten nemen, zodat hij ze zich voor altijd zou kunnen herinneren? – en ze had haar mond opengedaan en gezegd: 'Ga weg! Ik heb een andere vriend. Ik wil jou niet meer: ik vind je een engerd!' Snikkend was hij wakker geschrokken.

Hoe had ze eerst kunnen zeggen dat ze om hem gaf om vervolgens te zeggen dat ze hem een engerd vond? Dat had hij nooit begrepen. En hoe kon ze zeggen dat hij een engerd was, als ze een relatie begon met een of andere klootzak die haar vader had kunnen zijn?

vijf

Hij stond nog steeds bekend als de Porseleinen Jongen, ook al was hij allang geen jongen meer. Soms scheen de kale plek op zijn hoofd zelfs door onder zijn naar achteren gekamde haar, dat hij altijd in een paardenstaart droeg. In zijn paspoort stond de naam Hananda Nau, een grapje dat alleen hij begreep, omdat zijn eerste slachtoffer een zakenman uit Korea was geweest die Nau heette. De naam 'Hananda' had hij ontleend aan de naam van een huurmoordenaar in een oude thriller uit zijn vaderland, Japan. Meneer Nau was zo bang voor zijn pistool geweest dat hij zonder verzet had toegestaan dat de Porseleinen Jongen zijn handen achter zijn rug had vastgebonden met een zijden sjaaltje dat geen striemen achterliet, hetzelfde sjaaltje waarmee de Porseleinen Jongen ook zijn maîtresses vastbond. Daarna had hij de bevende man naar een vistank met een inhoud van 1800 liter geleid. Aan een kant stond een verhoging voor de tank, waar hij met de zakenman voor zich op ging staan. 'Zeg maar dag tegen uw vissen', zei de Porseleinen Jongen tegen meneer Nau. De man slaakte een zachte kreet van angst. In zijn lichtgrijze broek begon zich bij het kruis een donkere vlek af te tekenen. 'Niet bang zijn,' zei hij bemoedigend, 'u hoeft alleen afscheid te nemen van uw vissen.' Nadat meneer Nau snikkend zijn laatste afscheid had uitgebracht, had de Porseleinen Jongen zijn hoofd met zijn linkerhand ruw onder water geduwd; zijn rechterarm hield hij om de borstkas van de man geklemd, opdat hij niet in de tank zou vallen en weg zou kunnen zwemmen. Meneer Nau had niet meer dan een halve minuut tegengesparteld en toen verslapte zijn lichaam. De Porseleinen Jongen had zijn zijden sjaaltje losgemaakt; vervolgens had hij meneer Nau bij kop en kont vastgepakt, opgetild en voorzichtig in de tank laten zakken bij de angstige vissen. Daar had hij half onder water op zijn buik rondgedreven en de Porseleinen Jongen had het volkomen esthetisch verantwoord gevonden dat het wateroppervlak nu precies tot aan de rand van de tank kwam. Toen de man om zijn leven vocht, had hij plotseling een erectie gekregen. Dat gebeurde vaak wanneer hij iemand anders volledig in zijn macht had. Het was bijna pijnlijk; hij had zijn piemel in zijn broek moeten verschikken. Hij had de opdracht gekregen dat het een zelfmoord moest lijken, mocht meneer Nau weigeren een overeenkomst te ontbinden met een aannemer die goedkoper was dan de cliënt van de Porseleinen Jongen. Zo moest het aannemelijk genoeg zijn, vond hij. Hij had trouwens helemaal vergeten te proberen de man om te praten.

Hierna had de reputatie van de Porseleinen Jongen zich als een lopend vuurtje verspreid. Hij had een bijzondere stijl ontwikkeld en zijn tarieven waren steeds hoger geworden. Hij zag zichzelf bijna als een kunstenaar. Hij had plezier in zijn werk en vond dat zijn slachtoffers het in de eerste plaats aan zichzelf te danken hadden dat ze in een situatie waren beland waarin machtige mensen hen wilden laten aftuigen. In de tweede plaats hadden ze tot op zekere hoogte geluk dat ze van zijn diensten mochten genieten: ze vielen immers niet in de handen van amateurs. Toen hij op zijn hoogtepunt zat, was zijn reputatie op zich al voldoende om mensen die in zijn vaderland aanzien hadden, te doen buigen voor de

eisen van degenen die de Porseleinen Jongen hadden inge-
huurd.

'*Have a good day, Mister Nau*', zei de receptionist van het
hotel, terwijl hij de sleutel van zijn hotelkamer aannam.

'*Thank you very much*', zei de Porseleinen Jongen met zijn
rustgevende bariton. Hij richtte zijn koele blik op deze verlegen jongen in zijn groene werkkleding, wiens nek hij met
zijn linkerhand had kunnen breken als hij in vorm was. Hij
vond zichzelf knap in zijn zwarte pak en zijn coltrui. Hij zag
zijn hele leven al vrij bleek; daaraan had hij zijn bijnaam dan
ook te danken. Eigenlijk was hij door die bleke teint veel te
herkenbaar en daar kwam bij dat hij één meter negentig lang
was. Daar stond echter tegenover dat mensen van nature
bang voor hem waren. En voor hem was het natuurlijk om
mensen bang te maken.

Feitelijk was hij allang opgehouden zichzelf als huurmoordenaar te beschouwen. Een enkele keer nog zag hij zich
gedwongen als laatste redmiddel geweld te gebruiken, maar
dat deed hij dan ook met beduidende resultaten.

Maar nu zocht hij gewoon wat vermaak, want de man met
wie hij zou praten, bleek haastig naar het buitenland te zijn
afgereisd voordat hij hem te pakken had kunnen krijgen. De
belangrijkste bezienswaardigheden – Gullfoss, Geysir en
Thingvellir – had hij inmiddels bezocht. Bij dit mooie weer
wilde hij vandaag een beetje buiten de stad rondtoeren en
ergens een rustig plekje vinden om daar, ver weg van alle
leuterende toeristen, van de natuur te genieten. Hij had
Gullfoss heel mooi gevonden. Watervallen intrigeerden
hem; ooit, langgeleden, had hij in het westen van Canada
zelfs een vrouw in een waterval helpen vallen om vervolgens,
toen hij zeker wist dat ze verdronken was, zelf om hulp te

34

roepen. Misschien was het veel te riskant geweest dat hij zich direct met zo'n gebeurtenis in verband had laten brengen, maar hij had er gewoon zin in gehad. Over heetwaterbronnen had hij als zodanig nog niet nagedacht, maar ook die moesten interessante mogelijkheden bieden.

Terwijl hij in gedachten een moord in een heetwaterbron – een geiser met alles erop en eraan – uitdacht, liep hij het Radisson-hotel uit naar zijn gehuurde jeep die op de parkeerplaats stond. Zoiets zou moeten lukken, dacht de Porseleinen Jongen. Hij was altijd met zijn werk bezig.

zes

Valdimar ging in de kantine op zijn vaste plek bij het raam zitten. Zoals gewoonlijk keek hij eerst op de klok om te zien of zijn horloge gelijk liep. Zoals hij had verwacht, stonden de wijzers precies gelijk. Deze gewoonte had hij overgehouden aan de tijd toen hij een horloge droeg dat hij van zijn grootvader had geërfd en erg onregelmatig liep. Soms vervloekte hij zichzelf vanwege deze tic, maar hij kon er niet van afkomen.

Het horloge van zijn grootvader lag nu in een laatje in zijn oude bureau, samen met andere dingetjes die Valdimar om de een of andere reden na aan het hart lagen. Zo lag er een sint-jakobsschelp die hij op een strand in Griekenland had gevonden toen hij jong was en verliefd was op een meisje dat hij nooit mee uit had durven vragen; de veer van een raaf die hij ooit op een avond tijdens een herfstelijke bergtocht had gevonden; een zelfgemaakte kaart die hij als tiener op straat had gevonden met daarop geverfd een vrouw met een blauwe traan op haar wang en de tekst 'Ik zal altijd van je houden'; een roestige huissleutel die ooit op het huis van de buren van zijn ouders in de wijk Hlídar had gepast; een ansichtkaart met een foto van de schakers Fischer en Spassky, uitgegeven ter gelegenheid van het WK schaken in Reykjavík in 1972, die door Spassky gesigneerd was, een geurloos, huidkleurig condoom dat Valdimar niet had hoeven gebruiken toen de gelegenheid zich voordeed, en de brief die zijn moeder hem gestuurd had toen hij aan het meer Vestmannsvatn op zomerkamp was.

Een paar jonge agenten aan de tafel naast hem lachten een collega hard uit. Ergens had Valdimar gelezen dat er nergens zo veel gepest en getreiterd werd als bij de politie. Verderop zaten twee mensen van de narcoticabrigade bij het raam met een geheimzinnige blik in hun ogen te fluisteren. Valdimar was altijd een beetje bang voor hen om redenen waarover hij niet al te veel wenste na te denken.

De ochtendbriefing verliep in de weekeinden altijd vlot, omdat er dan weinig mensen waren. Als er op een doorsnee doordeweekse dag veel algemeens te bespreken viel, voelde Valdimar zich vaak erg onrustig. In het ergste geval kreeg hij het benauwd; dan had hij moeite met ademhalen. Op deze korte bijeenkomst bespraken ze echter alleen de weinige zaken die aandacht behoefden. Haflidi, Valdimars naaste collega, bepaalde wie er dienst had en verdeelde opdrachten en toen begon de dag.

De grote verrassing van de ochtend was dat Valdimar de gelegenheid kreeg zijn eigen misstap van die ochtend te onderzoeken. Het betrof een zaak waarin een onbekend individu in een flat aan de Hááleitisbraut een telefoon had kapotgetrapt. Het vermoeden bestond dat de persoon in kwestie geld voor een of andere schuld had willen incasseren en men wilde het liefst dat de recherche de zaak in onderzoek zou nemen. Het zweet stond Valdimar op het voorhoofd. Wat was hier gaande? Elvar had de politie makkelijk de naam kunnen zeggen van degene die hem aangevallen had. Hij was een oude vriend van Valdimars vader en kende hem al vanaf zijn geboorte. Vermoedelijk wilde Elvar op deze manier wraak nemen: waarschijnlijk vertrouwde hij erop dat

Valdimar over de aangifte zou horen en wilde hij hem zo laten weten dat hij hem terug zou kunnen pakken, als hij daar zin in had. Het zou ook vanwege de verzekering kunnen zijn. Hoe het ook zij, Valdimar deed zijn best om niet met het onderzoek naar deze zaak belast te worden; dat zou Elvar nog veel meer kunnen pikeren.

'Ik wil liever niet met deze zaak belast worden, want ik ken deze man persoonlijk', zei Valdimar. 'Afgezien daarvan loop ik achter met het schrijven van rapporten; het zou prettig zijn als ik die achterstand kon wegwerken.'

Haflidi vond dat een geldig argument. Valdimar had gemerkt dat Haflidi had geprobeerd zijn blik te vangen en dat hij een ongebruikelijke hoeveelheid discretie had betoond, dus probeerde hij aan het einde van de bijeenkomst naar buiten te stormen, maar voordat hij zich uit de voeten kon maken, riep Haflidi hem.

'Hoe is het met je? Je ziet er niet goed uit.'

'Met mij is het prima', mompelde Valdimar zich verbijtend.

'Ik hoorde dat het tussen jou en Drífa niet goed is gelopen', ging Haflidi verder. 'Dat speet me echt. Ik was al gewend aan de gedachte dat we zwagers zouden worden.'

'Wat? Heeft ze tegen jou gezegd dat het uit was?' vroeg Valdimar verbaasd.

'Ik belde haar zonet en Baldur nam op. Toen heb ik haar ernaar gevraagd.'

Valdimar was overdonderd. Precies om deze reden had hij Drífa niet thuis durven opbellen; hij deed alsof hij het al wist, maar toch deed de bevestiging dat Baldur bij haar was ingetrokken hem pijn.

'Ik hoop van ganser harte dat je eruit komt en dat je er gauw weer overheen bent', zei Haflidi in een poging opgewekt te klinken. Een half jaar eerder had hij Valdimar aan zijn zus, Drífa, voorgesteld. Zij zat in de put nadat Baldur, haar partner, haar en hun zoon had verlaten om bij een Thais meisje in te trekken. Ze hadden elkaar op een zaterdagavond ontmoet en Valdimar had bijna uit medelijden geprobeerd Drífa op te beuren en gezellig te zijn, omdat hij wist dat ze door de scheiding in zak en as zat. Veel later pas was de gedachte bij hem opgekomen dat Haflidi hen misschien aan elkaar had willen koppelen. Op die avond zelf had hij aan zoiets niet gedacht, anders was hij waarschijnlijk ook niet zo opgewekt geweest; integendeel. Toen hij naar huis wilde gaan, had Drífa hem volkomen verrast door haar hand achter zijn hoofd te leggen en hem op zijn mond te kussen. Ze had gevraagd of ze bij hem langs mocht komen en hij had ja gezegd, maar hij had verwacht dat hij de tijd zou krijgen om daar rustig over na te denken. Na een half uur was ze al langsgekomen. De herinnering aan die onverwachte nacht vol hartstocht was nu net zo pijnlijk als ze een paar dagen eerder nog dierbaar was geweest, voelde Valdimar opeens, en van deze ontdekking werd hij nog bedroefder dan anders.

'Met mij komt het vanzelf wel weer goed', zei hij gedecideerd en hij liep toen vlug de vergaderruimte uit om rapporten te gaan schrijven.

zeven

Haflidi had Valdimar willen vragen de inbraak in de kelder-
woning aan de Fjólugata te onderzoeken, terwijl hij zich met
die zaak aan de Hááleitisbraut bezig zou gaan houden, maar
het draaide erop uit dat hij beide zaken zelf moest afhandelen. De zaak aan de Hááleitisbraut riekte aan alle kanten
naar een poging tot verzekeringsfraude of iets dergelijks;
Haflidi wist voor negentig procent zeker dat de bewoner,
Elvar Gestsson, zijn telefoon zelf op de vloer had laten vallen
en iemand anders voor de schade wilde laten opdraaien.
Elvars beschrijving van degene die hem had aangevallen,
had kant noch wal geraakt, noch had hij kunnen uitleggen
waarvoor die man was gekomen. Wel had hij een getuige van
het hele gebeuren, zodat Haflidi waarschijnlijk een rapport
over de zaak moest schrijven en de man moest helpen zijn
recht te halen, als hij niet kon bewijzen dat die kerel zijn
verzekering probeerde op te lichten. Dat maakte hem niets
uit: hij vond op zich dat Elvars verzekeringsmaatschappij
zijn dierbare telefoon best kon vergoeden.

Op het eerste gezicht lag het nogal voor de hand wat er aan
de Fjólugata was gebeurd. De bewoonster, Sunneva Gunnarsdóttir, was een heel knap meisje met rood haar, dat
architectuur studeerde. Zoals te verwachten viel, was ze
erg overstuur, maar ze zei ook dat ze naar haar werk moest
en eigenlijk geen tijd had om met hem te praten. De inbreker

was een jongen die door het raam naar binnen was gekomen; het leek Haflidi het meest waarschijnlijk dat hij voor het weekend geld voor drugs nodig had gehad en toevallig dit raam open had zien staan. Ongetwijfeld had hij eerst aangebeld om te zien of er iemand thuis was.

'Weet je misschien of iemand je vanochtend thuis heeft proberen op te bellen?' vroeg hij haar.

'Waarom vraagt u dat?' vroeg ze, terwijl ze tersluiks naar beneden keek.

'Tja, het zou kunnen zijn dat de inbreker eerst heeft opgebeld om te kijken of er iemand thuis was. Zit er nummerweergave op je telefoon?' vroeg hij.

'Ja', zei ze zonder hem aan te kijken. 'Ik heb er al naar gekeken, maar er heeft niemand opgebeld.'

Haflidi knikte. Je had nu eenmaal niet altijd mazzel.

'Het was puur toeval dat jij uitgerekend nu thuiskwam?'

Tot Haflidi's verbazing kleurde het meisje rood bij deze vraag, alsof hij haar van iets oneerbaars had beticht.

'Eigenlijk wel, ja', zei ze zonder verdere uitleg.

'En jij denkt dat jouw hond hem in bedwang heeft gehouden?' zei hij grijnzend om haar op haar gemak te stellen. Hij aaide het beest, dat om zijn benen sloop; hij was gek op honden.

Voor het eerst verscheen er een glimlach op haar gezicht. 'Ja, daar ziet het wel naar uit', antwoordde ze. Ze stonden in de gang; ze had hem niet gevraagd of hij wilde zitten, maar had hem alleen de plek laten zien waar ze de jongen had gezien, en het raam waardoor hij waarschijnlijk naar binnen was gekomen. Haflidi overwoog of het enige zin had om naar vingerafdrukken te zoeken, en dan vooral bij het raam, want sommige junks stonden bij zulke dingen niet stil: het lag niet in de lijn der verwachting dat junks duizenden

thrillers en detectiveseries waarin regelmatig vingerafdrukken voorkwamen, hadden gezien. 'We kunnen naar vingerafdrukken gaan zoeken, maar het is niet zeker of dat iets zal
opleveren.'

'Nee, nee, dat is helemaal niet nodig', zei ze vlug. Er was
iets aan haar onrust wat Haflidi vreemd voorkwam. Ze
scheen vooral veel haast te hebben om van hem af te komen
en had niet eens aangegeven dat ze zich thuis niet meer
veilig voelde, wat na een inbraak de gebruikelijke reactie was
van mensen die alleen woonden. Hij zou daar later nog
weleens verder over nadenken, dacht hij, maar nu haalde
hij slechts zijn schouders op en sloot in gedachten de zaak af.
Hij had haar gevraagd of ze de inbreker kon beschrijven,
maar het enige dat ze kon zeggen was dat hij een trui met
een capuchon droeg en ze kon zich niet eens herinneren
welke kleur die trui had. Veel konden ze daar dus niet mee.
Haflidi nam afscheid en ging weg; het meisje en haar hond
volgden hem naar de deur.

Hij wist dat hij het meisje meer onder druk had moeten
zetten, net zoals hij bij die homo aan de Hááleitisbraut had
moeten doen. Ze hield iets voor hem verborgen en zoiets
mocht niet gebeuren wanneer er sprake was van een delict
als een inbraak, maar de zachtaardigheid en tolerantie die
een wezenlijk deel van Haflidi's persoonlijkheid waren gaan
uitmaken, hadden in beide gevallen voorkomen dat hij de
betrokkenen nog meer last had bezorgd door hun woorden
in twijfel te trekken. Hij was niet alleen door het verstrijken
der jaren zo mild geworden: elke dag dankte Haflidi God er
vanuit het diepst van zijn hart voor dat hij niet als moordenaar was veroordeeld en in de gevangenis zat.

Toen Sigrún, Haflidi's vrouw en de moeder van hun twee kinderen, hem op een zondag bij hen thuis in Egilsstadir had gevraagd bij haar te komen zitten om te praten, had hij daar niets achter gezocht; hij had geen flauw idee wat zij wilde. Zijn leven verliep volgens een aangenaam voorspelbaar patroon: hij had het bij de politie uitstekend naar zijn zin en kon eigenlijk alleen klagen over hoe rustig het op zijn werk was. Hij was op het platteland geboren en kende niets anders dan het landleven, dat hem prima beviel. Hij ging af en toe uit jagen. In de herfst trok hij er met zijn vrienden op uit om ganzen te schieten, meestal op het land bij de boerderij van een oude schoolvriend. Daarna zaten overal sneeuwhoenders, dus dan hoefden ze niet verder te rijden dan tot net buiten het dorp. Ook loste hij, zo ongeveer om het jaar, weleens een schot op een rendier. Hij had Sigrún bij de toneelvereniging leren kennen, waar hij een paar jaar achter elkaar op de planken had gestaan. Zijn grootste succes had hij het eerste jaar gevierd, toen hij een gekke smeris had gespeeld; hij werkte toen net bij de politie. Zijn overwintering aan de politieacademie in Reykjavík had hem er voorgoed van overtuigd dat hij het niemand wilde aandoen in de stad – of om precies te zijn in de hoofdstad en omstreken – te moeten wonen. Hij had namelijk een studio in Kópavogur gehuurd, waar hij bijna dood was gegaan van verveling en eenzaamheid. Hij was nog nooit zo blij geweest als op het moment dat hij weer 'terug in het dal' was, zoals hij het zelf tegenover zijn medespelers verwoordde. De belachelijke gelaatsuitdrukking van de politieagent in de klucht had de mensen bij elke opvoering aan het lachen gekregen. Dat gezicht kon hij nog steeds trekken, maar dat had hij niet meer gedaan sinds hij na die zondag in april, toen zijn lieve echtgenote met hem had willen praten, naar Reykjavík was verhuisd. Sigrún was een goedlachse meid uit de fjord Nord-fjördur, die een paar jaar voordat haar en Haflidi's wegen elkaar in de toneelvereniging kruisten, met haar ouders in de streek was komen wonen. Ze was toen achttien, vier jaar jonger dan hij. Hun blikken hadden elkaar tijdens de repetities steeds weer ontmoet. Telkens wanneer hij met de regisseur dat gekke gezicht en die gestoorde blik had geperfectioneerd en hij haar schaterende lach vanuit de zaal hoorde, had hij merkwaardige vlinders in zijn buik gevoeld. Tijdens het feest ter gelegenheid van de première hadden ze aan de lange tafel tegenover elkaar gezeten. Hij wist toen niet zeker of het toeval was of niet, maar later had ze tegen hem gezegd dat ze hem steeds in het oog had gehouden totdat hij was gaan zitten; toen had ze haar kans schoon gezien. Hij was erg blij geweest dat te horen. Die nacht hadden ze gevrijd in zijn oude kamer in zijn ouderlijk huis, waar hij toen woonde, ook al had hij net een woning gekocht. Ze waren nogal dronken en opgewonden, zij vooral, en hij herinnerde zich hoe bezorgd hij was geweest dat ze zo veel lawaai maakten dat zijn ouders hen zouden horen. Tegen een uur of zeven had Sigrún hem op het puntje van zijn neus gekust en was naar huis gegaan. De toenaderingspogingen in de weken erna waren voor zijn gevoel moeizaam verlopen. Later had ze gezegd dat ze nooit zeker had geweten of ze zo snel al een verbintenis wilde aangaan en hij had alleen geweten dat hij verliefd was en dat hij Sigrúns aanwezigheid dag en nacht in zich wilde opnemen. Deze situatie werd zes weken later vanzelf opgelost toen was gebleken dat ze zwanger was. Haflidi was erg blij geweest over deze ontwikkeling. Ze waren die zomer meteen getrouwd en twee jaar later was Sigrún opnieuw zwanger geworden. Inmiddels had ze werk gevonden op het gemeentehuis en ze had het erover gehad dat ze naar Reykjavik wilde om een opleiding te volgen, maar met twee kinderen, een jongen en een meisje, was dat niet zo eenvoudig. Hij was gelukkig geweest, maar zij niet; dat kwam aan het licht op die zondag toen ze uiteindelijk de moed had gevat om met hem te praten. Ze wilde de kaarten opnieuw schudden, zoals ze het noemde; ze had misschien nooit van hem gehouden. Het ergste was dat ze tegenover hem toegaf dat ze niet wist of hij de vader van hun zoon was of niet; ze zei dat dat heel zwaar op haar geweten drukte en dat ze het hem niet wilde aandoen achteraf achter de waarheid te moeten komen. Over wie de mogelijke vader zou kunnen zijn, had ze geen verdere uitspraken willen doen, maar toen hij was blijven aandringen – of liever gezegd: toen hij haar tegen de grond had geslagen en had gedreigd haar te vermoorden – had ze bekend dat ze een korte affaire had gehad met een technoloog uit Keflavík, die voor een tijdelijk project in de regio was geweest. Ongetwijfeld had het halve dorp hiervan geweten; dat vond hij nog het allerergste. Als het een ander was overkomen, had hij er zelf om moeten lachen.

Terwijl hij een poging deed om dit allemaal tot zich te laten doordringen, was Sigrún van de grond opgekrabbeld. Ze had een bloedneus en was helemaal buiten zinnen; ze had tegen hem gezegd dat de technoloog niet de eerste en ook niet de laatste was geweest en dat ze dit leven niet uithield, dat ze met de kinderen bij hem weg wilde en dat ze nog liever doodging dan dat ze nog langer bij hem bleef. Toen had hij haar bij haar keel gegrepen en die met zijn dikke, sterke vingers toegeknepen. Hij had haar recht in het gezicht gekeken en had haar hoofd eerst rood en toen blauw zien aanlopen. Ze was volkomen hulpeloos geweest, hoewel ze met haar armen machteloos tegen zijn zij had geslagen.

Hij had zonder enig gevoel van medelijden de smekende blik in haar ogen aangezien. Pas toen hij haar tong uit haar mond zag hangen en haar ogen begonnen uit te puilen, was hij ineens bang geworden en had haar losgelaten. Ze had naar adem gehapt, was hoestend bij hem weggestrompeld en had zich snikkend op de leren bank laten vallen. Hij was als verdoofd de badkamer in gelopen en had zijn handen gewassen. Hij kon zichzelf in de spiegel niet in de ogen kijken en staarde daarom naar zijn handen terwijl het water eroverheen stroomde. De term 'moordenaarshanden' was in hem opgekomen en hij had allereerst God gedankt dat Hij Sigrún, hem en hun kinderen had beschermd. Vervolgens was hij op bed gaan liggen en in slaap gevallen, alsof ze hem platgespoten hadden.

Toen hij wakker was geworden, was ze weg. Hij had zich ziek gemeld en had niet verwacht dat hij nog zou mogen werken, maar ze had hem niet aangegeven. Ondanks alles was hij haar daar dankbaar voor. Hij besefte beter dan zijzelf hoe ernstig een delict als lichamelijk geweld was en wat het voor hem zou hebben betekend als ze niet naar haar moeder, maar naar het ziekenhuis was gegaan. Zij was daarop naar Reykjavík verhuisd om verpleegkunde te gaan studeren, wat altijd haar droom was geweest. Hij was haar, of liever de kinderen, naar het zuiden gevolgd, had deze baan bij de recherche gekregen en had geholpen met de zorg voor de kinderen totdat Sigrún klaar was met haar studie; toen was ze vlug teruggegaan naar het oosten.

Op dat moment kon hij haar voorbeeld niet volgen, want hij had simpel gezegd geen leven meer in Egilsstadir. Hij was alles kwijt: de baan waar hij zogenaamd op wachtte, was allang aan iemand anders gegeven en zijn kinderen waren inmiddels groot genoeg om bij gelegenheid over te komen.

Zijn zoon leek overigens niet op hem, maar hij had besloten om nooit naar wetenschappelijk bewijs voor hun verwant- schap te zoeken, als hij daar niet toe gedwongen werd.

acht

Marteinn zat aan de piano in de woonkamer en tingelde afwezig een of ander wijsje, terwijl hij zich afvroeg of Sunneva hem herkend had, of ze zou opbellen om te vragen wat zijn bedoelingen waren geweest en wat hij daarop dan moest antwoorden. Hij had overal vreselijk veel spijt van: dat hij met zijn stomme kop bij haar had ingebroken, dat hij bij haar thuiskomst niet gewoon had laten merken dat hij er was en dat hij haar niet had verteld wat hij daar deed. En hij had ook erg spijt van het feit dat Hallgrímur alles had verteld. Dat had met die inbraakgeschiedenis verder niets uit te staan. Hij had het gewoon leuk gevonden om zijn vriend over dit avontuur te vertellen, maar daardoor had hij Hallgrímur ook in vertrouwen moeten nemen over de problemen thuis: over het feit dat zijn vader zo vaak weg was, dat hij een jonge minnares had en dat zijn moeder er gek van werd. Hij vond dat hij zichzelf had blootgegeven en zelfs dat hij op een of andere manier het welzijn van zijn familie in gevaar had gebracht.

Hij wuifde deze gedachten weg; waarschijnlijk was het een dringender probleem wat hij Sunneva moest antwoorden als en zo ja, wanneer ze zou opbellen. Hij besloot dat hij zou zeggen dat hij haar telefoonnummer thuis op een briefje had gevonden en dat hij had gedacht dat het het nummer van zijn tandarts of zoiets was. Hij moest glimlachen bij het idee alleen al, want dan zou Sunneva zelf tekst en uitleg moeten geven over de vraag hoe het mogelijk was dat er bij hem thuis een briefje met haar telefoonnummer rondzwierf. Ongetwijfeld zou ze zijn vader daarvoor op zijn lazer geven en die zou er niets van snappen.

'Wat zit jij te grijnzen?'

Björg was de woonkamer in gekomen en had het zich gemakkelijk gemaakt in een luie stoel naast de piano; ze hing onderuitgezakt met haar benen over een leuning.

Marteinn keek zijn zus aan; zo te zien verwachtte ze geen antwoord, want ze zat inmiddels in een glossy tijdschrift te bladeren.

'Waarom denk jij dat we bestaan?' ging ze verder zonder van haar blad op te kijken, alsof deze vraag logisch uit de vorige voortvloeide. 'Waarom denk jij dat we op aarde zijn? Volgens mij is dat zodat we van onze ervaringen kunnen leren. Daarom moeten we eigenlijk proberen te genieten van alles waarmee we te maken krijgen, en eruit halen wat we kunnen.'

'Mijn idee', zei Marteinn lichtelijk verbaasd over deze wijsheid. Had ze dit net in dat tijdschrift gelezen? Björg droeg zwarte mascara en had met een donkere viltstift een traan op een van haar wangen getekend. Ze had geen schoenen aan en droeg een zwarte broek en een wijde blouse van zwart kant. Marteinn had moeite om te wennen aan de snelheid waarmee ze de afgelopen maanden veranderd was; voor zijn gevoel was het nog maar kort geleden dat zij en haar vriendinnen zich bij voorkeur in de slaapkamer hadden opgesloten om mamma's oude kleren aan te proberen. Ze streek haar haar achter haar oren en toen Marteinn vluchtig een blauwzwart puntje op de binnenkant van haar onderarm zag, begreep hij dat hij in de geschiedenis van zijn zus minstens één bladzijde had overgeslagen.

'Heb je je laten tatoeëren?' vroeg hij ongelovig.

Ze rolde haar mouw op en stak haar arm uit om het hem te laten zien. Er stond een langwerpig, versierd kruis op, alsof het van filigraan was gemaakt.

'Vonden pappa en mamma dat goed?' vroeg Marteinn wantrouwig.

'Het is míjn lichaam', antwoordde ze nukkig.

'Je hebt het hun dus nog niet laten zien', zei hij met een diepe zucht. Zij haalde haar schouders op.

'Ik wacht nog op een goede gelegenheid', antwoordde ze.

'Had je niet kunnen wachten totdat je zestien was? Dan was het tenminste legaal geweest. Ik vind dat dit verboden zou moeten worden.'

'Ik leef maar één keer en ik ben jou niet.'

'Ja, hallo, wat heeft dat er nou mee te maken?' zei hij. Ze streek haar lange haar weer achter haar oren.

'Jij bent gewoon zo sloom. Jij laat je door pappa en mamma regeren alsof je een klein kind bent.'

'Gelul.'

'Heb je ooit iets gedaan wat niet mocht? Ben je ooit een hele nacht wezen stappen zonder het te vertellen? Heb je het ooit gedaan met iemand met wie je niet thuis zou durven komen? Heb je het überhaupt ooit met iemand gedaan? Ik bedoel, met een meisje? Tenzij je natuurlijk homo bent. Ben je soms homo? Is Hallgrímur misschien je vriendje?'

'Ach, houd toch op met je gezeik, Björg.'

'Jij hebt in elk geval nooit een vaste vriendin gehad: ik heb nooit een vriendinnetje van jou ontmoet.'

'Ik leef mijn eigen leven, dus bemoei je niet met dingen die jou niets aangaan.'

'Je hebt me geen antwoord gegeven; heb je ooit iets gedaan wat niet mocht?'

'*You have no idea*', zei hij sarcastisch.

'Aha, leef jij soms een geheim leven waar de rest niets over te weten komt? Misschien had je pappa en mamma daar eens iets over moeten vertellen om voor mij de weg vrij te maken. Het zou voor mij veel makkelijker zijn om hun te kunnen wijzen op iets wat jíj gedaan hebt. Daar komt bij dat jij een jongen bent en jongens kunnen overal onderuit komen, tenzij het sukkels zijn. In plaats daarvan moet ik altijd alles als eerste doen.'

'Waar heb je je laten tatoeëren?'

'Ik heb het mijn vriendje laten doen.'

'Je vriendje? Ben je gek geworden?' vroeg Marteinn. 'Sinds wanneer heb jij een vriendje? Je lult maar wat. Het kan hartstikke gevaarlijk zijn om kleine jongetjes te laten knoeien met dingen waar ze geen verstand van hebben.'

'Hij is geen klein jongetje en hij is een professional: hij heeft het in een tattooshop in Amerika geleerd.'

Marteinn wist niet wat hij moest zeggen; hij keek Björg stomverbaasd aan. Björg deed alsof er niets aan de hand was, streek haar haar nog een keer achter haar oren en keek toen weer naar buiten.

'Hoe oud is die vent?'

'Eldar. Hij heet Eldar.'

'Oké, hoe oud is Eldar?'

'Hij is tweeëntwintig.'

'Ben je helemaal belazerd? Hij is ouder dan ik!'

'En wat dan nog?'

Marteinn begon weer op de piano te spelen. Het leek alsof alles om hem heen in puin lag: zijn vader woonde min of meer ergens anders zonder dat ooit toe te geven, zijn moeder werd steeds afweziger en sloot zich steeds meer in zichzelf op en nu was Björg zo te zien ook al hard op weg te vertrekken. Hij voelde opeens dat hij deze mensen amper nog kende, ook al heetten ze zijn naaste verwanten. Het enige dat er nog aan ontbrak, was dat hijzelf voor inbraak opgepakt zou worden, dacht hij, terwijl hij een dramatisch, onzuiver akkoord aansloeg. Hij besloot om Hallgrímur op te bellen en hem te vragen of hij langs kon komen om de stand van zaken met hem te bespreken. Hij had vergeten zijn vriend te vragen om het met absoluut niemand over al deze toestanden te hebben.

'Kun je niet wat leukers spelen?' vroeg Björg.

'Ik denk het niet', antwoordde hij.

negen

'Wát zeg je, lieverd?' zei Hildigunnur ontdaan, maar Sunneva wilde van een mug geen olifant maken. Moeder en dochter zaten elk met een kop thee aan het bureau in Hildigunnurs studeerkamer; Sunneva was onverwachts langsgekomen.

'Het was niets ernstigs, mamma, het was maar een jongen. Elvis had hem de stuipen al op het lijf gejaagd en toen ik thuiskwam, heb ik zijn trommelvliezen laten scheuren met mijn gegil. Je kunt je wel voorstellen dat die zich geen tweede keer meer laat zien.'

'En hoe ...?'

'Ik wilde alleen mijn sporttas thuis droppen en toen zat die sukkel daar.'

'En wat zei de politie?'

'Eigenlijk niets; ze moeten hem nog vinden. Zit pappa in het buitenland?'

'Ja, hij moest kennelijk naar Londen.'

Ze keken elkaar een beetje ongemakkelijk aan.

'Hoe is het met de anderen?' vroeg Sunneva toen.

'De anderen? Ja, prima', antwoordde Hildigunnur. 'Wil je voor de zekerheid vannacht niet hier blijven?'

Ze voelde dat er iets aan de hand was. Af en toe plukte Sunneva aan haar wenkbrauw, een duidelijk teken dat ze zich zorgen maakte, en ze durfde haar moeder niet recht in de ogen te kijken.

'Lieve mamma, met mij is alles goed', zei Sunneva. Ze omhelsde haar moeder. Hildigunnur zocht nog steeds oogcontact met Sunneva en ditmaal keek ze terug, maar er was iets gedwongens aan de manier waarop ze haar ogen opensperde en een engelachtig gezicht opzette om haar moeder ervan te overtuigen dat ze niets te verbergen had. Hildigunnur kende haar te goed om zich voor de gek te laten houden.

'Weet je het zeker?' vroeg ze pro forma, want ze had het allang opgegeven om nog naar de waarheid te vissen. Qua uiterlijk leken ze op elkaar en ze hadden een goede band, maar toch niet zo goed als Hildigunnur graag had gewild. Er zat een donkere kant aan Sunneva die ze haar niet toonde, alsof ze nog steeds de behoefte voelde haar moeder te bewijzen wat voor braaf meisje ze was en hoe goed ze zich gedroeg. Door dit verstoppertje spelen van Sunneva had Hildigunnur geen idee van wat er onder de oppervlakte sluimerde. Ze wist niet wie die andere Sunneva was wier aanwezigheid ze voelde: ze wist niet of dat gewoon een iets duisterder variant was van de Sunneva die zij zo goed kende of iemand die over eigenschappen beschikte die zij niet kende. Haar oude koppigheid welde in haar op en kleurde de toon van haar stem toen ze tegen Sunneva zei: 'En jij bent van plan om na zo'n nare gebeurtenis naar je werk te gaan?'

'Nee,' antwoordde Sunneva, 'ik wil het als excuus gebruiken om vandaag lekker niets te doen, want daar ben ik hard aan toe. Ik denk dat ik er maar vandoor ga.'

'Kom dan morgenochtend koffiedrinken, lieverd: ik heb je al zo lang niet meer gezien en je broer en zus vragen ook steeds naar je.'

Dat laatste was trouwens op zich niet waar, maar toch zat

er een kern van waarheid in, omdat er niemand was die haar
op een leugen kon betrappen.

'Doe ik, mamma.'

tien

In de hoek van het raam rechtsonder waren twee spinnen in het zonnetje aan het paren. Hallgrímur volgde wat ze deden alsof het de belangrijkste gebeurtenis ter wereld was. De kleinste spin, waarvan hij vermoedde dat het het mannetje was, kroop tegen de dikste aan, betastte haar met zijn pootjes en deinsde toen weer achteruit. Was dit niet zo'n zwarte weduwe, het soort spin waarbij het vrouwtje het mannetje na de paring vermoordt en opeet? Bij mensen was het niet anders: vrouwen die mannen wilden pakken om het leven uit hen te zuigen en hen door het huwelijk vast te binden, waardoor ze geen beschikking over hun eigen lichaam meer hadden.

Hij scheurde zich los van de spinnenseksshow, keek naar zijn naakte lichaam en voelde een plotseling gevoel van walging bij het zien van zijn knappe lijf: zijn grote penis, waarop hij gewoonlijk onder de douche zo trots was, en de gebruinde huid die hij vorige zomer op het strand had gekregen en die hij in stand had gehouden door eenmaal per week onder de zonnebank te gaan; meer was er niet voor nodig. Door zijn gebruinde huid leek zijn blonde haar nog blonder. Veel mensen dachten dat hij zijn haar geblondeerd had, maar het was zijn eigen haarkleur en volgens de kapper had hij prachtig haar. Hij liet zich eenmaal per maand knippen en de kapper zei altijd tegen hem dat hij zich waarschijnlijk nooit zorgen zou hoeven maken over zijn haar: volgens hem was het het soort haar dat niet dunner en hooguit grijs wordt, en zelfs dat kon voorkomen worden, want het was natuurlijk geen probleem om de grijze haren mettertijd te verven. Niet dat hij nu al zo ver vooruit wilde blikken, maar toch.

Ja, hij was verdomd tevreden over zijn lichaam. Het was immers niet alsof hij er moeite mee had zich te laten omringen door zoveel vrouwen als hij maar wilde. In Spanje was hij er voor het eerst achter gekomen hoe verrekt handig dat was. Al die meiden op het strand hadden hem hebberig aangestaard, net als die twee homo's bij het zwembad. Hij had ervan genoten om hen te kwellen door in een uitdagende pose in een ligstoel of op een luchtbed te gaan liggen. Ze mochten zich de ogen uit hun hoofd kijken, die kerels, maar ze lieten hem verder volkomen met rust. En de meisjes vielen als een baksteen voor hem. Zijn drie weken verblijf hadden min of meer uit orgiën bestaan, heerlijk bevrijd van zijn moeder met al haar gezeik. Op een dag had hij in een vlaag van waanzin in één avond drie meisjes opgepikt zonder zich tussendoor ook maar te wassen. Met het eerste meisje had hij het in een toilet van een disco gedaan. Hij was voor haar op zijn knieën gaan zitten en had haar gebeft zonder haar onderbroek helemaal uit te trekken; vervolgens had hij haar omgedraaid en had haar van achteren genomen. Het was een Engels meisje en ze was nogal lelijk. Daarna had hij een tijdje met haar gedanst en was toen verdwenen: hij had een vaag gebaar gemaakt naar iets achter zich en was toen naar buiten gegaan. Daarop was hij naar een pizzeria gegaan om iets te eten en daar had hij oogcontact met een Spaans meisje twee tafels verderop gekregen. Ze was zo dun als een lat en had gemillimeterd haar als een jongen. Ze zat daar met een paar anderen en wierp hem zulke betekenisvolle blikken toe dat hij het erop had gewaagd en de ober had gevraagd haar een cocktail te brengen; niet dat hij zich meteen tot haar aangetrokken had gevoeld, maar hij wilde haar gewoon uitproberen. Ze had hem bij hen aan tafel uitgenodigd en daarna was ze met hem naar een of ander krankzinnig rockcafé gegaan, waar hij erachter was gekomen dat ze een piercing door haar tepel had. Ze zag er zo jong en onschuldig uit, als een plechtig communicantje, en ondertussen had ze een piercing door haar tepel. Net toen hij zijn ene hand op een dij van dit Spaanse meisje had laten glijden, had hij ineens de Engelse uit de disco bij de deur zien staan. Ze keek hem met een uiterst veelzeggende blik aan, maar hij lachte haar gewoon uit. Dacht ze nu werkelijk dat hij van haar en van niemand anders was, omdat ze zich in het toilet door hem had laten nemen? De Spaanse deelde een flat met haar vriendin, dus het lag voor de hand dat ze daarnaartoe zouden gaan. Haar vriendin ging met hen mee; zij mocht er ook zijn en hij wilde het heel graag met hen beiden tegelijk doen, maar durfde dat niet te vragen uit angst dat hij degene die hij nu aan de haak had, voor het hoofd zou stoten. Misschien had hij door dit onvervulde verlangen besloten om nog een derde te scoren, een meisje dat hij op weg naar zijn hotel tegenkwam. De Spaanse met het korte haar moest de volgende dag vroeg werken, dus na afloop had ze hem gevraagd weg te gaan, wat hij prima vond; hij was dat sowieso al van plan, want hij had geen zin om braaf met haar te ontbijten. Hoe dan ook, op weg naar zijn hotel had een piepjonge schoonheid hem aangesproken en hij had haar meteen gevraagd met hem mee te gaan naar het hotel. Deze actie had trouwens nogal een anticlimax gekend, want toen ze in zijn hotelkamer waren aangekomen, was gebleken dat ze een heroïnehoer was die er geld voor wilde hebben. Hij begreep niet hoe ze op het idee was gekomen dat een vent zoals hij voor seks zou willen betalen. Toch wilde hij met drie vrouwen op een avond zijn persoonlijke record breken, dus hij gaf haar wat hij aan euro's op zak had, liet zich door haar pijpen totdat hij een erectie had en zei tegen haar dat ze op handen en voeten op het bed moest gaan zitten. Hij smeerde zijn penis in met aloë-veracrème, zodat hij haar kon penetreren. Hij dacht dat hij nooit klaar zou komen en was bijna bang dat hij zijn erectie kwijt zou raken, dus was hij nogal ruw met het arme meisje omgesprongen: met zijn linkerhand had hij haar met haar gezicht op het bed gedrukt, met zijn rechterhand had hij haar op haar kont geslagen en toen hij klaarkwam, had hij haar zo hard in haar tepels geknepen dat ze was begonnen te huilen. Hij had wat medelijden met haar gekregen en wilde haar over haar wang aaien toen ze weg zou gaan, maar ze ontweek hem. Ze moest het zelf maar weten: dit was haar metier, niet het zijne.

Hij werd misselijk nu hij eraan terugdacht, maar het was in elk geval bewijs voor het feit dat hij meisjes kon krijgen als hij er zin in had; daar had hij geen hulp bij nodig. De kleren die hij gisteren had gedragen, lagen netjes opgevouwen op een stoel. Onachtzaamheid wat betreft je kleren kon een teken zijn dat je je grip op de realiteit kwijt was, had hij ooit in een interview in een tijdschrift gelezen. Zelf vond hij het een typisch voorbeeld van ijdelheid die zich in iemands hoofd had verankerd en zijn leven kleurde; sinds hij dat interview had gelezen, had hij dit vrijwel elke dag gedacht.

Zijn moeder was thuisgekomen en rommelde beneden in de keuken en dat terwijl hij zo graag iets te eten had willen halen zonder haar over zich heen te krijgen.

'Goedemorgen', zei hij toen hij beneden kwam.

'Goedemorgen, Grímsi', zei ze opgewekt.

Bij het horen van deze koosnaam vertrok zijn gezicht onwillekeurig; hij keek haar niet aan. Zo te zien had ze het gemerkt. Ze snoof afkeurend. Hij zuchtte zwaar bij dit bekende geluid van zijn moeder. Zijn moeder wendde zich van hem af en legde een pak chocoladekoekjes in de kast.

'Wil je niets eten?' vroeg ze met haar zwakke stem, die hem zo oneindig op zijn zenuwen werkte. Zelfs als ze op scherpe toon iets zei, was haar stem zwak en onzeker; hij mocht dan wel schel zijn, maar hij was nog net zo armzalig.

'Ja ja, ik maak wel wat.'

Er waren Cheerios in huis.

'Moest je gisteravond werken?'

Hij keek haar aan; normaal gesproken vroeg ze niet naar dat soort dingen.

'Ja. Waarom vraag je dat?'

'Tja, ik wilde alleen ... Jakob was gisteren een beetje op-gewonden. Ik vroeg me af of hij jou wakker had gehouden.'

Lieve heer. Haar vriendjes waren een hoofdstuk apart, of liever gezegd hoofdstukken apart, die allemaal bij een roos-kleurige tarotvoorspelling op het internet begonnen en er-mee eindigden dat de een de ander van bedrog, overspel, diefstal en Joost mag weten wat nog meer beschuldigde. Soms liep het zelfs op handtastelijkheden uit. Hallgrímur snapte niet waarom ze het zo wilde, want het liep voor haar altijd op ellende uit.

'Nee, ik ben heel laat thuisgekomen en als een blok in slaap gevallen.'

Hij keek haar aan over het pak Cheerios, dat hij als bar-rière voor zich had neergezet. Gelukkig had ze geen blauw oog.

60

'Luister eens, Grímsi, wil je mij misschien naar Árbær brengen?'

Dat wilde hij helemaal niet.

'Nee, ik heb Marteinn al beloofd dat ik iets met hem zou gaan doen.'

'Altijd weer die Marteinn! Ga je met de auto?'

'Ja.'

Als hij haar de auto leende, zag hij haar de rest van de dag niet meer en aangezien ze geen gsm had, kon hij haar nooit te pakken krijgen. Aan haar beloften kon je geen enkele waarde hechten en als hij haar daarmee confronteerde, keek ze hem aan alsof hij achterlijk was of ze zei misschien: 'Ja, maar het was Ásta's verjaardag!' of 'Zo vaak kom ik nou ook weer niet op de uitverkoop in het winkelcentrum!' Voor haar waren dit zulke gewone uitvluchten dat ze haast geïrriteerd was dat hij om uitleg vroeg. Hij vond het allemaal best; hij had geleerd dat hij met haar moest uitkijken. Ze was altijd al zo geweest. Hallgrímur herinnerde zich nog goed hoe ze, toen hij een jongetje was, soms dagenlang verdween en hoe verontwaardigd ze bij haar thuiskomst altijd was over het feit dat hij chagrijnig was: was er soms geen eten in de koelkast, had hij soms niet genoeg computerspelletjes om zich mee te vermaken?

'Ach toe, Grímsi, kun je dat nou niet even voor mamma doen?' zei ze met iets van irritatie in haar stem. 'Zo vaak vraag ik je toch niet om iets? Je kunt me daar toch wel afzetten op weg naar ...'

'Ik heb gewoon andere dingen te doen, mamma; je moet de bus maar nemen.'

Ze snoof nog een keer.

'Ik heb zo'n last van mijn rug.'

Zo veel dingen die ze zei, stonden voor heel iets anders.

Sinds zijn geboorte had ze last van haar rug; dat zei ze al tegen hem sinds hij een klein jongetje was. Met andere woorden: het was zijn schuld dat ze last had van haar rug.

'Wil je niet even gaan liggen?'

Ze zag dat ze hiermee niets opschoot en probeerde een andere route.

'Je vader belde gisteren.'

'O ja?'

Hij wist dat ze loog. Wanneer ze kwaad was, had ze de gewoonte om gesprekken altijd op een of andere manier op zijn vader te brengen; het leek haast een zenuwtrekje. Het was niet de eerste keer dat ze, nadat hij geweigerd had haar een plezier te doen, liet vallen dat er een mysterieus telefoontje was geweest.

'Hij vroeg hoe het met je ging.'

'Aha.'

Dit was zo doorzichtig als wat. Zijn moeder wist best dat Hallgrímur, als hij thuis was, nooit aan de telefoon wilde komen als zijn vader naar hem vroeg. Ze dacht dat hij zijn vader haatte, maar hij haatte hem niet. Hij vond het zelfs heel normaal dat zijn vader indertijd bij hen was weggegaan, want zelf had hij het ook niet uitgehouden als hij met zijn moeder had moeten samenleven. Nee, hij verachtte zijn vader eerder, omdat hij het zo lang met haar had uitgehouden. Dat alleen al gaf aan dat hij een loser was. Hallgrímur wilde gewoon niets met die vent te maken hebben. Misschien had hij hem nodig gehad toen hij jonger was, maar toen was hij er niet en nu was het te laat.

'Tot later', zei hij tegen zijn moeder en hij liep de deur uit.

elf

Valdimar voelde zich in het zwembad het meest vrij. Soms vergat hij zichzelf helemaal: soms had hij een paar kilometer gezwommen, merkte hij dan als hij keek hoelang hij gezwommen had. Hij genoot ervan in borstcrawl een sprintje te trekken om te voelen hoe de weerstand tegen zijn handen hem door het water liet schieten, hoe zijn voeten met zo veel kracht op en neer gingen dat zijn dijen en schenen er pijn van deden. Hij voelde bijna hoe zijn spieren door deze krachtmeting toenamen. Toch was hij geen bodybuilder en de schoonheid van zijn eigen lichaam fascineerde hem überhaupt niet, want die was niet om over naar huis te schrijven. Valdimar was een nogal stuntelige man. Zijn mond hing scheef en hij had een flinke gok, maar deze gelaatstrekken verdwenen in het water en zijn grote lichaam kreeg bij het zwemmen het statige postuur dat hij anders niet had. Hij was zevenendertig en was nu zes jaar rechercheur. Daarvoor was hij 'niets anders dan een doodgewone agent' geweest, zoals hij het soms verwoordde om zijn carrière een beetje op de hak te nemen, maar hij vermoedde dat zijn collega's bij de politie slechts ten dele de grap hiervan inzagen. Ze namen zijn woorden zonder meer serieus en vormden op grond daarvan hun oordeel over hem.

Hij had zijn baantjes voor die avond getrokken en had onder de douche staan praten met zijn trouwe maat Jóhannes, die hij vrijwel altijd tegenkwam als hij 's avonds ging zwemmen en die zonder uitzondering bij elke ontmoeting iets nieuws over zijn gezondheid had te vertellen. Jóhannes was vooral gek op operaties en wel met name zijn eigen hartoperatie, die voor hem een constante bron voor discussie of verhalen was. Hij had zich met behulp van medische tijdschriften zelfs helemaal in de materie ingelezen met als doel te trachten zo goed mogelijk te begrijpen wat ze met hem gedaan hadden.

Toen Valdimar buiten kwam, gloeiden de stapelwolken aan de hemel op. Het was deze avond net verguld kantwerk en kleine oranje en grijze schapenwolken hadden zich in het noordoosten in eindeloze lagen aan de hemel samengepakt. Valdimar had geen zin om meteen naar huis te gaan en reed daarom naar Nes, waar hij een wandeling over het strand maakte. Hij zei voor de honderdduizendste keer tegen zichzelf dat een man als hij een hobby moest zoeken, al was het maar lezen of muziek. Hijzelf was te rusteloos om iets anders te lezen dan een tijdschrift dat hij in kleine porties kon verwerken; zelfs langere artikelen kon hij niet aan.

Wat muziek luisteren betreft, hij had herhaalde pogingen gedaan en alle pogingen waren bij de volgende vraag uitgekomen: naar wat voor muziek zou iemand als ik moeten luisteren? Hij kon niet tegen oude hippiemuziek, want daarvan had hij waarschijnlijk tijdens zijn jeugd al genoeg meegekregen. Hij kon niet veel met dat onophoudelijke gejank van gitaren. Hij had het gevoel dat de Beatles en al die andere bands waarvan zijn ouders destijds zo idolaat waren, een grote maskerade hadden opgevoerd en hadden gezongen over ideeën waar in feite niemand in geloofde. Hij hield evenmin van de moderne rock die hij soms op zijn werk hoorde, van dat massaal geproduceerde, hitsige gedreun bij jammerende gitaren met blèrende zangeressen die zich voortdurend tussen de noten heen en weer bewogen, en met zwaar gedrum waaruit volgens hem een soort onverzadigbare hebzucht sprak. Hij kon geen woord verstaan van wat rappers in de microfoon blaften, en vond het belachelijk dat men dat muziek noemde. Hij had geprobeerd of jazz iets voor hem was, maar vrijwel die hele traditie was een gesloten boek voor hem geweest totdat hij eindelijk in Miles Davis zijn man gevonden meende te hebben. Na *Kind of Blue* was hij erachter gekomen dat de orde en het raffinement die hem op die plaat zo aangesproken hadden, ver te zoeken waren op de plaat die hij daarna had gekocht. Vervolgens had hij gelezen dat de man het grootste deel van zijn leven aan drugs verslaafd was geweest, waardoor zijn belangstelling voor de muziek die deze artiest destijds had gemaakt, een flinke deuk had opgelopen. Af en toe luisterde hij nog weleens naar *Kind of Blue*; die plaat had iets ondefinieerbaars voor hem. Vervolgens had hij zich op klassieke muziek gestort, maar hij had meteen al gemerkt dat hij geen basis had om op te bouwen: hij beschikte noch over het begrip, noch over het gevoel waarvan hij zeker wist dat liefhebbers van klassieke muziek erover moesten beschikken. Zelfs de cellosuites van Bach raakten hem niet echt, ook al kwamen die misschien het dichtst in de buurt. Hij had op het hoesje van de cd gelezen dat deze suites onderling zeer verschillend waren, hetgeen hem erg verbaasd had, want hij vond dat ze allemaal op elkaar leken. Ze lagen prettig in het gehoor, maar ze hadden hem niet zo in vervoering gebracht als ze naar zijn verwachting hadden moeten doen.

Hij stond op het strand in de richting van de Snæfellsjökull te kijken. Vele jaren geleden had hij zichzelf beloofd dat hij deze vulkaan ooit zou beklimmen; als hij het besluit zou nemen en zichzelf er echt toe zou zetten, wist hij dat hem dit – vanaf het moment dat hij belde met het bedrijf dat sneeuwscootertochten op de vulkaan organiseerde, tot het moment waarop hij daadwerkelijk de top zou hebben bereikt – niet meer dan een paar uur zou kosten. Maar de jaren waren voorbijgegaan en hij had niets met dit voornemen gedaan, net zomin als met zo veel andere plannen die hij had gehad, maar nooit had uitgevoerd. Hij had bijvoorbeeld niets tegen de gedachte om een gezin te stichten en het leven volop te gaan leven, maar op dit moment leek het hem vrijwel uitgesloten dat daar ooit iets van zou komen.

Gezien de huidige stand van zaken wilde Valdimar het liefst zo veel mogelijk werken. Elke avond kwam hij thuis in zijn lege flat en zette de televisie aan; hij nam zelden de moeite ernaar te kijken, maar vond het buitengewoon prettig om het ding op de achtergrond te laten zoemen of het geluid af te zetten, zodat de mensen op het beeldscherm heen en weer flikkerden in de drukte van hun bestaan, zoals hij het graag druk zou willen hebben met zijn eigen bestaan.

Toen hij bij zijn auto kwam, zag hij een jonge vrouw in een glimmende broek die eraan kwam joggen. Ze had zwart krulhaar en zag er buitenlands uit. Hij stond rustig te kijken hoe ze er aankwam toen een witte kat, die ongetwijfeld op zoek was naar een spannend avontuur, over het pad voor haar langs schoot. Ze bleef staan en Valdimar hoorde hoe ze de kat in het Engels lokkende woordjes toeriep; de kat liep naar haar toe om zich te laten aaien. Terwijl ze de poes aaide, glimlachte ze naar Valdimar en hij glimlachte verlegen terug. De adem stokte hem in de keel en hij begreep heel goed wat zijn lichaam hem probeerde te vertellen, maar hij knoopte geen gesprek met haar aan.

twaalf

Deze maaltijd zou Marteinn nog lang heugen. Zijn moeder had een gegrilde kip gekocht, die ze met witte rijst, champignonsaus en een salade opdiende. De kip lag op een platte schaal en toen zijn moeder ermee naar de tafel liep, dropen het vocht en het vet over de rand van de schaal op de vloer. Ze merkte het niet. Marteinn wilde het nog schoonmaken, maar was net te laat, want zijn moeder kwam met de pan met rijst aanlopen en stapte op de glibberige vloer. Haar ene been schoot als het ware onder haar vandaan en ze viel met een harde smak op de vloer. Niets van dit alles zou zijn gebeurd als ze na het nemen van haar medicijnen geen bier had gedronken, wat soms een sterke uitwerking op haar had.

Marteinn en Björg gingen vlug naar haar toe en hielpen haar overeind. Gelukkig had ze zich niet bezeerd. Terwijl ze naar de tafel was gelopen, had ze met een lepel in de pan geroerd en toen ze uitgleed, was haar hand met de lepel uitgeschoten met als gevolg dat de gekookte rijst door de keuken vloog. Marteinn en Björg kropen over de vloer om de rijst op te ruimen; Björg grinnikte en ook Marteinn kon een glimlach niet onderdrukken.

Hun vader kwam later aan tafel; hij ging op zijn stoel zitten zonder iets te zeggen en wierp een afkeurende blik op de tafel, alsof er iets ontbrak waarom hij uitdrukkelijk had gevraagd.

Op dat moment zag Marteinn dat er een rijstkorrel aan zijn moeders oor kleefde. Hij zag hoe zijn moeder het eten op de borden schepte en hoe ze na haar nogal onterende val van een paar minuten daarvoor nog enigszins probeerde haar waardigheid te bewaren, maar er zat een korrel rijst op haar oor; één enkele korrel, want het was een Amerikaans merk rijst met losse korrels. Bij het zien hiervan barstte hij in lachen uit en hij kon niet meer stoppen. De opgekropte spanning en de zorgen van die dag ontlaadden zich snel door deze lachbui; hij moest zo hard lachen dat hij zijn ouders en zus niet eens kon uitleggen waarom hij zo moest lachen. Zijn vader keek hem met een open mond van verontwaardiging aan.

'Wat heb jij eigenlijk?' zei hij. Björg grinnikte; zijn moeder probeerde het weg te lachen en ging nog drukker verder met opscheppen.

'Er zit een rijstkorrel ...' bracht hij met moeite uit, maar hij kon zijn zin niet afmaken; zijn buik deed pijn van het lachen.

'Natúúrlijk moet jij om zoiets lachen, jongen', zei zijn vader geërgerd. Wat bedoelde hij daarmee, vroeg Marteinn zich hikkend van de lach af, maar toen viel zijn blik weer op zijn moeders oor waar nog steeds die korrel rijst op zat.

Op dat moment viel zijn moeder de tatoeage op Björgs arm op; Björg had geprobeerd hem te verbergen door haar mouwen regelmatig naar beneden te trekken, had Marteinn gemerkt.

'Wat heb je daar nou, lieverd?'

Björg keek Marteinn smekend aan, maar wat kon hij eraan doen? Ze had het helemaal aan zichzelf te wijten. Langzaamaan hield hij op met lachen.

'Je hebt een korrel rijst op je oor, mamma', zei hij om maar iets te zeggen. Zijn moeder draaide zich om en wierp hem een doordringende blik toe.

'Wat zeg je?'

'Er zit een korrel rijst op je oor.'

Zijn moeder staarde hem aan. Toen verloor zijn vader – niet voor de eerste keer – zijn zelfbeheersing.

'Wat is de bedoeling hiervan, ventje? Wil je onze maaltijd soms verpesten?' zei hij. Hij sprong op, zodat zijn donkere, halflange haar voor zijn gezicht viel.

'Ik ben niet kleiner dan jij!' riep hij terug. 'Hoezo beschuldig uitgerekend jij mij ervan dat ik de maaltijd versjteer, terwijl je er zelf met het avondeten bijna nooit bent? Hoezo is er sprake van samen eten met het hele gezin, wanneer de heer des huizes er zelf verdomme nooit is?'

'Ik werk voor mijn gezin! Sinds wanneer is dat een misdaad?' schreeuwde Björn. Hij ging weer zitten.

'Weet jij heel zeker dat je altijd voor je gezin aan het werk bent als je 's nachts niet thuis slaapt?' beet Marteinn hem toe.

Zijn vader staarde hem woest aan, hetgeen Marteinn nog kwader maakte.

'Jongens, jongens, schreeuw in godsnaam toch niet zo hard. Ik heb zware hoofdpijn', zei Eva als vanuit een andere dimensie, eentje waarin Björn en Marteinn haar lieve jongens nog waren en geen stelletje woestelingen, zoals ze opeens op Marteinn zelf overkwamen. De korrel rijst was van zijn moeders oor gevallen. Björg staarde hen aan; op een of andere manier waren ze haar tatoeage inmiddels vergeten.

'Steek je neus niet in zaken die jou helemaal niets aangaan!' blafte Björn buiten zichzelf van woede tegen Marteinn.

'Die mij niets aangaan?' schreeuwde Marteinn verontwaardigd.

'Die jou niets aangaan, ja!'

'Dan gaat het mamma zeker ook niets aan waar jij 's nachts zit?'

'Je bent een volwassen vent, ik ben een volwassen vent, je moeder is een volwassen vrouw en daarmee basta! Ik meng me ook niet in jullie relaties, dus jij hebt je ook niet in de relatie van je moeder en mij te mengen', zei Björn iets rustiger, maar zijn ogen schoten nog steeds vuur.

'Hoor ik soms nog bij dit gezin of hoe zit het?' mengde Björg zich in het gesprek. Dat had ze beter niet kunnen doen.

'Jij bent nog niet volwassen, dus ik mag hopen dat dat daar op je arm niet is wat ik denk dat het is', zei Björn, die haar doordringend aankeek.

'Relax, man', zei Björg, die vanuit haar ooghoeken naar haar broer keek. 'Dit gaat er na drie weken af. Ik wist dat hier herrie van zou komen. Andere kinderen van mijn leeftijd komen thuis met een piercing door hun neus of hun wenkbrauw zonder dat hun ouders ook maar een kik geven.'

'Een kik?' grinnikte Marteinn.

Björg stak haar tong naar hem uit.

'Piercings kun je er in elk geval nog uithalen, waar ze ook zitten', droeg Eva aan de conversatie bij, een stem der redelijkheid uit onverwachte hoek. Op een of andere onverklaarbare wijze was het gesprek in rustiger vaarwater gekomen; daardoor ontspande Björns gezicht zich, dat sinds het moment waarop hij binnenkwam op onweer had gestaan.

Later op de avond ging het weer mis. Deze keer was het Eva die met een hoop geweld tekeerging, terwijl Björn weinig zei of op zachte toon. Het duurde niet lang voordat hij naar zijn auto liep en wegreed. Marteinn trok zijn dekbed over zijn hoofd en slaagde erin weer in slaap te vallen.

dertien

'*Your little joke is not so funny anymore, Mister Grétarson.*'

Er liep een rilling over Gunnars rug, want hij had niet geprobeerd grappig te zijn.

'Ik heb u al verteld hoe het zit', zei hij in het Engels. 'Het was een groot misverstand.'

'Dat zegt u; in dat geval zult u dat misverstand zo snel mogelijk moeten rechtzetten.'

'Ik betaal dat geld zo snel als ik kan terug.'

'Wij zijn helemaal niet in dat stomme geld geïnteresseerd; probeer dat nou eens in uw hoofd te krijgen.'

Gunnar zat op het bed in zijn oude slaapkamer waar hij als jongen had geslapen. Aan de muur hingen drie schilderijen van hemzelf uit de tijd toen hij schilder wilde worden. Op het ene vloog een soort stalen vogel met zijn bek wijd open en een zeer gekwelde blik tussen bloedrode wolken door. Het schilderij was een tikje onduidelijk, maar je kon je voorstellen dat er vlammen uit de bek van de vogel kwamen: misschien werd hij van binnen door vuur verteerd of iets dergelijks. Het ging Gunnar niet veel anders dan die vogel, want sinds hij was opgestaan, had hij een halve liter jenever gedronken. Hij voelde zich een beetje misselijk, maar ook weer niet zo misselijk dat hij niet verder kon drinken. Zijn slokdarm deed hem het meest zeer. Hij had eerder die avond een paar tabletten genomen en waarschijnlijk had hij er niet genoeg bij gedronken om ze helemaal weg te krijgen. Het voelde alsof ze zijn slokdarm verbrandden, verdomme. Hij had nog een paar dagen te gaan, voordat hij bloed zou gaan spugen; dat was voor hem altijd het teken dat hij moest ophouden met drinken. Hij had zijn zuiptoer nog wat kunnen verlengen door iets te eten, maar hij had geen honger en hij had er geen zin in. Hij maakte zichzelf wijs dat hij een minimum aan voeding binnenkreeg door 's ochtends bier en tussendoor likeurtjes te drinken. Zijn moeder verbleef in het homeopathische kuuroord in Hveragerdi, anders zou ze waarschijnlijk hebben geprobeerd ervoor te zorgen dat hij iets zou eten, maar hij zat natuurlijk alléén bij haar thuis omdat zij er niet was.

Hij moest zich niet zo van de kaart laten brengen door die telefoontjes. Hij kreeg ze inmiddels vaak en toch raakte hij er elke keer weer van slag van. Hij had de neiging ontwikkeld deze problemen, net zoals alle andere, weg te drinken.

Toen zijn telefoon ging, had hij een voorgevoel gehad over wie het was; hij had geprobeerd zichzelf onder controle te krijgen, opdat hij niet overduidelijk met een dubbele tong sprak wanneer hij opnam. Dat was tot op zekere hoogte gelukt. Hij voelde hoe het klamme zweet van zijn oksels naar beneden liep. Het gesprek had niet lang geduurd, maar naarmate de tijd was verstreken, was hij steeds nuchterder geworden en hij had steeds meer behoefte aan alcohol gekregen.

'Het was maar een onschuldig spelletje van me', zei hij. 'Zoals ik u al zo vaak heb verteld, wilde ik gewoon wat terrein verkennen. En dat geld ben ik aan het regelen', loog hij.

'In zaken bestaan er geen onschuldige spelletjes, dat zou u moeten weten. Als u iets te koop aanbiedt, moet u dat ook leveren. En dat geld willen we niet zien; uw gejammer daarover wordt zo langzamerhand vervelend.'

Gunnar besloot te proberen een beroep te doen op de mogelijke menslievendheid van deze man.

'Ik was gewoon een tikje dronken.'

Dit bleek een vergissing.

'Houdt u van uw gezin?' vroeg de man nogal zoetsappig. Gunnar hoorde geen accent in zijn Engels. Waar kwam die klootzak toch vandaan?

'Natuurlijk', antwoordde Gunnar gealarmeerd. Hij wilde vragen wat zijn gezin ermee te maken had, maar kreeg daar de gelegenheid niet toe.

'Dan kunt u zich maar beter aan uw belofte houden', zei de man triomfantelijk en hij hing toen op.

Gunnar nam een flinke slok van zijn jenever. Misschien moest hij een glas magnesiamelk uit de oude, Amerikaanse ijskast halen. Hij had er helemaal geen trek in, maar hij had ergens zo'n vaag idee dat hij het brandende gevoel in zijn keel met een slok van die melk zou kunnen blussen. Hij vroeg zich af of hij Hildigunnur zou opbellen om te zien of met haar en de kinderen alles in orde was, maar hij wuifde die gedachte weg. Zelfs in het ergste geval zou er vannacht niets gebeuren. Vervolgens schonk hij zichzelf nog een glas jenever in. Het liefst wilde hij dit telefoongesprek even vergeten. En zo geschiedde.

veertien

De eerste keer was heel gek. Het gebeurde al een hele tijd dat hij me als het ware bij toeval aanraakte, een toeval dat geen toeval was. Dat wist ik en hij wist dat ik het wist. Dat zag ik in zijn ogen. Maar ik dacht dat hij eigenlijk geloofde dat er verder niets van zou komen, dat er verder niets van mocht komen. Ik had er niet op gerekend dat hij iets durfde te ondernemen en ik wilde niet het initiatief nemen: hij was begonnen met oogcontact en aanraken, dus het hing van hem af of hij ermee door wilde gaan; tenminste, als hij durfde. Ik wist ook helemaal niet zeker of ik iets met hem wilde. De gedachte om deze man aan te raken was voornamelijk onprettig; ik walgde er haast van wanneer ik me voorstelde dat we samen iets zouden doen, maar toch ging ik ermee door en gaande-weg raakte ik eraan gewend. De gedachte aan zijn lichaam vervulde me niet meer met afkeer en ik begon naar hem te ver-langen. Hij moet dat gemerkt hebben. Tegelijkertijd haatte ik mezelf daarom en ik verachtte mijn eigen lichaam, maar of hij dat ook merkte, weet ik niet zeker. Ik begon gekke dingen te doen: zo liep ik thuis rond met onder mijn T-shirt of trui was-knijpers op mijn tepels. Wel moest ik ze een beetje verder open-buigen, want anders was de pijn te erg, maar aan de andere kant vond ik het ook lekker dat het bijna ondraaglijk zeer deed. Ik strafte mezelf voor de manier waarop ik aan hem dacht, terwijl ik er tegelijkertijd van genoot. Ik vond het niet in de haak; ik dacht vanaf het begin al dat datgene waar we zowel stiekem als openlijk op uit waren, mensen die ons dierbaar waren zou kwetsen. Desondanks leek het alsof het gevoel van schuld daarover de mogelijkheid nog spannender maakte. Stukje bij beetje begon ik er vreselijk naar te verlangen hem te neuken, al was het maar één keer. Eén keer was misschien al genoeg, dacht ik, mezelf daarbij volkomen voor de gek houdend, want als ik gevoelens voor deze oude zak van in de veertig had, dan zou ik dezelfde walging moeten voelen die ik voelde toen ik voor de eerste keer vunzige fantasieën over hem had.

Ik stond bij het raam en verwachtte hem helemaal niet toen hij opeens achter me stond en zijn hand op mijn buik legde. Ik draaide me vlug om en keek hem in de ogen; toen dwaalden mijn ogen onrustig af om over zijn schouders te kijken.

'Maak je geen zorgen,' zei hij, 'de kust is veilig.'

Zijn hand gleed onder mijn trui en streelde mijn buik. Ik keek uit het raam en liet hem doen wat hij wilde. 'Je hebt zo'n zachte huid', zei hij. Toen voegde hij eraan toe: 'Ik zou hem overal wel willen aanraken. Mag dat?'

'Ik weet niet,' zei ik, 'misschien wel.'

Ergens ging een deur open, een wc-deur, en hij trok zijn hand terug. Ik trilde. 'Ik bel je', zei hij.

'Oké', antwoordde ik.

Toen hij later opbelde, deed hij alsof er niets gebeurd was: hij praatte over van alles en nog wat, maar hij was te gepolijst in wat hij zei. De stress deed hem de das om en het leek erop dat hij de moed niet kon opbrengen om te zeggen waarom hij had gebeld.

'Heb je zin om een ritje met me te maken?' vroeg hij; hij probeerde opgewekt en luchtig te klinken.

'Tja ... waarom ook niet?' antwoordde ik, terwijl mijn hart me in mijn keel klopte. Ik vroeg niet waarheen. Ik was in het centrum en we spraken af dat hij me aan de Hverfisgata zou oppikken. Toen de bekende auto er aankwam, zat ik eigenlijk nog in tweestrijd over de vraag of ik bij hem zou instappen of niet. Ik stond op een tweesprong, ik had het gevoel dat mijn leven er hoe dan ook van afhing of ik bij hem in de auto zou stappen. Hij glimlachte door zijn open autoraam naar me. Ik voelde me heel merkwaardig toen ik de deur opendeed en instapte.

Onderweg zei hij niet veel. We luisterden naar de radio; hij had hem op kanaal één, waar ik vrijwel nooit naar had geluisterd. Het was vreemd om zulke stijve mensen teksten te horen voorlezen die ze van tevoren geschreven hadden. Het waren mensen van zijn generatie die voor soortgenoten spraken. Ik vond dat ik helemaal niet voor dit feestje was uitgenodigd en dat ik er ook niet bij hoefde te zijn. Uiteindelijk kwamen we aan het einde van de weg, bij het meer Ellidavatn. Hij parkeerde zijn auto op een parkeerplaats bij een bruggetje. We stapten uit. Ik nam aan dat hij iets van plan was.

'Zullen we misschien een stukje gaan wandelen?' vroeg hij. Hij had me nog niet aangeraakt. Hij droeg een rugzakje; misschien dacht ik dat er niets zou gebeuren, dat hij gewoon iets te eten had meegenomen en dat hij met me wilde picknicken. Een stompzinnige gedachte. We volgden een pad en kwamen een ouder echtpaar tegen dat naar ons knikte. Wij knikten terug en ik bedacht dat ze zeer waarschijnlijk dachten dat hij mijn vader was. Toen week hij van het pad af en liep de bosjes in. Ik liep achter hem aan. Opeens draaide hij zich om en omhelsde me. Ik keek naar beneden.

'Weet je zeker dat je dit wilt?' vroeg hij.

'Geen geleuter', antwoordde ik. Hij hield op met leuteren. Toen hij me aanraakte, dacht ik dat ik flauwviel. Hij kuste eerst de rug en toen de palm van mijn hand; teder, voorzichtig. Toen ik merkte hoe bang en onzeker hij was, vervlogen mijn eigen angst en onzekerheid. Als hij dit durfde, dan durfde ik het ook.

Zaterdag

vijftien

De volgende ochtend werd Marteinn in zijn vredige slaap wreed gestoord door Björg, die hem wakker schudde.

'Er is iets met pappa gebeurd', zei ze toen ze eindelijk een gesprek met hem kon voeren. 'Je moet iets doen.'

Vervolgens liep ze zonder verdere uitleg weg. Buiten daalde een rood-wit vliegtuigje om te landen. Zoals gewoonlijk bleef Marteinn er op de rand van zijn bed naar zitten kijken totdat het achter het dak van de buurman was verdwenen. Daarna glipte hij in zijn onderbroek en ging naar beneden. Björg was nergens te zien. Hij liep de keuken in, gooide zoals altijd cornflakes in een kom en nam een pak melk mee naar de zithoek in de keuken, een alkoof met langs beide wanden banken en een tafel die aan de muur vastzat.

Bijna had hij de kom op de vloer laten vallen toen hij zijn moeder achter in de zithoek zag zitten. In plaats van hem goedemorgen te wensen had ze daar zitten zwijgen.

'Sorry, lieverd', zei ze met een poging te glimlachen. 'Ik wilde je niet laten schrikken.'

'Is er iets aan de hand, mamma?' vroeg hij. Het voelde alsof zijn hoofd in een paar seconden twee keer zo zwaar was geworden. Ze zag er verschrikkelijk uit. Zo te zien had ze de hele nacht weinig of misschien helemaal niet geslapen: haar ogen lagen diep in hun kassen en haar haar was ongekamd en piekerig. Ze had haar oranje badjas aan en ze had niets aan haar voeten, zag hij. Het was duidelijk dat ze die nacht een tijdje had liggen huilen.

'Of er iets is? Wat zou er moeten zijn?'

Deze bittere toon kende hij, maar ze dacht dat hij haar sarcasme niet doorhad. Als hij er dan bij haar op aandrong dat ze nadere uitleg bij zulke vage zinspelingen gaf, deed zij alsof ze niet wist waarover hij het had. Misschien was dat een kwalijke gewoonte van haar, maar deze keer zat er iets meer achter dan gewoonlijk.

'Waar is pappa? Björg dacht dat er iets met hem gebeurd was.'

'Je vader? Hij zal inmiddels wel op zijn werk zitten, denk ik', antwoordde ze. Ze praatte zachtjes en bewoog haar lippen nauwelijks; een vreemde had niet kunnen verstaan wat ze zei.

'Op zijn werk? Hoe bedoel je?'

Zijn moeder keek hem onnozel aan. Hij herinnerde zich ineens de ruzie waarvan hij iets had opgevangen.

'Is pappa vannacht weggegaan?' vroeg hij. Zijn moeder gaf geen antwoord; ze sloeg haar armen om haar badjas heen. Het antwoord was dus ja.

'Waar is hij naartoe gegaan?'

'Er werd gebeld', antwoordde ze sinister.

'Wie belde er?' vroeg Marteinn. Zijn moeder antwoordde niet; ze bracht haar hand naar haar slaap en wreef hem ogenschijnlijk zonder erbij na te denken. Marteinn kende deze reactie van haar.

Hij riep Björg, maar kreeg geen antwoord. Toen liep hij naar de telefoon aan de muur tussen de keuken en de hal en belde het gsm-nummer van zijn vader. Niemand nam op. Daarna belde hij het nummer op zijn werk; ook daar werd niet opgenomen. Hij liep de trap op naar zijn slaapkamer, trok een spijkerbroek en een T-shirt aan en liep vervolgens weer naar beneden naar zijn moeder, die zich niet had verroerd. Zijn kom met cornflakes stond met het pak melk op tafel. In zijn verwarring goot hij melk op de cornflakes, maar zijn eetlust was hem vergaan. Zijn moeder keek nog steeds naar buiten. Hij keek ook naar buiten en zag dat zijn vaders auto, zoals hij had verwacht, niet voor de deur stond.

'Waar is pappa volgens jou naartoe?' vroeg hij.

'Hij is naar het oosten, naar ons zomerhuisje', zei Björg opeens achter zijn rug. Hij had haar niet horen aankomen en draaide zich om, liep toen naar de studeerkamer en maakte met zijn hoofd een beweging naar Björg om aan te geven dat ze mee moest komen.

'Waarom zei je dat er iets met pappa was gebeurd?'

'Dat voel ik gewoon.'

'Wil je soms zeggen dat je me vanwege een of ander voorgevoel op zaterdagochtend uit mijn bed hebt gehaald?'

'En als het nou klopt? Dan zou je toch kwaad zijn als ik niets had gezegd?'

Daarop had hij geen weerwoord.

'En wat ... wanneer is pappa weggegaan?'

'Vannacht ergens.'

'Heeft hij tegen jou gezegd dat hij naar Thingvellir ging?'

'Ik werd wakker en ging naar beneden. Hij stond op het punt om weg te gaan. En toen heb ik hem gevraagd waar hij naartoe ging en hij zei dat hij naar het zomerhuisje moest. Hij keek heel raar, net alsof hij zou gaan huilen.'

Geen van hen beiden had hun vader ooit zien huilen.

'Echt? En zei hij waarom hij daarheen wilde?'

'Hij zei dat hij me dat later wel zou uitleggen.'

'En wanneer kreeg je dat ... voorgevoel?'

'Ik werd ermee wakker. Laten we erheen rijden en bij hem gaan kijken.'

'We zien wel.'

Hij liep de keuken weer in.

'Zou je je niet eens aankleden, mamma?' zei hij geïrriteerd. Ze wierp hem een blik toe alsof ze hem nog nooit had gezien.

Een uur verstreek. Ze hadden het samen gezellig kunnen hebben, maar in plaats daarvan zat ieder op zijn eigen manier te lijden. Zijn moeder was naar boven verdwenen. Hij hamerde zonder inspiratie op de piano. Van tijd tot tijd kwam Björg zeuren dat ze naar het zomerhuisje moesten gaan. Hij belde zijn vader een paar keer, maar die nam niet op. Toen Björg uiteindelijk op de wc zat, maakte hij van de gelegenheid gebruik om de reservesleutel van zijn moeders auto te pakken en vlug zijn schoenen aan te trekken.

'Ik neem de Honda', riep hij naar boven. Hij wist niet of ze hem gehoord had en gaf haar ook de gelegenheid niet om te antwoorden. Hij ging naar buiten, stapte in de auto en scheurde weg. Toen hij op de Sudurgata was gekomen, ging zijn gsm. Hij diepte hem uit zijn zak op, zag dat het het nummer thuis was en zette hem uit. Hij had geen zin om met zijn moeder of met Björg te praten, wie van de twee het ook was.

Op de Ártúnsbrekka zat hij in tweestrijd. Hij stelde zich voor hoe zijn vader op zijn komst zou reageren, als Sunneva bij hem was, wat vast en zeker het geval was. Als Björn de auto zag aankomen, zou hij denken dat het Eva was. Het was trouwens niet erg waarschijnlijk dat Björn de auto zou zien voordat hij Marteinn zag, want hun zomerhuisje lag een eindje van de weg aan de voet van een steile helling. Dit betekende dat Marteinn hem zou overrompelen, hetgeen een onaangename gedachte was, maar aan de andere kant was het alleen maar goed dat hij door die muur van leugens heen zou breken die de laatste maanden voor zijn gevoel tussen hen was opgetrokken. Hij reed twee rondjes over de rotonde in Mosfellssveit voordat hij zich vermande en zijn reis voortzette. Hij zou gewoon proberen tijdig te laten merken dat hij er was, zodat zijn vader niet het idee zou hebben dat hij hem op heterdaad wilde betrappen.

Af en toe leek het hem alsof de tijd zowel ondraaglijk langzaam als verraderlijk snel voorbijging, zo verliep deze rit. Marteinn stelde zich voor dat er geen einde aan zou komen, dat hij in een auto reed die nooit hoefde te stoppen op een snelweg die eindeloos en in het wilde weg doorging. Hij was als de dood om het einddoel te bereiken en hij was als de dood om om te keren, maar in de auto voelde hij zich goed.

Hij sloeg rechtsaf naar het meer, Thingvallavatn, dat direct aan Nationaal Park Thingvellir grensde. Toen hij de parkeerplaats op reed, stond alleen zijn vaders auto daar. Hij haalde opgelucht adem: al met al stond dus niet vast dat Sunneva er ook was. Toch besloot hij voor de zekerheid van tevoren op te bellen, terwijl hij naar beneden liep in de richting van het zomerhuisje. Er werd niet opgenomen.

Het zomerhuisje was oud en dat was te zien. Ergens in de jaren veertig van de twintigste eeuw had Marteinns opa het met de Franse slag gebouwd. Vanaf de weg liep een met bosjes begroeide helling naar het zomerhuisje toe; deze helling was zo steil dat er een lange, vrij steile houten trap op was aangebracht. Het huisje was niet meer dan een kleine, zwarte, gelijkvloerse hut. Er was één grote, L-vormige ruimte met daarin een keukentje, een woonkamer met een open

85

haard en een stapelbed in een hoek bij de deur; naast de woonkamer was een slaapkamer. Vanaf het huis liep een gazon in de richting van het meer, gevolgd door een tweede helling, die op een klein, rotsig strand uitkwam.

Terwijl Marteinn uitstapte, kwam er een raaf op hem af gevlogen, die boven zijn hoofd kraste. Het verbaasde hem dat de deur van het huisje op slot was, maar de sleutel lag niet op zijn gebruikelijke plek, een draagbalk op een van de stutbalken van de veranda. Met enige tegenzin klopte hij op de deur, maar er kwam geen reactie. Hij riep: 'Pappa! Ik ben het, Marteinn!' Er kwam nog steeds geen antwoord. Zijn hart bonsde hem in de keel. Het lag natuurlijk het meest voor de hand dat zijn vader een wandeling aan het maken was, maar het was niet Björns gewoonte om de deur op slot te doen wanneer hij een stukje ging wandelen. Toen bedacht Marteinn dat hij zijn vader moest bellen, want als het echt zo was dat hij zich binnen verborgen hield, dan zou je het gerinkel van zijn gsm buiten kunnen horen.

Hij hoorde zwak een telefoon overgaan en legde zijn oor tegen de deur. Nee, het geluid kwam niet van binnen. Hij liep de helling voor het huis verder af en daar werd het gerinkel iets sterker. Hij hoorde dat het geluid uit de richting van het meer kwam. Waarom nam zijn vader in hemelsnaam niet op?

Hij riep hard: 'Pappa!' en liep toen op het geluid af.

Daar lag hij op de rotsen; hij zag doodsbleek, zijn ogen waren dicht en er lag een plas bloed onder zijn hoofd. In de bosjes aan de waterkant zaten lijsters lustig te kwelen, boven het water hingen muggen en de zon straalde aan de blauwe hemel. Het mannenlichaam op de rotsen was als een misvorming in de vredige natuur, een ontkenning ervan.

Marteinn hield zijn adem in toen hij tussen de rotsen de helling af liep, zoals hij al zo vaak had gedaan. In hem was het verlangen om zo snel als hij kon naar het bewegingloze lichaam te rennen aan het touwtrekken met het zeurende verlangen om zich om te draaien en ervandoor te gaan alsof de duivel hem op de hielen zat, alsof hij daardoor dat wat voor zijn ogen beneden bij het water opdoemde, met één veeg kon uitwissen. Hij liep verder naar de oever en zette uiterst voorzichtig zijn voeten neer, alsof hij bang was dat hij de man die daar zo zielig en eenzaam lag, in zijn slaap zou storen.

Marteinn schrok bijna toen hij hem hoorde ademhalen; het was een gehaaste, oppervlakkige en onregelmatige ademhaling. Het gezicht van zijn vader zag er eigenlijk vredig uit in de zon. Je kon best denken dat hij lag te slapen. Hij droeg sportschoenen, een zwarte, corduroy broek en een wit, nogal dik T-shirt met een klein, blauw met geel anker op de borst. Zijn ene arm hing over een rots naar beneden, waardoor drie vingers in het water hingen. Marteinn pakte de arm vrij haastig vast en probeerde hem op zijn vaders borst te leggen, maar hij gleed meteen weer met een plons in het water. Bij het horen hiervan was het alsof Marteinn weer bij zijn positieven kwam: hij haalde zijn gsm uit zijn zak en draaide een nummer. Hij werd door een sterk onwerkelijkheidsgevoel overmand toen een jongeman opnam: 'Met de alarmcentrale.'

Nadat Marteinn een tijdje volkomen hulpeloos op het strand naar zijn vader had zitten kijken, belde hij zijn moeder. Hij wilde rustig en beheerst praten, maar merkte meteen hoe zijn stem bij de eerste woorden al oversloeg.

'Mamma, pappa is gewond. Ik heb hem op het strand

gevonden; zo te zien is hij gevallen.'

'Wat? Wat zeg je?' zei ze.

'Pappa ... ik denk dat hij ernstig gewond is', bracht Marteinn met moeite uit.

'Wat heb ik gedaan?' jammerde Eva.

'Mamma!' huilde hij. 'Je hebt helemaal niets gedaan! Pappa is gewoon gevallen en gewond geraakt. Ik heb al een ambulance gebeld.'

'Is hij bij jou?' vroeg ze.

'Ja, en de ambulance is onderweg.'

'Geef me hem!' zei ze toen onverwacht bruusk.

'Dat kan niet, mamma', antwoordde hij.

'Het is allemaal mijn schuld', zei ze.

'Mamma, kom nou maar naar het ziekenhuis!' zei hij volledig perplex.

Een uur later was alles voor Marteinns gevoel nog steeds een grote chaos, terwijl hij zonder er een moment over na te denken ver over de toegestane snelheid achter de ambulance aan sjeesde. Het liefst had hij naast zijn vader willen zitten, omdat hij bang was dat die onderweg zou overlijden, maar iemand van het ambulancepersoneel had hem gevraagd of het niet onpraktisch was om thuis geen auto te hebben. Op een of andere manier was dat argument in de maalstroom van zijn gedachten blijven hangen en dat had hem ertoe gebracht zelf naar huis te rijden. Ze hadden hem ook gevraagd of hij op de politie wilde wachten om hun de vindplaats te laten zien, maar daarvan had hij niet willen horen.

In zijn gedachten kwam steeds weer één herinnering naar boven, die daar al rondzweefde sinds het moment waarop hij zijn vader op het strand had zien liggen en had gedacht dat hij dood was.

Een zomeravond, vele jaren geleden. Marteinn was waarschijnlijk een jaar of zes geweest. De zon stond laag aan de hemel en het zwerk was sprookjesachtig roze en lila gekleurd. Marteinn was bijna de hele dag met zijn vader wezen vissen; niet in de buurt van het zomerhuisje, maar hier en daar rondom het meer waar het beter vissen was. Zijn moeder was met Björg, toen nog een peuter, thuisgebleven. Het was in alle opzichten een van die volmaakte dagen geweest, met uitzondering van het feit dat Marteinn medelijden met de vissen had gehad. Zijn vader had hem kennis willen laten maken met vliegvissen, maar hij had dat niet leuk gevonden. Hij had het wél leuk gevonden om de spinner in het water te zien glinsteren wanneer hij hem binnenhaalde. Hij was er haast van geschrokken toen hij beet had; zijn vader had tevreden gesnoven toen hij de vis binnenhaalde. Ze zagen dat het haakje in een van de kieuwen zat.

'Nou, sla hem maar dood, jongen', had zijn vader gezegd terwijl hij Marteinn een steen had gegeven. Marteinn had zijn vader smekend aangekeken, maar die had alleen gegrijnsd.

'Toe dan!' zei hij. 'Je bent toch geen watje?'

Het kostte Marteinn tijden voordat hij het leven uit het beest had geslagen. Toen dat uiteindelijk gelukt was, was hij er misselijk van. Het ergst vond hij echter te moeten zien hoe zijn vader de vis door beide ogen aan een ijzerdraad reeg. Het was de eerste keer dat hij een dier had zien sterven. Dit springlevende, kronkelende schepsel was in een dode vis veranderd door iets wat hij had gedaan; anders had het nog vrolijk in het meer rondgezwommen.

Ze hadden deze forel op de veranda gegrild en hem met gekookte aardappelen opgegeten. Op een of andere manier zag Marteinn geen verband tussen het stuk vis op zijn bord en dat wat hij had gevoeld bij de dood van deze vis. Tijdens het grillen had zijn vader een biertje gedronken en bij het avondeten dronk hij er nog twee. Daarna nam hij een glas whisky 'om zichzelf warm te houden', zei hij; naarmate de avond verstreek werd het ook kouder, hoewel Marteinn het in zijn T-shirt buiten op de veranda prima kon uithouden. Zijn moeder was naar binnen gegaan om Björg in bed te stoppen en hij en zijn vader zaten met z'n tweeën op de veranda.

'Je wordt nooit een echte visser als je niet alle methodes wilt uitproberen', zei zijn vader zomaar ineens. Marteinn had hem verbaasd aangekeken. Hij voelde dat zijn vader ergens op had zitten broeden.

'Misschien wil ik wel geen echte visser worden', zei Marteinn boos.

'Misschien niet, nee', zei Björn met een kil lachje. Ze waren een tijdje stil en de hemel kleurde steeds mooier.

'Ik vind het gewoon niet leuk om een dier dood te maken, pappa', zei hij. Weer lachte Björn.

'Mensen moeten dieren doodmaken om te kunnen leven, Marteinn. Wij leven van dode dieren; de dood hoort bij het leven. En uiteindelijk gaan we zelf dood.'

'Wanneer?'

'Ooit gaan we allemaal dood. Wanneer onze tijd is gekomen.'

Marteinn begreep niet goed wat hij bedoelde, maar van binnen werd hij bang. 'Wanneer komt jouw tijd dan?' vroeg hij zijn vader.

'Ik hoop niet gauw, jongen', zei hij glimlachend. 'Helemaal niet gauw.'

Meer hadden ze er niet over gezegd, maar Marteinn had nog lang wakker gelegen in het stapelbed bij de deur. Het was de eerste keer geweest dat hij er echt bij stil had gestaan dat zijn ouders ooit zouden komen te overlijden. Die gedachte vond hij ondraaglijk en er waren heel wat nachten gevolgd waarin hij zich in slaap had gehuild, omdat hij erover fantaseerde dat zijn ouders iets vreselijks zou overkomen.

En nu was het dan zo ver. Zijn moeder was in depressie verzonken. Voor zover hij wist gebruikte ze daar medicijnen voor, maar óf ze was opgehouden ze te nemen, óf ze misten hun werking, want ze had zichzelf in een vreselijke diepte gestort die het onder één dak wonen met deze zachtaardige en lieve vrouw nogal moeilijk had gemaakt. Hij wist niet hoe ze het gebeurde zou verwerken, maar eigenlijk zag hij maar twee mogelijkheden: óf ze zou zichzelf na dit trauma uit de put omhoogwerken, óf ze zou helemaal instorten. Dat ze zichzelf de schuld van dit ongeluk gaf had hem misschien niet helemaal moeten verbazen. Nu was het zijn taak om haar met raad en daad bij te staan.

Zijn vader daarentegen kon hij niet helpen: die moest zelf maar zorgen dat hij omhoog zou krabbelen uit het gat waarin hij was gevallen. Hij was de laatste tijd overwerkt, overspannen, kil en kortaf geweest en had met zijn gedachten zeker niet thuis gezeten, niet eens de weinige keren dat hij daar geweest was. Hij had zich in zekere zin gedragen als een chagrijnige puber wiens ontwikkeling zich op andere fronten afspeelde en die vindt dat zijn familie hem alleen in de weg zit. Een puber bereidt zich erop voor het ouderlijk huis te verlaten en afscheid te nemen van zijn familie, dacht Marteinn. Misschien was dat precies wat Björn aan het doen was. Maar de omstandigheden waren natuurlijk anders en Marteinn kon de hardnekkige gedachte niet onderdrukken dat zijn vader dit op een of andere manier aan zichzelf te wijten had.

Marteinn vond dat de dag een eeuwigheid had geduurd, maar het was pas even over twaalven toen de twee auto's van de Thingvallavegur de Vesturlandsvegur op reden. Marteinn raakte achterop: hij durfde de ambulance niet langer bij te houden.

zestien

Voor de zekerheid belde ze nog een keer. Met hetzelfde re-sultaat, want niemand nam op. Hildigunnur begon zich on-behaaglijk te voelen. Normaal gesproken had Sunneva haar antwoordapparaat aan staan wanneer ze het druk had. En ze had gezegd dat ze die ochtend koffie zou komen drinken; het was niets voor haar om zoiets te vergeten.

Hildigunnur liep de keuken weer in en begon afwezig de ontbijttafel af te ruimen: het mandje met broodjes, de kaas-plank, twee blauwe koffiekopjes, waarvan er één ongebruikt was. Ze zette het terug in de kast, hoewel ze het liever op tafel had willen laten staan als teken dat ze haar dochter verwachtte. Ze probeerde het gevoel van onrust van zich af te zetten; ze zat zich maar aan te stellen, zei ze tegen zich-zelf. Misschien had Sunneva een nieuwe vriend. Verliefde mensen vergaten wel vaker afspraken, niet in de laatste plaats afspraken met hun moeder. Ze besloot de vaatwasser aan te zetten, ook al zat die maar voor de helft vol. Het rust-gevende gezoem van het apparaat nam haar innerlijke on-rust echter niet weg.

Er werd aan de deur gebeld. Hildigunnur sprong op.

'Is Gunnar Grétarson thuis?'

'Nee, die zit helaas in het buitenland', zei ze teleurgesteld. Voor de deur stond een slungelige jongeman in een postbo-depak.

'Ik heb een aangetekende brief voor hem; zou u daar misschien voor kunnen tekenen?'

'Ik kan het allicht proberen', antwoordde Hildigunnur, die eens diep ademhaalde. Aangetekende brieven betekenden gewoonlijk weinig goeds en nu al helemaal niet. Ze was niet van plan hem te openen, omdat hij niet aan haar geadresseerd was; ze zou snel genoeg te weten komen wat de inhoud was. De postbode nam afscheid en ging weg. Hildigunnur ging in een stoel naast de telefoon zitten en staarde een tijdje naar de brief voordat ze hem in een brievenhouder met afzonderlijke vakjes voor ongeopende brieven en rekeningen zette. Ze gaf niet toe aan de aandrang om nog een keer te bellen.

De zon scheen door het raam de woonkamer in en verlichtte een schilderij van schapen op een berghelling door de schilder Stefán van Mödrudalur. Over twee dagen was het haar verjaardag. Om een of andere reden schoot haar te binnen dat ze dan misschien niet meer in leven was, maar die gedachte verdrong ze meteen weer. Wat maakte het uit? En wat kon zij eraan doen als het zo was? Niets. Ze had gezond geleefd, gezond gegeten en aan gymnastiek gedaan. Ze was een grande dame: iets in haar bewegingen zorgde ervoor dat zelfs jongere mannen zich omdraaiden om haar na te kijken wanneer ze haar op straat zagen lopen. Ze hoefde niet eens te kijken als dat gebeurde: ze voelde het gewoon. Nee, ze genoot van het leven, maar ze was ook niet bang om te sterven. Ze geloofde dat je nergens bang voor hoefde te zijn; ze vond dat het cliché dat angst het enige was waarvoor mensen bang hoefden te zijn waar was. Het was nu inderdaad de angst waarvoor ze bang was, en daarmee maakte de enige gedachte die haar uit haar evenwicht kon brengen, zich meester van haar.

zeventien

Valdimar werd als eerste belast met het onderzoek naar het ongeluk bij Thingvallavatn; indien nodig zou Haflidi hem daarbij helpen. Bij het vooronderzoek was er ongelofelijk veel in het honderd gelopen. De telefonist van de alarmdienst had contact opgenomen met de politie in Selfoss, maar het hele korps van Selfoss was uitgerukt in verband met een verkeersongeluk op snelweg één. Daardoor was de politie van Selfoss pas ter plaatse in Thingvellir toen iedereen al weg was; ze hadden het zomerhuisje niet eens kunnen vinden, onder andere omdat ze erop hadden gerekend dat iemand daar op hen zou wachten. Uiteindelijk hadden ze het opgegeven en contact opgenomen met de recherche, zoals ze meteen al hadden moeten doen, want ten aanzien van ongelukken van dit kaliber golden dezelfde regels als bij een overlijden: zulke zaken dienden nader onderzocht te worden en daar was de recherche voor.

Het was bijna vier uur toen hij bij het ziekenhuis kwam. Men was nog steeds bezig het slachtoffer te opereren. Zijn vrouw en dochter waren naar huis gegaan; Marteinn, zijn zoon, was het enige familielid dat nog ter plaatse was. Valdimar werd naar de wachtkamer verwezen.

'Ben jij Marteinn?' vroeg hij de jongen die daar zat. Die beaamde dat. Het was een slanke jongen met donker haar, die amper ouder dan achttien kon zijn. Hij had sproeten en een aardappelneus. Hij keek bang verrast en ineens had Valdimar vreselijk met hem te doen.

'Ik heb begrepen dat jij je vader vanochtend bent gaan zoeken. Hoe zat dat precies: had je een bepaalde reden om te denken dat er hem iets was overkomen?'

'Tja, het liep allemaal gewoon zo raar. Er had midden in de nacht iemand voor hem gebeld, waarna hij naar ons zomerhuisje is gereden, en daarna nam hij zijn telefoon niet meer op. Mijn zus was ervan overtuigd dat er hem iets was overkomen, dus toen heb ik besloten te gaan kijken hoe het zat.'

'Ja, ik ben met je eens dat het een beetje merkwaardig klinkt', zei Valdimar nadenkend. 'Heb je enig idee wie er gebeld heeft?'

'Nee', antwoordde Marteinn – misschien net iets te snel – en hij schudde zijn hoofd. Valdimar bekeek hem eens goed; hij was somber, maar wat kon je anders verwachten?

'Wij willen zo snel mogelijk naar het oosten om de plek van het ongeluk te bekijken. Zou jij ons een sleutel van jullie zomerhuisje kunnen bezorgen?'

'Ja, natuurlijk. Pappa heeft waarschijnlijk de sleutel bij zich, maar ik geloof dat we thuis een reservesleutel hebben', zei de jongen.

'Misschien is het het beste als je meegaat om aan te wijzen waar het allemaal was.'

'Ja ja, geen probleem', mompelde de jongen. 'Ik wil alleen niet weg voordat pappa's operatie voorbij is.'

Daar had Valdimar niets op tegen, dus reed hij naar Skerjafjördur om te horen wat de echtgenote te vertellen had.

'Wie bent u?' vroeg de vrouw in de deuropening. Het was een vrij kleine vrouw met een opvallend knap gezicht. Ze had blond, halflang en net gewassen haar en blauwe ogen, ze droeg geen make-up en liep op blote voeten. Ze had een spijkerbroek en een dunne, witte blouse met een V-hals aan, met op de borst een fijn patroon van opgestikte kraaltjes. Ze straalde een teergevoeligheid uit die niet alleen het gevolg van de omstandigheden was, want daarvoor was haar gezicht er te duidelijk door getekend. Ze zag eruit alsof ze elk moment óf zou glimlachen, óf in tranen zou uitbarsten. Valdimar voelde een plotseling verlangen om haar te omarmen en te knuffelen, maar die gedachte schudde hij van zich af als een onplezierig droombeeld.

'Mijn naam is Valdimar; ik ben van de recherche.'

'O,' zei ze somber, 'kom dan maar binnen.'

Ze ging hem voor naar de woonkamer, waar alles wit was: het bankstel, de tafel met daarop een witmarmeren asbak en witte muren. De vloerplanken waren geschuurd en wit gebeitst en zelfs aan de muren hingen twee geschilderde portretten in zulke vale kleuren dat ze bijna wit waren.

'Dat is Björn', zei ze zachtjes. Valdimar wist niet of ze de man op het ene schilderij bedoelde – het andere was van een vrouw – of dat ze bedoelde dat Björn verantwoordelijk was voor de stijl waarin de kamer was ingericht. 'Wilt u iets drinken?' vroeg ze toen vriendelijk, alsof ze ineens haar rol van gastvrije huisvrouw hervond. Valdimar sloeg het aanbod vriendelijk af.

'Er waren maar een paar dingetjes die ik aan u wilde vragen.'

'Ja,' zuchtte ze, alsof haar volkomen duidelijk was waar hij op af wilde, 'als het maar niet al te lang duurt, want ik wil straks terug naar het ziekenhuis.'

'Natuurlijk', zei Valdimar, die daar net vandaan was gekomen. 'Dit is zo gepiept. We moeten er alleen achter zien te komen wat er precies bij Thingvallavatn is gebeurd.'

'Ja,' zei ze weer, 'wat er gebeurde was dat ik wakker werd omdat de telefoon ging en ... toen had Björn ineens opgenomen en ...'

'Was dat op uw vaste lijn?'

'Ja.'

'Hebt u iets van het gesprek opgevangen?'

'Nee, niet echt, maar ...'

'Maar u hebt wel iets gehoord?'

'Ja, ik hoorde dat hij kwaad of opgewonden raakte, want hij snauwde iets door de telefoon, maar ... nou ja, waarschijnlijk wilde hij ons niet wakker maken.'

'Kon u iets verstaan?'

'Eén zin misschien.'

'En hoe luidde die? Herinnert u zich dat?'

'Volgens mij zei hij: "Je bent knettergek" en ... hij had het ook over de politie.'

'Over de politie?'

'Ja, meer hoorde ik niet.'

'Wat was de context?'

'Ik weet het niet. Ik was een beetje verdwaasd ... ik sliep nog half.'

'En wat gebeurde er daarna?'

'Björn stond op en begon zich aan te kleden. Ik vroeg hem of hij weg moest, maar ... maar hij gaf me geen antwoord', zei de vrouw verbitterd. Er liepen tranen over haar wangen.

'En toen?' zei Valdimar een beetje in de war. Hij ging eens verzitten; hij wist nooit wat hij moest doen wanneer vrouwen in zijn aanwezigheid begonnen te huilen. Een soort universele mensenkennis zei hem dat het het beste was dat je zo iemand aanraakte, dat je een hand op zijn schouder of arm legde om hem wat genegenheid te tonen, maar zijn

98

eigen gevoelens dicteerden halsstarrig iets anders, want zijn aangeboren of aangeleerde angst voor aanrakingen werd in zulke situaties twee keer zo erg. Hij kon er niet tegen dicht bij huilende mensen te zijn, of hij hen nu kende of niet. 'Ik begreep dat hij u verteld heeft waar hij heen ging.'

'Dat vertelde hij me niet, hoewel ... hoewel ik het herhaaldelijk vroeg. Maar Björg, onze dochter, werd wakker van ons gesprek en toen zij het hem vroeg, zei hij dat hij naar ons zomerhuisje ging. Mij keurde hij geen antwoord waard ...' zei ze, maar haar stem was niet gebroken. Er rolden tranen over haar wangen. Valdimar voelde hoe zijn claustrofobie zich meester van hem maakte. Voor zijn gevoel snoerden zijn kleren hem in en het liefst wilde hij ze van zich af scheuren. Het feit dat hij zich van dit verlangen bewust was maakte dat hij zich nog slechter begon te voelen, maar hij kon nog niet weg.

'Vroeg u hem wie er gebeld had?'

De gelaatsuitdrukking van de vrouw verhardde zich. Als versteend keek ze voor zich uit.

'Ja, dat heb ik hem gevraagd, maar daar wilde hij geen antwoord op geven. Maar ik was er al gauw achter,' voegde ze eraan toe, 'want toen hij weg was, heb ik gekeken wie er gebeld had. Het nummer was niet geheim of zo. Ik heb dus gewoon opgebeld om te vragen van wie dit nummer was.'

'Aha, en wie was dat?' vroeg Valdimar.

'Ze heet Sunneva. Sunneva Gunnarsdóttir.'

Die naam klonk Valdimar bekend in de oren, maar hij kon zich niet herinneren waar hij hem eerder had gehoord.

'Dat is de dochter van oude vrienden van ons en ... ze studeert architectuur en ... ze werkt bij Björn.'

'Hebt u enig idee wat Sunneva Björn te melden had op dat tijdstip?' vroeg Valdimar behoedzaam.

'Dat moet u haar vragen', antwoordde Eva, die langs hem heen keek.

Valdimar werd altijd onrustig naarmate de zomer verstreek. Het liefst had hij iets waarop hij zich kon concentreren; werken, werken en nog eens werken was het enige dat hem ervoor behoedde in een zee van deprimerende herinneringen ten onder te gaan en een speelbal in de handen van negatieve gevoelens en dwangmatige reacties te worden. Langgeleden had hij al gemerkt hoezeer zijn persoonlijkheid aan de jaargetijden onderhevig was en dat werd met de jaren alleen maar erger. De winter was een tijd van stabiliteit: het leven ging zijn gangetje en hij maakte zich niet al te druk om wat er van hem was geworden of welke kant hij op ging. Tegen het voorjaar ontwaakten in zijn hart allerlei verwachtingen en aspiraties, volkomen onrealistische plannen voor verre reisbestemmingen en radicale ommezwaaien in zijn leven. Als het 's zomers 's nachts licht bleef, kon hij door zulke fantasieën niet meer slapen. De hele wereld lag aan zijn voeten en door dit aanstekelijke optimisme werd hij steeds opgejut. Het was dat zijn opmerkzaamheid en zijn plezier in zijn werk dan op hun top zaten, want anders zou hij vermoedelijk de raad van zijn dokter opvolgen en dit moordende tempo met behulp van daarvoor bedoelde medicijnen minderen. Tegen het eind van de zomer begonnen de slapeloosheid en het overwerkt zijn op te spelen: dan had hij weinig fut meer en had een paar weken veel slaap nodig. Wanneer hij aan het begin van de herfst weer tot zichzelf was gekomen, bepaalde zijn kijk op het leven zich tot de meest wezenlijke dingen. Zijn optimisme maakte plaats voor een soort levensmoeheid en depressiviteit. Bij deze natuurlijke aanleg tot depressie kwam het besef dat hij ook in dit opzicht, zoals in zo veel andere opzichten, op zijn moeder leek. Vrouwen die over hun toeren waren, omdat ze hun man op overspel hadden betrapt, deden hem altijd aan haar denken en dan met name in deze tijd van het jaar, wanneer de dag van haar overlijden naderde.

Waarschijnlijk was het op het laatste feestje voor het overlijden van zijn moeder geweest. Het huis zat zo vol met mensen dat de rokers niet eens in de woonkamer wilden roken. Een aantal van hen – Valdimars vader en een paar anderen – wilde naar Valdimars slaapkamer, maar hij had hen tegengehouden en het hun verboden, waarna ze naar de bijkeuken waren gegaan. Zijn vader was behoorlijk op dreef: hij zat aan alle vrouwen die hij tegenkwam. Omdat Magga, zijn vrouw, er ook was, hadden ze hem allemaal lachend weggeduwd, totdat Vigdís hem met zijn hand onder haar jurk had laten voelen zonder te protesteren. Ze had hem alleen pro forma een tik op zijn vingers gegeven. Toen Valdimar zag dat ze er verder geen probleem van maakte en deed alsof ze zich met iets heel anders – een gesprek met mensen op de bank – bezighield, wist hij dat zijn vader met zijn hand in haar onderbroek zat; zo ongelofelijk vrijpostig was hij in dat soort dingen. Valdimar lag onder de bank naar de televisie te kijken met het geluid uit. Het was een oude, zwart-witte cowboyfilm; het ging over een stadje dat belegerd werd. De slechterik, de eigenaar van een ranch, was er met een leger mannen naartoe gekomen om de sheriff en een paar rechtschapen handlangers van de sheriff neer te schieten. Hij hoefde zich maar een beetje te verschikken om Vigdís te kunnen zien, zoals ze daar in een oude leunstoel zat met één been over de leuning geslagen; daardoor was ze vrij toegankelijk voor de vingers van zijn vader, die voor haar op de vloer zat geknield. Wat dachten ze wel niet, had Valdimar zich later vaak afgevraagd. Hij had nooit begrepen wat er door hen heen was gegaan, ongeacht of dat wat ze deden, nu fout was of niet. Zijn vader was een vrouwenjager of een dozenjager, zoals hij het zelf noemde met de onbeschaamdheid waarom hij bekendstond, maar dit, midden op de avond in de woonkamer en ten overstaan van Valdimar, was te veel van het goede. Toen het gebeurde, was zijn zusje al naar bed. Valdimar keek niet meer naar de televisie; hij lag gewoon min of meer onder de bank verscholen naar zijn vader te kijken terwijl die zijn hand onder Vigdís' jurk heen en weer bewoog. Hij had de indruk dat zijn vader haar vingerde. Eenmaal woelde ze met haar hand door zijn haar en duwde hem toen voor de vorm van zich af, voordat ze weer deed alsof ze opging in een gesprek dat boven Valdimar, op de bank, plaatsvond. Daar zat Óli, een vriend van zijn vader, die ooit een relatie met Vigdís had gehad, maar inmiddels een nieuwe vriendin had, die nergens te zien was. Naast hem zat een blond meisje dat Valdimar nog nooit had gezien. Ze droeg een kort rokje en bewoog soms haar benen voor zijn ogen, zodat hij de televisie niet meer kon zien. Zo nu en dan daalde er stof op Valdimars haar neer wanneer Óli met zijn vuist op de bank sloeg, als hij zijn betoog kracht wilde bijzetten. 'Betoog' was het juiste woord, want hij zei nooit iets zonder uitroeptekens en wat hij op zijn hart had, betrof op een of andere manier altijd het welzijn van de hele wereld. Valdimar kreeg een pluisje in zijn oog; toen hij in zijn oog wilde wrijven, zag hij zijn moeder. Ze stond in de keuken haar handen af te drogen aan een theedoek en keek zijn vader met een merkwaardige glimlach aan; een soort mengeling van ongeloof, verdriet en vergeving, dacht hij nu. Had ze op dat moment de knoop doorgehakt? Hoe het ook zij, ze was zonder iets tegen zijn vader te zeggen de keuken weer in gegaan, hoewel ze ongetwijfeld uit de keuken was gekomen omdat ze met hem wilde praten. Even later zag Valdimar hoe zijn vader zijn vingers onder Vigdís' jurk afveegde, uitdagend om zich heen keek en vervolgens de gang in liep, waar de slaapkamers en het toilet waren. Valdimar had er geen aandacht aan geschonken; hij probeerde de draad weer op te pakken in zijn film. Al gauw stond ook Vigdís op en verdween. Na een tijdje kwam zijn moeder uit de keuken terug en hij zag hoe ze om zich heen keek. Opeens kreeg hij een akelig voorgevoel; hij dook onder de bank vandaan en rende naar de gang. De deur van de badkamer zat op slot. Hij bonkte op de deur; er kwam geen respons. Hij riep: 'Zit jij hier, pappa?' maar het was al te laat: zijn moeder was de gang in gelopen en stond al naast hem, weer met die merkwaardige glimlach die haast geen glimlach leek. Hij zag opeens dat zijn moeder magerder of ouder was geworden: haar gezicht was zo strak en er liepen lijnen van haar neus naar haar mondhoeken. Hij begreep niet wanneer dat eigenlijk was gebeurd. Ze zei: 'Ga maar naar de andere wc, lieverd', en hij kon niet anders dan haar gehoorzamen, maar hij wist dat zijn vader nu te ver was gegaan. Deze keer was hij over de schreef gegaan. Een vlieg probeerde op zijn moeders gezicht te landen, maar ze sloeg het beest weg met een vlugge beweging die blijk gaf van de kracht en misschien ook van de rancune die je aan haar vriendelijke gelaatstrekken niet af kon lezen. 'Toe nou maar!' zei ze terwijl ze Valdimar net zoals de vlieg wegwuifde. Daarna bonsde ze op de deur van de badkamer. Valdimar liep de gang uit, maar hij kon zijn ogen niet van de badkamerdeur houden totdat zijn moeder hem een doordringende blik toewierp. Toen kroop hij weer onder de bank, niet omdat hij het einde van de film nog wilde zien, maar omdat hij niet wist waar hij heen moest. Hij was bang geweest. Maar hij had niet bang hoeven zijn, want niet lang daarna waren zijn vader en moeder de woonkamer weer in gekomen. Zijn vader had nogal beschaamd gekeken en zijn moeder onheilspellend. Even later was ook Vigdís tevoorschijn gekomen om vervolgens meteen naar huis te gaan. Hij had dus niet bang hoeven zijn voor een vereffening en ruzie. Naderhand had hij bedacht dat het erger had kunnen zijn, veel erger zelfs. Na een tijdje was zijn vader weer lollig gaan doen en Valdimar was door zijn moeder naar zijn kamer gestuurd. Ze had gezegd dat ze zelf ook naar bed ging.

Hij wist niet of het uiteindelijk iets zou hebben uitgemaakt, maar dit was dé herinnering uit die ene nazomer waaraan hij het vaakst terug moest denken, de nazomer die zijn moeder onvergetelijk had gemaakt door in bad haar polsen door te snijden. Hij had niet eens geweten dat ze zo ongelukkig was geweest, omdat ze er heel goed voor had gewaakt dat ze haar gevoelens niet liet blijken. Die vreemde glimlach van haar was in feite het enige dat hem te denken had gegeven.

achttien

Marteinn had erop gerekend dat Hallgrímur hem naar Thingvellir zou vervoeren, zodat hij zowel de auto van zijn vader kon ophalen als de politie hun zomerhuisje kon laten zien.

'Wauw, niet te geloven', zei Hallgrímur, die duidelijk van slag was toen Marteinn hem belde om te vertellen wat er gebeurd was. Hij bleek op zijn werk te zijn, want Marteinn kon op de achtergrond het gerinkel van glazen horen. 'En wat ... denken ze dat hij het haalt of niet?'

'Ze beloven niets. Het gaat in elk geval lang duren, als er al hoop is', zei Marteinn met een brok in zijn keel. Dat was de informatie die hij na de operatie van de arts had gekregen.

'Ik kan hier helaas niet weg', zei Hallgrímur. 'Red je het wel?'

'Ja ja, met mij gaat het prima', loog Marteinn tegen zijn vriend. Hij kon niemand anders bedenken aan wie hij een lift zou kunnen vragen, maar hij kon zich ook niet voorstellen dat hij bij een smeris in de auto naar Thingvellir zou gaan, dus reed hij er maar in zijn moeders auto heen. De gedachten schoten door zijn hoofd en hij was al een heel eind op weg naar Thingvellir toen zijn gsm ging. Het was Valdimar; ze hadden nummers uitgewisseld om een afspraak te kunnen maken.

'Hoe ziet het er momenteel bij jou uit?' vroeg hij.

'Ja, sorry, ik ben onderweg. Ik heb gewoon vergeten te bellen', zei Marteinn verontschuldigend.

'Oké, we komen eraan', zei de rechercheur en hij hing vervolgens op.

Zoals Marteinn al verwachtte, begon zijn hart harder te kloppen toen hij de auto rechts naast die van zijn vader parkeerde. Thuis aan de Skerjabraut stond hij altijd aan die kant; toch klopte er iets helemaal niet aan het feit dat hij beide auto's nu hier zag staan, net als op andere, vrolijker dagen. Hij zette de motor uit en deed de deur open.

De dag liep op zijn einde: achter hem ging de zon achter de wolken onder, bijna precies tegenover de plaats waar ze die morgen had gestaan. Er was geen zuchtje wind. Er hingen nog steeds muggen in de lucht. Terwijl hij over de omheining klom en de helling af liep naar het huisje, werd het snel donker. Het leek Marteinn waarschijnlijk dat er regen aankwam. Hij had een T-shirt en een dun jack aan en begon een beetje te rillen.

Toen hij over de veranda naar de voordeur liep, keek hij onwillekeurig naar de richel waar het ambulancepersoneel zijn vader voorzichtig tegenop had gedragen. De helling was zo steil dat ze hadden overwogen een boot te regelen en hem daarop te vervoeren. Het stuk helling waar zijn vader van afgevallen was, was nog steiler: dat ging een paar meter bijna loodrecht naar beneden. Hoe was het in vredesnaam mogelijk dat zijn vader, die elke vierkante meter rond het huisje door en door kende, daarvan afgevallen was?

Hij probeerde het voor zich te zien. Zijn vader moest in het donker naar het meer hebben willen afdalen, maar waarom? Er moest iemand bij hem zijn geweest. Iemand had hem opgebeld en Marteinn wist ook zeker wie dat geweest was. Waarom had Sunneva geen alarm geslagen, als zij dit ongeluk had zien gebeuren? Marteinn voelde hoe zijn gezicht begon te gloeien. Sunneva moest hier hoe dan ook geweest zijn en in dat geval had ze zijn vader belazerd en aan zijn lot overgelaten, zodat hij zou sterven, en dat alleen om te voorkomen dat aan het licht zou komen dat ze elkaar kenden. Toen Marteinn dat bedacht, vond hij het maar verachtelijk. Zijn vader was misschien egoïstisch en egocentrisch, maar zoiets als dit had hij nooit gedaan. Terwijl hij daar op de politie stond te wachten, voelde Marteinn ineens een hem onbekende haat tegenover deze jonge vrouw. Zijn gedachten dwaalden weer af naar de dag waarop dit alles volgens hem was begonnen, die regenachtige dag toen hij zijn vader en Sunneva elkaar had zien kussen in de auto.

Marteinn was toen drijfnat en rillend thuisgekomen. Zijn moeder zat in de woonkamer met de gordijnen dicht.

'Mamma, ben je thuis?' had hij de schemering in geroepen.

'Ja, lieverd. Ik voel me niet helemaal goed', had ze geantwoord.

'Waar is pappa?' had hij voorzichtig gevraagd.

'Dat weet ik niet, lieverd. Hij zei dat hij vanavond misschien laat thuis zou komen.'

Marteinn had in de deuropening gestaan en niet geweten wat hij met zichzelf aan moest. Na een poosje was Eva opgestaan en naar hem toe gelopen. Hij bekeek haar met nieuwe ogen.

'Wat is er aan de hand, Marteinn? Waarom kijk je me zo aan?' vroeg zijn moeder verbaasd.

Ja, wat was er eigenlijk aan de hand? Marteinn vroeg zichzelf af wat er precies aan de hand was en of hij er iets aan kon doen. En waarom keek hij haar zo aan? Ja, voor de eerste keer in zijn leven legde hij zijn moeder langs de meetlat der vrouwelijke schoonheid en seksuele aantrekkingskracht. Volgens hem mocht ze er zijn; ze had inmiddels een piepklein buikje, maar ze had iets vriendelijks en moois over zich wat in de loop der tijd niet veranderd was. Ze zag er nog bijna net zo uit als op haar trouwfoto.

'Niets,' zei hij, 'ik zat gewoon na te denken.'

Eva liep naar de keuken en gaf hem in het voorbijgaan een klopje op zijn hoofd. Hij dook niet weg, zoals hij gewoonlijk deed.

'Alles goed, lieverd?' vroeg ze.

'Prima', antwoordde hij mat.

'Honger?' vroeg ze terwijl ze de ijskast opendeed.

'Niet echt', antwoordde hij.

Twee uur later waren hij en zijn moeder net klaar met eten toen ze eindelijk de voordeur hoorden opengaan.

'Was het druk op je werk, lieverd?' vroeg Eva toen Björn aan tafel was gaan zitten. Marteinn voelde zijn hart bonzen.

'Ja, een gekkenhuis', zei Björn. 'Daarna heb ik Sunneva nog geholpen.'

Eva stond op en liep naar het gasfornuis; ze had Björns eten in de oven gestopt om het warm te houden.

'Heb je het over Sunneva van Gunnar en zo?' vroeg Marteinn ineens. 'Waarmee was je haar dan aan het helpen?'

Zijn vader keek hem aan met een blik die vreemd ver weg was.

'Ze werkt deze zomer voor me. Ze wil haar scriptie schrijven over het project waar we nu mee bezig zijn', zei hij. Marteinn voelde een steek door zijn hart. Zijn vader vertelde niet de hele waarheid en Marteinn had het gevoel dat Björn Sunneva alleen maar had genoemd om zichzelf in te dekken voor het geval ze hem gezien hadden. Misschien had zijn vader hem in de Fjólugata in het oog gekregen, ook al had hij dat dan niet laten blijken.

Björn keek hem vanuit zijn ooghoeken ernstig aan. Een ogenblik had Marteinn het gevoel dat zijn vader probeerde een afstand tussen hen beiden te creëren, alsof hij zich oefende voor het verbreken van de band die hen bond; toen grijnsde hij samenzweerderig naar hem alsof ze aan dezelfde kant stonden, alsof hij hem in vertrouwen kon nemen over iets waarover Marteinn niet met zijn moeder mocht praten. Marteinn had zonder erbij na te denken teruggegrijnsd, alsof hij ermee akkoord ging dat hij zijn mond zou houden.

De winter ervoor hadden ze het prima met elkaar kunnen vinden. Zijn vader had hem toestemming gegeven om in de garage een studiootje te bouwen. Hij had het zelf ontworpen en hem en Hallgrímur zelfs geholpen het in te richten. Hij had belangstelling voor hun muziek getoond; een paar keer hadden ze hem zelfs gevraagd of hij hen wilde helpen met opnames. Hun drummer was ermee opgehouden, maar gelukkig hadden ze een heleboel basismateriaal opgenomen dat ze konden gebruiken. Marteinn had het grappig, maar ook gezellig gevonden om zijn vader achter het raam te zien, wanneer hij en Hallgrímur samen in de studio tekeergingen. Het leek net alsof zijn vader hem die winter eindelijk tot op zekere hoogte als gelijke was gaan beschouwen. Misschien was dat omdat hij op eigen initiatief iets aan het doen was waarmee zijn vader zich kon identificeren en waarin hij hem kon stimuleren. Hij luisterde zelf naar allerlei muziek en zat 's avonds vaak met hen in de keuken over van alles en nog wat te praten, wanneer ze koffiepauze hielden. Maar opeens had het geleken alsof de afstand tussen hen groter was geworden dan ooit tevoren. Zijn vader had ongetwijfeld veel te doen en hij kwam nooit meer naar de studio. Ze waren overigens ook niet meer zo ijverig geweest als van de winter: Marteinn had natuurlijk eindexamens gehad en Hallgrímur was in een café gaan werken, waardoor hij 's avonds niet zo vaak meer tijd had. Hoe dan ook was het met de relatie tussen vader en zoon bergafwaarts gegaan, sinds Marteinn Björn met Sunneva had gezien. Het was een schok voor Marteinn geweest dat zijn vader zo glashard tegen hem gelogen had. Het had hem zeer cynisch gestemd. Wie kon je nog geloven als je eigen vader tegen je loog wanneer het hem uitkwam? Marteinn vond ook dat de koppigheid niet alleen van zijn kant kwam: hij wilde zich graag op een of andere manier met zijn vader verzoenen zonder het noodzakelijk over diens overspel te hebben, maar Björn schonk hem gewoon geen aandacht meer. Hij hing dag in, dag uit op zijn werk rond, als hij dan niet gewoon aan zijn maîtresse zat.

Deze gedachten borrelden nu in Marteinn op en vreemd genoeg vond hij ze onbeduidend. Hij voelde hoe de eerste regendruppel op hem viel, haalde de sleutel uit zijn zak en deed de deur van het huisje open.

negentien

Toen Haflidi informeel het verzoek kreeg om bij een achter-
kamer in winkelcentrum Glæsibær langs te gaan, had hij van
alles ter wereld verwacht, maar niet dat zijn zoon Eiríkur, van
wie hij meende dat die goed verzorgd bij zijn moeder thuis in
Egilsstadir zat, daar zou zitten. Er zat een vriend bij Eiríkur
die Haflidi uit het oosten kende, maar van wie hij wist dat die
naar de hoofdstad was verhuisd. De vriend zat te huilen,
Eiríkur was knalrood en opgewonden.

'Ze zijn gearresteerd voor winkeldiefstal', zei de agent, een
man van een jaar of vijftig met een forse borstkas. Hij kon
een vage grijns niet onderdrukken.

'We hebben niets gestolen', zei de jongen dwars. 'Dat is
een stom misverstand, pappa.'

'Het winkelpersoneel zegt iets anders. Ze zijn op heterdaad betrapt', zei de agent, terwijl hij Haflidi een knipoog gaf
zonder dat zijn zoon het kon zien.

'Het was maar een grap! We wilden alleen kijken of het
ons zou lukken om met onze armen vol spullen de super-
markt uit te lopen! We hadden niets nodig. Jongens van
onze leeftijd stelen toch wel iets spannenders dan wc-papier
en cornflakes? We wilden gewoon kijken of er gereageerd
zou worden! We wilden alles terugbrengen, pappa, dat zweer
ik.'

'Dat is wel zo'n ongelofelijke verklaring dat het geen leugen kan zijn', zei Haflidi tegen de agent, die stond te grijnzen. 'Goed je te zien, Eiríkur. Wanneer ben je gekomen?'

'Vanochtend', zei de jongen beschaamd. 'Ik wilde na je werk bij je langsgaan.'

'Tja, shit, het probleem is dat ik dit weekend dienst heb', zei Haflidi terwijl hij aan het ongeluk in Thingvellir moest denken. Dat geheimzinnige telefoontje waarover Valdimar hem had verteld, zat hem niet lekker. Er was toch zeker geen moordonderzoek op til? Hij hoopte dat alles opgehelderd zou worden zodra Valdimar de omstandigheden had onderzocht en de beller had getraceerd. Maar eerst moest hij dit probleempje hier oplossen.

'Ik neem aan dat ik met de bedrijfsleider moet praten', zei hij en hij fronste zijn wenkbrauwen.

'Hij wil geen aanklacht indienen', zei de agent. 'Vanwege hun jonge leeftijd en hun algehele gebrek aan intelligentie', zei hij plagend tegen de jongens. 'Jullie hebben geen toekomst in deze branche, dat is duidelijk. Jullie kunnen maar beter op het rechte pad blijven.'

'Wij zitten helemaal niet in een of andere branche!' zei Eiríkur woedend. Het was bijzonder eenvoudig om hem op de kast te krijgen; zo te zien had de agent dat al ontdekt.

'Nou, aangezien ze geen aanklacht willen indienen, zou alles toch prima in orde moeten zijn?' zei Haflidi rustig.

'Ja,' zei de agent, 'we kunnen ze met een waarschuwing laten gaan, als ze beloven dat ze zich zullen gedragen.'

Beide jongens beloofden dat met klem. Het vriendje had zich inmiddels hersteld.

'Ik ken jongens die in het echt hier in Glæsibær dingen hebben gestolen', zei hij. 'Tassen vol sportartikelen en de hele handel.'

'Nou, dan moet je maar van mij tegen ze zeggen dat hun

dat niet meer zal lukken', zei de agent. 'We houden ze in de gaten.'

'Hoe willen jullie dat dan doen?' vroeg de jongen.

'Daar hebben wij zo onze methodes voor.'

'Moet ik jullie ergens naartoe brengen, jongens?' vroeg Haflidi, die blij was dat de zaak zonder verdere bemoeienis was opgelost. 'Heel erg bedankt dat je me op de hoogte hebt gesteld', zei hij tegen de agent, die hem weer een knipoog gaf.

Toen hij bij de uitgang was, sprak hij de jongens toe.

'Ik hoef jullie hopelijk niet te vragen nooit meer zoiets uit te halen, begrepen?'

'Natuurlijk niet', zei zijn zoon bedeesd.

'Dat beloven we', zei zijn vriend vol zelfvertrouwen.

Haflidi legde zijn hand op de schouder van zijn zoon. Zijn hart liep over van geluk.

twintig

Valdimar stond al klaar om met Björgvin van de technische recherche op weg te gaan; hij wachtte alleen op een seintje van Marteinn, die beloofd had te laten weten wanneer hij kon vertrekken. Toen belde Drífa.

'Nog even in verband met de laptop: ik moet hem vandaag eigenlijk hebben.'

Valdimar aarzelde. Hij had graag nog wat tijd gehad, want misschien kreeg hij geen gelegenheid meer om Drífa alleen te zien, maar hij had nu eenmaal niet alles voor het kiezen.

'Als je nu meteen kunt komen, dan moet het lukken', zei hij.

'Prima, ik kom eraan', zei ze droog. Hij voelde ineens hoe bang hij was om Drífa weer te zien. Hij probeerde zijn schouders te ontspannen en diep adem te halen en gaf zichzelf even de tijd om te ontspannen, maar het lukte niet helemaal. Hij voelde weer het aloude verlangen om uit zijn lichaam te glippen, alsof het een kledingstuk was dat niet lekker zat. Hij duwde zijn stoel ruw bij het bureau vandaan, stond op en liep zijn werkkamer uit. Björgvin trok zijn wenkbrauwen op toen hij zei dat hij even weg moest, maar daardoor liet Valdimar zich niet van de wijs brengen.

Toen hij bij zijn woning kwam, stond Drífa voor de deur. Hij zette de motor af en stapte uit. Ze droeg een spijkerbroek en puntige cowboylaarzen, die hij haar nog niet eerder had zien dragen. Was dat een hint in zijn richting dat ze veranderd was? Hij stapte haastig van die gedachte af; hij was zijn eigen complexen zat.

'Hoi', zei ze zacht.

'Hoi', antwoordde hij droog, iets waar hij meteen spijt van had. Hij voegde er op vriendelijker toon aan toe: 'Hoe gaat het?'

'Gewoon, zijn gangetje', antwoordde ze behoedzaam.

Het was een ongelukkige vraag geweest: te opdringerig, een opening tot een mate van genegenheid waarvan hij niet wist of hij daar nog voor uitgenodigd was. De laatste keer dat ze elkaar gezien hadden, had hij zijn sleutel teruggeëist en tegen haar gezegd dat ze kon ophoepelen. Hij voelde zich daartoe gedwongen, maar toen zij de deur had dichtgesmeten, was hij in tranen uitgebarsten.

'Hoe is het met Illugi?'

Zoals hij had gehoopt, werd de blik in haar ogen zachter. 'Het gaat de laatste tijd prima met hem', zei ze met een glimlachje. 'Dat komt natuurlijk omdat zijn vader in de stad is', voegde ze eraan toe terwijl ze Valdimar aankeek met een blik die hij niet kon duiden.

'Aha, mooi. Woont hij bij jullie?'

'Ja.'

'Slaap je ook met hem?'

Die vraag was eruit voordat hij er erg in had. Het was wel het laatste dat hij haar had willen vragen. Ze stak haar kin vooruit en bleef een moment stil, voordat ze antwoord gaf.

'Dat gaat je niets aan, maar afgezien daarvan is het antwoord nee.'

Dat was een pak van zijn hart. Hij had de afgelopen tijd elke nacht wakker gelegen en moeten denken aan wat Drífa en Baldur aan het doen waren. Hij probeerde zijn blijdschap niet in zijn stem te laten doorklinken, maar was toch net iets te vrolijk toen hij zei: 'Oké, zullen we hier als een stel zoutzakken blijven staan?'

Hij deed de voordeur open en ging haar voor. Hij keek vanuit zijn ooghoeken de keuken in en zag dat hij de melk en de cornflakes op tafel had laten staan, toen hij er die ochtend vandoor was gegaan. Gelukkig zag de woonkamer er redelijk netjes uit.

'Neem toch plaats', zei hij. Hij vond het een vreemd gevoel om haar zo formeel aan te spreken. Ze ging niet op zijn aanbod in, maar liep naar het raam en keek naar buiten. Hij liep vlug zijn slaapkamer in; in een la van zijn kast lag nog een stapeltje kleren van haar, die hij een paar dagen eerder met een brok in zijn keel netjes had opgevouwen. Haar laptop stond op zijn bureau in een hoek van de woonkamer. Hij legde haar kleren erop en ging op de leuning van een stoel zitten. Zij keek nog steeds uit het raam.

'Waarom slaap je niet met hem?' vroeg hij. Weer was de vraag hem onopzettelijk ontvallen. Ze zuchtte en draaide zich naar hem toe. Hij kreeg opeens het gevoel dat zij de laatste tijd niet beter had geslapen dan hijzelf.

'Omdat ik niet denk dat er een toekomst voor ons is.'

'Meende je al die dingen die je me laatst vertelde dan niet? Dat jullie het opnieuw wilden proberen en zo?'

Ze liep langzaam naar hem toe en ging zelf ook op een stoelleuning zitten, voordat ze hem antwoord gaf.

'Jawel, dat dacht ik in elk geval, maar ik merk nu dat het hopeloos is.'

'Hoe zit het dan met ons?' vroeg hij. Hij voelde hoe zijn hart oversloeg.

Ze zweeg een hele tijd, voordat ze hem antwoord gaf. 'Ik

geef heel veel om je, maar ik denk dat er ook voor ons geen toekomst is.'

'Ik kan toch proberen mijn leven te beteren?' zei hij.

'Ach, Valdimar!' zei ze terwijl ze haar hand op de zijne legde. Hij schrok ervan, alsof haar huid gloeiend heet was, en trok snel zijn hand terug. Onwillekeurig trok hij met zijn hoofd. Ze wendde zich af. Hij keek de andere kant op. Ze stond op, ging voor hem staan en keek hem met betraande ogen aan.

'Kus me, Valdimar.'

Hij probeerde zich om te draaien, naar voren te leunen en haar te kussen, maar hij kon het niet. Toen hij de warmte van haar huid bij zijn gezicht voelde, voelde hij zich ineens zo vreselijk beroerd dat hij dacht dat hij van zijn stokje zou gaan. In de paar dagen sinds ze uit elkaar waren, waren zijn claustrofobie en aanrakingsangst zo veel erger geworden dat hij geen enkele controle meer had over hoe zich dat uitte. Drífa kwam naar hem toe en stak haar hand uit om zijn wang te aaien; hij dook voor haar hand weg en draaide zijn rug naar haar toe terwijl hij op zijn knieën viel en zijn gezicht met zijn handen bedekte. Van alles ter wereld wilde hij het liefst dat ze zijn schouder zou aanraken en tegelijkertijd was er niets ter wereld waar hij zo bang voor was. Ze probeerde het niet. Hij hoorde haar zachtjes huilen, terwijl ze haar laptop en haar kleren van de tafel pakte en zijn huis verliet.

Valdimar was uitgeput toen hij opstond. Hij had pijn op zijn borst en zijn schouders waren zo stijf dat hij ze niet kon ontspannen. Hij wilde het liefst gaan liggen om dagen achter elkaar te slapen, zich een tijdje aan de realiteit te onttrekken, even niet te hoeven meedoen. In plaats daarvan haalde hij zijn gsm uit zijn zak en belde Marteinn op. En toen bleek dat die zak van een jongen al vóór hen uit op weg was naar Thingvellir.

eenentwintig

Er hing een vreemde, zure lucht in het zomerhuisje. Marteinn merkte het meteen toen hij de deur opendeed. Toen hij naar binnen ging, zag hij meteen een trui over een stoel hangen, een oude leunstoel die hier zijn dagen sleet. Het was een zwart-wit damestruitje met een grof, opvallend driehoekspatroon. Hij meende te weten van wie deze trui was en zijn hart begon sneller te slaan. Ze was dus hier geweest, zoals hij al had vermoed. Hoewel hij zojuist nog had gewenst dat ze verantwoording zou afleggen voor haar daden of voor haar gebrek aan daadkracht inzake dat wat zijn vader was overkomen, voelde hij nu paniek bij de gedachte dat het feit dat zijn vader een verhouding met deze jonge vrouw had gehad, aan het licht zou komen. Hoe zou zijn moeder daarop reageren? Had ze soms nog niet genoeg aan haar hoofd?

Hij liep naar de stoel en wreef de boord van de trui tussen zijn vingers. Dit kledingstuk had zijn vader aangeraakt; hij had ernaar gekeken op de avond van het ongeluk, wat misschien zijn laatste avond bij bewustzijn was geweest, dacht Marteinn. Zoveel hadden de artsen hem duidelijk gemaakt: allereerst was het onzeker of zijn vader weer bij bewustzijn zou komen en daarnaast had hij ernstig hoofdletsel opgelopen, waarvan men met geen mogelijkheid kon zeggen welke invloed dat op zijn herstel en gesteldheid in de toekomst zou hebben.

Marteinn keek op de klok en vroeg zich af of het nog lang zou duren voordat de politie er was. Valdimar, de rechercheur met wie hij gesproken had, had erop aangedrongen dat hij niets zou aanraken, maar hij was nieuwsgierig en wilde kijken of er meer aanwijzingen voor zijn vaders en Sunneva's aanwezigheid hier in huis waren. Híj moest toch mogen rondkijken?

In de woonkamer viel niets ongewoons te zien. De kookhoek was schoon en opgeruimd; zo te zien hadden ze die nacht niets gegeten. Bij de deur stond het stapelbed; hij wierp er een vluchtige blik op, maar wist van tevoren dat daaraan niets bijzonders te zien zou zijn.

Dan bleef alleen de slaapkamer nog over. De donkere deuropening was recht voor zijn neus en hij had bijzonder weinig zin om daar naar binnen te gaan: voor zijn gevoel was dat de slaapkamer van zijn vader en moeder, de enige plek waarvan hij mocht hopen dat zijn vader die, bij wijze van spreken, niet onteerd had door daar met een andere vrouw te gaan slapen. Hij vermande zich en duwde de deurkruk omlaag.

De gordijnen waren dicht, waardoor het binnen halfdonker was. Het eerste dat Marteinns zintuigen waarnamen was dat die zure lucht vanuit de slaapkamer kwam. Hij stak zijn hand uit naar het lichtknopje om het licht aan te doen, maar kennelijk was de lamp kapot. Het tweede dat hij kon onderscheiden, was dat er allerlei kleren op de grond lagen. Toen zag hij een blote voet onder het dekbed uitsteken.

Van verbijstering en angst stond hij als aan de grond genageld. Toen riep hij: 'Hallo! Wie ben je? Wakker worden!'

Hij bleef dit lang en hard roepen, totdat hij het opgaf. Hij deed de gordijnen open en keek vol afgrijzen naar het levenloze lichaam van Sunneva op het bed.

Ze lag met haar hoofd op het kussen, met gesloten ogen en vieze mondhoeken. Marteinn twijfelde er niet aan dat ze dood was; toen hij haar pols wilde nemen om daar zeker van te zijn, liet hij haar hand vol afschuw meteen weer vallen toen hij voelde hoe koud het lichaam was. Hij was helemaal in de war: ineens stond de toedracht zoals hij zich die had voorgesteld, op zijn kop. Sunneva moest zijn overleden voordat zijn vader dat ongeluk had gehad. Haar dood was ongetwijfeld een soort ongeluk geweest of ze had gewoon een hartaanval of hersenbloeding of zoiets gehad. Maar waarom had zijn vader daarvan dan geen melding gemaakt? Waarom was hij in plaats daarvan op de gevaarlijkste plek naar het meer afgedaald? Had hij zich misschien van het lijk willen ontdoen uit dezelfde angst die Marteinn eerder ook had gehad: dat zijn en Sunneva's verhouding aan het licht zou komen? Was het denkbaar dat zijn vader zo lafhartig was geweest? Bliksemsnel schoten deze gedachten door Marteinns hoofd en telkens weer kwam hij uit bij een mogelijkheid die hij verwierp: het vreselijke vermoeden dat zijn vader het meisje iets had aangedaan. Dat kon gewoon niet. Tenzij hij per ongeluk ... Nadat hij pijlsnel alle mogelijkheden was langsgelopen, had hij in gedachten een hypothese gevormd, een voorstelling omtrent de toedracht van wat er zich die nacht afgespeeld moest hebben. Sunneva had zijn vader opgebeld, daarover was volgens Marteinn geen twijfel mogelijk. Ze moest wel uit pure wanhoop hebben gehandeld, want anders had ze nooit een getrouwde man met wie ze een verhouding had, thuis opgebeld. Marteinn had gehoopt dat ze uit elkaar waren gegaan en hij had zich daarbij altijd voorgesteld dat zij het initiatief daartoe genomen had: ze was immers zo veel jonger dan hij en ze had haar toekomst nog voor zich, terwijl hij een vrouw en twee kinderen had. Nu was hij echter geneigd te denken dat Björn degene was geweest die het had uitgemaakt, hoewel hij daar, te oordelen naar de manier waarop hij zich de laatste tijd had gedragen, duidelijk moeite mee moest hebben gehad. En ongetwijfeld was dit voor hen des te moeilijker geweest omdat ze collega's waren en omdat ze elkaar elke dag op het werk zagen. Zijn vader had de relatie verbroken, wist hij zeker, en zij was daar zo ongelukkig en wanhopig over geweest dat ze een poging tot zelfmoord had gedaan. Waarschijnlijk had ze medicijnen genomen en zich op het allerlaatste moment door Björn willen laten redden in het zomerhuisje waar ze samen zo veel uren van passie hadden doorgebracht, maar het was misgelopen: toen zijn vader kwam, was zij al dood. En hij was vervolgens in zijn wanhoop naar het meer gelopen; in een dergelijke gemoedstoestand was het net zo waarschijnlijk dat hij naar beneden was gevallen als dat hij zich met opzet in het meer had willen storten.

Later zou hij zich ervoor schamen, maar op dit moment kwam er geen medelijden in hem op voor de vrouw die daar lag. Hij stond er niet bij stil dat dit een vrouw was die familie en vrienden had die van haar hielden. Hij dacht er niet over na dat haar leven ten einde was, dat haar leven net zo heilig was als zijn eigen leven en dat van zijn vader en zijn moeder en zijn zus. Daar stond hij niet bij stil. Het was net alsof hij zijn quotum aan medelijden voor die dag had bereikt. Hij zag dit meisje in feite niet anders dan als een dood ding dat nog meer onheil over zijn familie zou brengen. De politie kon elk moment komen. Ze zouden het lijk dat daar voor hem lag, vinden, ze zouden op een of andere manier zijn vader – wie anders? – ervan beschuldigen en voor hij er erg in had, zou hij de zoon van een moordenaar zijn. In het beste geval zou hij de zoon zijn van een man die een jonge vrouw in de verdoemenis had gestort en die de ruggengraat niet had gehad om de verantwoordelijkheid voor zijn daden op zich te nemen. Zijn moeder zou de vrouw van een moordenaar zijn. Hij haatte Sunneva meer dan ooit tevoren: dit was haar wraak, want zij moest erover hebben nagedacht welke gevolgen haar acties zouden kunnen hebben. Wat wreed dat ze zijn vader had opgebeld, alleen om hem hierheen te laten komen zodat hij haar dood zou aantreffen! En wat een schok moest dat voor hem zijn geweest. Hij voelde een steek door zijn hart uit medelijden met zijn arme vader, die geprobeerd had om ter wille van hen het roer om te gooien en alles weer goed te maken, maar die dat niet voor elkaar had gekregen door toedoen van het schaamteloze wezen dat voor Marteinn lag en waarvan hij elke keer als hij naar haar keek wezenloos schrok. De politie was onderweg. Het leven van zijn vader zou weldra instorten: niet alleen was hij buiten bewustzijn en had hij misschien ernstig hersenletsel, maar ook zouden allen die hem kenden – en alle anderen trouwens ook – hem verachten en hem de schuld van de dood van dit meisje geven zonder dat hij zich kon verdedigen. Björg, die ondanks al haar opstandigheid echt pappa's kleine meisje was, zou nu de dochter zijn van een gewetenloze schurk; ze zou door de kinderen bij haar op school fluisterend nagewezen worden als de dochter van de 'moordenaar van Thingvellir' of in elk geval als de dochter van de man die de dochter van zijn vriend had verleid en haar zover had gebracht dat ze zelfmoord had gepleegd. Al deze gedachten gingen razendsnel door Marteinn heen. Hij wist niet precies wanneer hij de beslissing nam om actie te ondernemen, om hardnekkig te volbrengen wat zijn vader had geprobeerd: het welzijn van de familie te redden.

Zijn tijd raakte op: de politie kon er nu elk moment zijn. Hij raapte Sunneva's kleren van de vloer en gooide ze over haar hoofd. Daarna trok hij het hoeslaken los en knoopte het met de uiteinden om haar heen. Er kwam een auto aan. Hij had het anders willen aanpakken, maar nu trok hij uit alle macht aan de knoop om haar voeten. Het lichaam van het meisje gleed langzaam over het bed totdat haar hoofd bijna op de rand lag. Hij was te laat: de klap die Sunneva's hoofd maakte toen het de grond raakte, was afschuwelijk, ook al wist hij dat zij daar niets meer van voelde. De auto werd naast de andere auto's op de parkeerplaats geparkeerd. Hij had op een telefoontje gerekend, maar de politie kende ongetwijfeld de kentekens; ze hadden vast geen verdere aanwijzingen meer nodig. Hij aarzelde even en overlegde bij zichzelf of hij er maar helemaal mee zou ophouden. Maar was het daarvoor inmiddels niet te laat? Hij pakte het laken aan de kant van het hoofd en trok het verbazingwekkend vlug de slaapkamer uit, de woonkamer door en naar buiten. Terwijl hij het lijk de veranda op sleepte, hoorde hij een autodeur slaan. Hij keek wanhopig om zich heen. Er waren niet veel plaatsen die in aanmerking kwamen. Het geluid van voetstappen op het grind langs de omheining maakte bovenmenselijke kracht in hem los: hij trok het lijk bijna rennend achter zich aan, de helling voor het huisje af. Het huis stond op een natuurlijke helling, waardoor het fundament en de veranda aan één kant op palen rustten. Op het hoogste punt waren de palen anderhalve meter lang; de ruimte die zich daardoor onder het huis bevond, werd nergens voor gebruikt. Het was een kaal stuk grond, die je met een beetje goede wil aarde kon noemen. Er stond allerlei rotzooi: een oude maaimachine, die al sinds de tijd van zijn opa niet meer gebruikt

was, en een doos met een restpartij tegels die al tijden geleden in de keuken zouden worden gezet. Om deze ruimte af
te dichten waren er tussen de palen horizontale houten
planken getimmerd; op één plaats was er een ruw afge-
werkt deurtje met een hangslot. Daar stevende Marteinn
met het lijk op af in de ijdele hoop dat het hangslot open
was of dat hij het slot met zijn blote handen kon demon-
teren. Hij hoorde twee mannen met elkaar praten terwijl ze
op het huisje af liepen. Natuurlijk zat het deurtje op slot en
het slot was oersterk. De sleutel hing aan een spijker naast
de voordeur.

Een paar jaren daarvoor had een sneeuwhoen met haar
kuikens een paar dagen onder het huisje gewoond, terwijl
Marteinn en Björg met hun ouders in het huisje verbleven.
De jonge moeder ging vaak op expeditie, ongetwijfeld om
haar gebroed van eten te voorzien, en ze kwam steevast –
volgens Marteinn en Björg erg hardnekkig – terug naar hetzelfde plekje. Hij en zijn zus waren gefascineerd door dit
gevederde gezinnetje en gluurden voorzichtig tussen de sple-
ten in het hout naar de vogels, terwijl ze in het donker lagen
te slapen. Op sommige plaatsen kon de volwassen moeder er
makkelijk onderdoor. Op één plaats was de spleet onder de
onderste plank zelfs zo breed dat een kind er zich goed
onderdoor kon wurmen; er was snel een einde aan het verblijf van moeder sneeuwhoen gekomen toen Björg daar onder het huis was gekropen om de vogels gedag te zeggen.
Deze spleet zat aan de zijkant, niet ver bij de voordeur
vandaan; Marteinn strompelde er in zijn wanhoop naartoe.
Hij was moe van het slepen met het lijk; hij was als de dood
dat hij een astma-aanval zou krijgen en hij probeerde zo
voorzichtig mogelijk adem te halen, opdat de twee mannen
hem niet zouden horen.

Hij durfde niet helemaal de hoek om te gaan, nu er aan de deur werd geklopt. Het bleef stil. Hij durfde geen vinger te bewegen, haalde zo zacht als hij met zijn mond wijd open kon adem en dacht praktisch dat die twee mannen zijn hartslag zouden horen.

'Marteinn!' riep de ene. 'Ben je binnen?'

Hij had de deur open laten staan, nadat hij het lijk naar buiten had gesleept. Als die mannen nu naar het meer zouden lopen, naar de plek die ze moesten onderzoeken, dan zouden ze precies langs de plek komen waar hij weggekropen zat met het lijk van het meisje in dat hoeslaken gewikkeld naast zich. Ze zouden het witte laken wel moeten zien: dat sprong in het oog zodra je de hoek om kwam.

'Hallo! Marteinn! Ben je daar ergens?'

Deze keer werd er in de richting van het meer geroepen en veel harder dan de eerste keer. Marteinn voelde een bijna onweerstaanbaar verlangen om zo snel als hij kon weg te rennen, maar hij onderdrukte zijn instinct en bleef doodstil liggen.

Gelukkig schenen de mannen nieuwsgierig te zijn naar wat ze in dit huis zouden aantreffen, en ze liepen naar binnen. Hun voetstappen resoneerden op de vloer. Marteinn durfde zich niet te verroeren, maar hij deed het toch. Hij kroop naar de kier waardoor hij nog nooit naar binnen was geklommen en waarvan hij niet wist of hij ertussen vast zou komen te zitten als hij het probeerde. Hij draaide zich heel langzaam om en stak zijn voeten in het duister.

Hij moest echt moeite doen om op zijn rug naar binnen te komen en het laken achter zich aan te trekken. Toen hij voor de helft onder de planken door was, zag hij tot zijn schrik dat de knoop in het hoeslaken al halverwege over het voorhoofd van het lijk was geschoven. Hij kon er niet op vertrouwen dat die knoop zou houden, dus kon hij niet anders dan het lijk bij de voeten vastpakken.

Beide mannen waren al pratend het hele zomerhuisje doorgelopen. Voor zover hij kon horen, liepen ze nu naar buiten. Hij keek radeloos van angst naar de benen die voor hem lagen. Ze had haar teennagels met donkergroene, glinsterende nagellak gelakt. In de waas van zijn paniek merkte Marteinn dat de tenen naast haar grote tenen verhoudingsgewijs veel langer waren. Wat kon hij hieruit opmaken? Een goed teken kon het nauwelijks zijn, zo redeneerde hij in zijn benarde positie. Hij deed zijn ogen dicht, pakte haar ijskoude enkels beet en trok zo hard als hij kon. Hij moest zijn ogen opendoen toen hij weerstand voelde. Haar kin was achter de plank blijven steken. Het dekbed lag verfrommeld onder haar en ze was naakt. Het was de eerste keer dat hij een naakte vrouw had aangeraakt. Hij moest op haar buik steunen om voorover te kunnen leunen en hij slaakte bijna een gil toen er een sissend geluid uit het lijk kwam. Toen hij erin slaagde haar hoofd naar binnen te trekken, drong een afschuwelijke stank tot zijn neus door. Haar rode, lange haar stak nog onder de planken uit, evenals het kussen en het uiteinde van het hoeslaken, toen beide politiemannen langs de gevelzijde van het huis in de richting van het meer liepen. Terwijl hij over het lijk gebogen zat, moest Marteinn overgeven en hij kon ternauwernood voorkomen dat zijn braaksel op de buik van het meisje belandde.

tweeëntwintig

De Porseleinen Jongen voelde zich buiten Japan nergens prettig, ook al was het zo dat hij door zijn werk diverse vervelende landen voor zijn opdrachtgevers moest bezoeken, waaronder westerse landen. Van al die stomvervelende landen moest IJsland wel het ergst zijn, met zijn hoofdstad vol laagbouw en zijn borrelende hete bronnen, belachelijke watervallen, verraderlijke meren en geniepige temperaturen. Hij had deze klus nooit moeten aanvaarden.

'There is a telegram for you, Mister Nau.'

Met een duistere blik draaide hij zich om naar de receptioniste van het hotel. Ze zag eruit als een van die mensen die je met je pinkje kon vermoorden. Hij vond dat ze er een beetje angstig uitzag toen hij op haar af liep, dus deed hij een poging om haar bemoedigend toe te lachen, maar dat scheen een averechts effect te hebben, want haar ogen werden groter en ze deed een stap naar achteren bij de balie vandaan. Het was in dit land ook overal hetzelfde liedje.

'The telegrab, please', zei hij. Door een verstopte neus en een dikke keel was zijn zachte stem helemaal vervormd. Hij was al jaren niet meer verkouden geweest en zag elk soort ziekte en zwakte in feite als een uiting van geestelijke zwakheid. Zijn lichaam was zijn kloostertuin: hij verzorgde zichzelf in alle opzichten tot in de puntjes en genoot ervan elke spier en elke pees te controleren om te zien dat alles in volmaakte conditie was, omdat hij had besloten dat dat zo moest zijn. Hij ging nooit van huis zonder een flinke voorraad van drie soorten zeewier mee te nemen die hij uiterst belangrijk voor zijn geestelijke en lichamelijke gezondheid achtte. Als de omstandigheden het toelieten, begon hij elke dag met een uur meditatie, zoals hij het noemde; als een buitenstaander hem tijdens die uren kon gadeslaan, zou die eerder hebben gedacht dat het gymnastiekoefeningen waren.

'Certainly, Mister Nau.'

Het angstige meisje reikte hem een briefje aan. Hij stak zijn hand uit met de palm naar beneden, als een priester die zijn gemeente zegent, klemde de envelop tussen zijn wijs- en middelvinger en stak hem in zijn zak.

Hij begreep niet wat er misgegaan was. In gedachten liep hij de gebeurtenissen van het afgelopen etmaal na.

Hij was de stad uit gereden zonder op de kaart gekeken te hebben. Hij had zijn reisbestemming door het toeval laten bepalen: hij was wanneer hij maar kon van de snelweg af gereden en had grindwegen gevolgd die nergens uitkwamen. Hij had zich verwonderd over het gebrek aan begroeiing in dit land en zich afgevraagd waar de mensen waren. IJsland was een paradijs voor een huurmoordenaar, had hij gedacht: nergens ter wereld had hij zo veel plaatsen gezien waar je mensen in alle rust en onder esthetisch verantwoorde omstandigheden kon vermoorden zonder er bang voor te hoeven zijn dat er horden toeschouwers aan zouden komen. Hij kon overal een zogenaamd ongeluk veroorzaken waar niemand die niet ter plaatse was geweest, als zodanig vraagtekens bij zou zetten. Een paar dagen eerder had hij tijdens een toeristisch uitje Gullfoss en Geysir bekeken en afgekeurd. De hoogte van een waterval als Gullfoss was in feite perfect om een ongeluk met dodelijke afloop te veroorzaken; zelfs als iemand aan de voet van deze waterval gewoon in de rivier viel, waren de kansen dat hij het er levend van af zou brengen, zeer gering. Geysir had hem daarentegen teleurgesteld. Met zulke bubbelbaden kon je weinig, vond hij: ze waren niet echt angstaanjagend, ze waren niet mooi, het was gewoon water dat de lucht in spoot.

Toch waren beide plaatsen hopeloos vanwege de hoeveelheid bezoekers, zodat het prettig was te ontdekken hoeveel afgelegen plaatsen er waren waar je met je slachtoffer naartoe kon rijden. Hij vond de meren bijzonder aantrekkelijk. In Japan zouden de oevers in deze tijd van het jaar zwart zien van het leven, maar hier zag hij bij sommige meren nauwelijks enig teken van leven. Elders stonden hier en daar wat verlaten zomerhuisjes. Mensen verdronken in meren, dat was een feit dat de Porseleinen Jongen vaak van pas was gekomen. Hij was een grote fan van verdrinkingen; ergens had hij gehoord dat de slachtoffers ervan genoten, zodra ze over hun grootste angst heen waren.

Hij had in zijn uitgebreide zoektocht naar inspiratie al heel wat rondgereden toen hij bij een klein en ongetwijfeld ondiep meer was gekomen. Je kon het nauwelijks een gunstige plek om iemand te verdrinken noemen, omdat er heel wat huisjes langs de oever stonden, en bovendien stond er een boerderij vlakbij. Toch was er iets aan dit meer wat de Porseleinen Jongen aansprak: het strand en het gras eromheen riepen herinneringen aan dagen langgeleden in zijn jeugd bij hem op. Hij parkeerde de jeep, klom over een omheining, liep over de oneffen grond en ging op een grasheuveltje op een paar meter afstand van het strand zitten. Er was geen mens te zien, maar ergens blafte een hond en in de verte krasten raven. Hij legde zijn benen over elkaar en genoot van de stilte. Het was alsof de tijd stil bleef staan; hij deed zijn ogen dicht en luisterde naar hoe het bloed door zijn aderen stroomde. Er kwam een bus aangereden; het geluid van de motor was te midden van deze stilte oorverdovend. De bus sloeg voor het meer af in de richting van de boerderij. Hananda Nau volgde hem met zijn ogen en haalde zijn schouders op toen de bus achter de schuur verdween. Hij bleef daar een paar minuten staan; het geronk van de motor galmde over het meer naar de plek waar Hananda zat en hij hoorde twee mannen hard met elkaar praten. Daarna reed de bus het erf af en terug naar de weg om vervolgens over oneffen terrein naar een zomerhuisje aan het meer te gaan. Hananda Nau keek verbaasd naar de kinderscharen die samen met volwassenen uit de bus stroomden. Het leek net alsof het gejoel van spelende kinderen de stemming op een of andere manier vervolmaakte. Nu kon hij bijna het meertje met zandige oevers voor zich zien waar hij zich langgeleden zo prettig had gevoeld. Hij deed zijn ogen dicht en liet zich door zijn gedachten mee terugvoeren in de tijd.

Toen hij ze weer opendeed, zag hij een paar jongetjes op het strand bij het zomerhuisje spelen. Er zat een omheining van ijzerdraad voor de oever, dus de jongens konden niet zomaar het strand op, maar kennelijk waren ze bij het boothuis naast het huisje onder het draad door gekropen. Plotseling renden ze langs het strand bij het huisje vandaan. De kleinste raakte al snel achterop; met onbeholpen passen rende hij op zijn korte benen mee. De grote jongens lagen ver voor; een van hen kwam op het idee om in het water te springen en de anderen volgden zijn voorbeeld allemaal, ook de kleine jongen. Ze renden door het water op ongeveer één meter afstand van de oever; het water kwam maar tot aan hun enkels. De achterste en kleinste jongen had pas een paar meter gerend toen hij voorover viel; kennelijk was de weerstand in het water voldoende om hem te laten vallen. Hij ging helemaal kopje onder. Hananda Nau ging snel rechtop zitten en riep naar de andere kant van het meer.

'Hee!' schreeuwde hij terwijl hij tegelijkertijd besefte dat zijn diepe en luide stemgeluid onmogelijk over het rumoer van de kinderen aan de overkant heen zou komen.

In zijn loopbaan had de Porseleinen Jongen nog nooit een kind iets gedaan, maar dat was eerder om esthetische redenen dan om ethische. Hij realiseerde zich dat het soms noodzakelijk was om een kind van het leven te beroven, maar zelf achtte hij het gewoon beneden zijn waarde. Weigeren een kind iets aan te doen was echter één ding, maar een kind in levensgevaar redden was iets anders en daar zat een flinke afstand tussen. Iemands leven redden – of het nu van een kind was of van iemand anders – kon in de meeste gevallen oprechte belangstelling wekken en als er iets was wat de Porseleinen Jongen waar dan ook wilde vermijden, dan was het wel dat hij nog meer belangstelling zou wekken dan hij door zijn lichaamsbouw, uiterlijk en teint al trok. Daarom zou hij hier gewoonlijk met professionele nieuwsgierigheid op gereageerd hebben: hij zou vanuit zijn positie op de oever zijn blijven kijken om te zien of het jongetje op eigen kracht weer boven water zou komen. In plaats van nuchtere nieuwsgierigheid ontwaakten er echter warme gevoelens in zijn binnenste, gevoelens die hij niet thuis kon brengen. Hij sprong op, trok zijn jas uit en rende het meer in. Het was veel kouder dan hij had verwacht; hier hadden zijn herinneringen hem misleid. Na een paar meter was het alsof zijn voeten onder hem vandaan werden geslagen en terwijl het ijskoude water zijn borst omsloot, begon hij met krachtige slagen naar het jongetje te zwemmen. Toen hij in het ondiepe gedeelte aan de overkant kwam, ging hij in zijn volle lengte rechtop staan. Het water kwam tot aan zijn bovenbenen en zijn haar en zwarte coltrui waren groen van de algen. Hij keek om zich heen of hij gespetter zag, maar zag nergens iets. Gelukkig had hij een scheve paal in de omheining als doel aangehouden en daar vlakbij zag hij het jongetje half onder water drijven. Hij waadde er met grote stappen naartoe, tilde de jongen op, draaide hem om en drukte op zijn rug. Het water spoot uit zijn mond en toen Hananda hem hoorde hoesten, tilde hij hem helemaal op en droeg hem in zijn armen naar de kant. Dit alles deed hij zonder er een moment bij stil te staan. Hij merkte ineens hoe onzeglijk kostbaar het kleine jongetje in zijn armen was. Hij hoorde hoe de grotere jongens gillend naar hem toe renden, zo te zien doodsbang, maar dat kon hem niet schelen. Het jongetje lag stil in zijn armen, maar hij begon te snikken. Toen hij naar hem keek, zag hij tot zijn onnoemelijke verbazing dat het jongetje er Japans uitzag.

De Porseleinen Jongen wist dat het voor hemzelf ongetwijfeld beter zou zijn als hij de jongen gewoon over de omheining zou tillen en hem daar achter zou laten, maar daaraan dacht hij pas toen hij al met de jongen in zijn armen over de omheining was gestapt en naar de groep volwassenen en kinderen toe liep. De groep viel stil toen hij door de bosjes aan de grens van het perceel kwam aanlopen. Toen slaakte een blonde vrouw een gil en rende naar hem toe.

'Hij is in het water gevallen', zei Hananda Nau tegen de vrouw terwijl zij het kind van hem overnam. Het jongetje en de vrouw huilden allebei. Zo te zien was het haar zoontje, een adoptiekind of mogelijk eentje met een Aziatische vader. De Porseleinen Jongen hoorde een fototoestel en keek snel om. Een vrouw met een camera glimlachte tegen hem en nam nog een foto. Hij dacht erover haar de camera af te pakken en die in het meer te gooien, maar bedacht zich: het maakte niet uit, dit was geen fotograaf die voor de pers werkte. De mensen drongen om hem heen; velen schudden hem de hand en bedankten hem. Hij knikte beleefd met zijn hoofd en liep naar het water terug. Iemand vroeg hem of hij droge kleren wilde, maar hij bedankte ervoor, omdat het niet waarschijnlijk was dat deze mensen droge kleren in zijn maat bij zich hadden. Hij wilde vlug naar zijn auto toe. De vrouw die het jongetje van hem overgenomen had, kwam naar hem toe gerend en vroeg hem hoe hij heette. Hij had haar bijna zijn eigen naam verteld, maar kwam net op tijd tot zijn positieven en vertelde haar de naam die op zijn paspoort stond: Hananda Nau. Ze nam zijn hand in haar warme hand en bedankte hem met tranen in haar ogen. Daarna omhelsde en zoende ze hem; haar kus voelde gloeiend heet op zijn koude wang.

Onderweg terug had hij niet kunnen ophouden met rillen; hij zat achter het stuur in zijn natte kleren en had nergens meer besef van. Hij had niet eens de tegenwoordigheid van geest om de verwarming aan te zetten.

Hij was vroeg wakker geworden. Toen de supermarkten opengingen, kocht hij gemberwortel om van zijn verkoudheid af te komen. De hele dag had hij niets nuttigs gedaan; hij had alleen een wandeling door deze merkwaardige stad met haar ongecoördineerde speelgoedhuizen met hun golfplaten muren gemaakt.

Toen hij op zijn hotelkamer kwam, maakte hij de envelop open. Het bericht was duidelijk: 'De onderhandelingen zijn op niets uitgelopen. Klaar deze klus.'

drieëntwintig

'Lieve pappa, wat heb je toch gedaan? Zeg me alsjeblieft dat het een ongeluk was, pappa.'

Björn lag op zijn rug met slangen in zijn arm, een slang in zijn neus en een slang in zijn mond. Zijn ogen waren dicht en zijn gezicht was uitdrukkingsloos. Toch voelde Marteinn de bittere noodzaak om met hem te praten, antwoorden van hem te eisen en hem zaken toe te vertrouwen waarover hij met niemand anders kon praten.

'Ik heb haar onder het huisje gesleept, pappa. Misschien was dat een vergissing, maar ik heb het toch gedaan. En nu weet ik niet hoe ik het moet oplossen. Had ik haar door de politie moeten laten vinden? Had ik hun over haar moeten vertellen?'

Hij fluisterde deze woorden in zijn vaders oor. Er was hoe dan ook weinig risico dat iemand hem zou horen, want de man in het andere bed op de ic-afdeling was buiten bewustzijn of hij sliep en de verpleegkundigen en artsen waren waarschijnlijk ook druk bezig met het een of ander. Björns toestand was stabiel, zoals dat heette; hij was op dit moment niet in direct levensgevaar, hoewel het natuurlijk elk moment beide kanten op kon gaan.

'Als ze haar vinden, moet ik hun vertellen dat ik degene was die haar daar heeft neergelegd, want anders denken ze dat jij dat hebt gedaan.'

Marteinn had toestemming gekregen om een tijdje bij zijn vader te zitten. Toen hij terug in de stad was gekomen, was hij eerst in bad gegaan, maar toch had hij het gevoel dat er een of andere afschuwelijke onreinheid aan hem kleefde. Hij vond ook dat hij onwaardig was om met onschuldige, onbezoedelde mensen om te gaan, mensen die niet een lijk onder een zomerhuisje hadden gesleept. Hij had het gevoel dat hij alleen al door bij mensen in de buurt te komen onheil over hen zou afroepen. De enige die zich enigszins op hetzelfde niveau – een niveau van onheil, waar jonge vrouwen dood en naakt in het zomerse paradijsje van zijn familie lagen – bevond als hij, was zijn vader. Híj had haar daar zien liggen, híj wist wat het voor zijn gezin zou hebben betekend als de politie haar te zien had gekregen.

Hij had een kruisteken boven haar lichaam gemaakt, voordat hij weer onder het huis vandaan was gekropen. Het ging haast onbewust, maar het was alsof ze door deze kleine beweging van zijn hand menselijker werd, alsof ze aanspraak maakte op haar eigen tragedie, die losstond van wat Marteinns vader was overkomen. Zij was niet alleen dood, maar hij had haar door zijn onvergeeflijke gedrag ook verraden. Ze lag daar als een dood dier, eenzaam en verborgen, terwijl haar familieleden niet om haar konden huilen en konden rouwen om de rampspoed die haar was overkomen.

De twee politiemannen hadden geen uitleg van hem verlangd toen hij naar hen toe was gelopen, nadat hij het meeste zand van zijn kleren had geslagen. Ze besteedden feitelijk niet veel aandacht aan hem; ze hadden noodgedwongen de bewuste plek op eigen houtje gevonden. De ene – degene die hij nog niet eerder had gezien – stond wijdbeens boven op de met bloed besmeurde rots waarop Marteinns vader had gelegen. Marteinn bevestigde ongevraagd dat ze zich op de juiste plek bevonden en zij knikten.

Valdimar knielde op de richel neer en zocht daar zo te zien naar sporen. Beide heren spraken in eenlettergrepige woorden met elkaar en Marteinn deed geen moeite om iets van hun gesprek te begrijpen. Hij stond daar een beetje te rillen en vroeg zich net af of hij niet beter weg kon gaan, toen Valdimar hem aansprak.

'Oké, vertel me nu eens wat er gebeurde toen jij hier kwam.'

'Ik zag zijn auto en toen wist ik dat hij hier was.'

'Juist.'

'En toen belde ik hem op en ik hoorde zijn gsm hier beneden overgaan', antwoordde Marteinn klappertandend.

'Heb je het zo koud?'

'Nee, ik voel me gewoon wat onbehaaglijk', antwoordde Marteinn terwijl hij trachtte de angst in zijn binnenste van zich af te schudden. Valdimar maakte aanstalten om een hand op zijn schouder te leggen, maar bedacht zich zonder zijn hand meteen te laten zakken. Marteinn keek naar zijn hand; één moment leek het alsof de man hem stond te bedreigen. Valdimar raakte hiervan uit zijn evenwicht en vroeg hem vlug: 'En jij zegt dat het huisje op slot zat?'

'Ja.'

'En je kon niet zien of je vader binnen was geweest?'

Marteinn dacht na, bang om een blunder te begaan.

'Nee, ik zag helemaal niets', zei hij. Hij stond nog steeds te klappertanden en hij had de smaak van braaksel in zijn mond.

'Wil je niet liever naar de stad, makker? Wij doen de deur straks wel op slot', had Valdimar gezegd; hij had waarschijnlijk gezien dat Marteinn zich niet goed voelde.

'Ze moeten het huisje uitgekamd hebben, pappa', zei hij. 'Het kan heel goed zijn dat ze iets hebben gevonden.'

Hij boog zich voorover en huilde even, gebroken door alle angst en zorg en walging over wat hij gedaan had. 'Ze hebben ook allemaal vingerafdrukken genomen, pappa. Sommige moeten van haar zijn. Het is ook niet alsof ze daar voor de eerste keer was', voegde hij er niet zonder verbittering aan toe terwijl hij naar zijn vader keek, zoals die daar voor hem lag.

Zijn vader begon opeens te stuiptrekken en te rillen in zijn bed en hij begon onheilspellend te rochelen. Marteinn keek angstig naar de hartmonitor rechts boven het bed. Hij wilde net om hulp roepen toen een blonde verpleegster met een mager gezicht binnenkwam en hem vroeg of hij zo vriendelijk wilde zijn weg te gaan.

'Is het iets levensbedreigends?' vroeg hij aangeslagen terwijl hij keek naar hoe zijn vaders borst schokte.

'Welnee, hij hoest gewoon. Ik moet wat slijm bij hem wegzuigen', antwoordde de vrouw vriendelijk. 'Ga jij maar naar huis en zorg dat je wat slaap krijgt, jongen. We zullen goed voor hem zorgen.'

De zon scheen zo fel in Marteinns ogen toen hij over de Bústadavegur reed dat hij ze eigenlijk het liefst wilde sluiten en op de rechte stukken met zijn ogen dicht verder wilde rijden. Hij vond dat hij een onvergeeflijke misdaad had begaan en dat zijn leven in puin lag.

vierentwintig

'Neem me niet kwalijk dat ik zo laat ben, maar ik moest de stad uit', zei Valdimar. Hij had nog net tijd gehad om langs huis te gaan en zich om te kleden toen hij van Thingvellir kwam. Zijn avondmaal had bestaan uit een sandwich en een biertje bij een benzinestation.

'Geeft niets', zei Birta vriendelijk.

'Het loopt zeker storm bij jullie smerissen?' hoorde hij vanuit een leunstoel in de hoek.

Valdimar negeerde deze vraag. Eggert, zijn vader, vond zijn beroep maar helemaal niets en er lag een negatieve ondertoon in al zijn opmerkingen die op een of andere manier met de politie te maken hadden.

'Ik heb vandaag aan je gedacht', zei hij.

'Ik hoop dat het prettige gedachten waren', zei Eggert plagend. Valdimar grijnsde sarcastisch terug. Birta, zijn zus, had hem gevraagd of hij die avond koffie kwam drinken. Hij had geen andere gasten verwacht, maar toen hij aankwam, had zijn vader buiten op het balkon zijn twintigste sigaret van die dag staan roken, voor zover Valdimar hem kende. Valdimar had zich afgevraagd wanneer hij en zijn vader elkaar voor het laatst hadden gezien en was van mening dat dit waarschijnlijk een maand of twee geleden was geweest. Sinds ze geen Kerst meer samen vierden, gebeurde het niet vaak dat ze met z'n drieën bij elkaar kwamen. Eggert

138

was naar Valdimars woning komen kijken toen hij die net gekocht had; daarna had hij zich niet meer laten zien. Valdimar zelf was ook niet veel attenter. Zo nu en dan ging hij bij zijn vader langs wanneer hij in de buurt was, maar hij vond het een beetje vreemd om in zijn ouderlijk huis te komen: het was net een volgestopt miniatuur uit een voorbije tijd. Lange tijd had hij gehoopt dat zijn vader ertoe zou komen het huis te verkopen, want het was hoe dan ook te groot voor hem alleen. Valdimar ging veel vaker bij zijn zus langs, niet in de laatste plaats om op de hoogte te blijven van de groei en ontwikkeling van zijn neefjes en nichtje, en hij wist dat zijn vader daar soms ook op bezoek kwam.

Birta was momenteel met ouderschapsverlof. Haar derde kind, een jongetje van bijna een half jaar, zat met een brede glimlach in een stoeltje op de vloer van de woonkamer naar zijn grootvader te kijken, die na het roken was binnengekomen. Zijn vader straalde van blijdschap, zoals hij daar zat, en tuttelde wat tegen het jongetje terwijl hij diens zusje op zijn knie liet paardjerijden. Het leek net een kleffe reclame voor een levensverzekering, dacht Valdimar: een opa in een leunstoel omgeven door zijn kleinkinderen.

'Heb je genoeg om handen?' vroeg Valdimar zijn vader. Van zijn veertiende tot en met zijn twintigste had hij elke zomer bij zijn vader gewerkt. Samen hadden ze meer muren geverfd dan hij zich wenste te herinneren.

'Wat kleine klussen', antwoordde zijn vader, hetgeen betekende dat hij tegenwoordig tot in de avonden doorwerkte. In de manier waarop hij over zijn werk sprak, was hij een beetje provinciaals.

'Verder nog nieuws?'

'Ach, niets bijzonders', antwoordde Eggert. Wat dat betekende, viel nooit goed te zeggen als het om hem ging. Toch waren er bepaalde dingen die niet veranderden: verdomd als Valdimar niet de doordringende, zoetzure stank van wiet in zijn vaders nette pak rook. Even dacht hij eraan hoe zijn vader tegenwoordig aan zijn vrouwen kwam, maar zette die gedachte toen uit zijn hoofd, want dat ging hem niets aan.

'Komt Ívar niet?' vroeg Eggert. Valdimar keek hem aan. Betekende dit dat hij zich inmiddels had verzoend met zijn schoonzoon die zowel accountant als rechts was en die om dit geheel te bekronen van death metal hield?

'Ja, hij moet zo komen', zei Birta, die, voor zover Valdimar kon zien, versgebakken cake en nog veel meer soorten koekjes op tafel aan het zetten was. Hij was blij dat hij gekomen was: het zou vervelend zijn geweest als hij had gespijbeld, terwijl zijn zus zo haar best op de koffietafel had gedaan.

'Heb je veel te doen, Valdi?' vroeg Eggert dit keer vriendelijk.

'Tja, ach', antwoordde Valdimar zijn vader, maar besloot toen meer informatie prijs te geven. 'Een mens wil natuurlijk ook het liefst de hele tijd werken.'

'Precies', zei Eggert, die hem van onder zijn zware wenkbrauwen aankeek.

'Goedenavond, heren.'

Ívar was thuisgekomen. Zoals altijd keek hij opgewekt en glimlachte. Hij had een blauw pak aan. Valdimar en Eggert begroetten hem, het kleine meisje sprong van haar grootvaders schoot en rende naar haar vader.

'Tast toe', zei Birta vanuit de keuken.

Valdimar besefte niet helemaal of de stilte aan tafel een ongemakkelijk zwijgen was of dat ze het gewoon druk hadden met eten. Eggert zat tegenover hem in een hagelwit overhemd en een dun, zwart jasje met onder de tafel de onvermijdelijke spijkerbroek. Zijn grijze haar hing nog steeds lang en weerbarstig langs zijn wangen en zijn weelderige snor ging in golvende bewegingen op en neer terwijl hij zat te kauwen. Het kleine meisje zat weer bij haar grootvader op schoot en Birta's oudste zoon was naast hem gaan zitten. Valdimar voelde een minieme steek van afgunst, waarvoor hij zich meteen schaamde. Zo gehecht waren Birta's kinderen niet aan hem.

'Heb jij nog nieuws, Eili?' vroeg Birta aan Valdimar. Zij was de enige die hem zo mocht noemen.

'Eigenlijk niet veel', loog hij. Hij had Drífa niet eens aan zijn familie voorgesteld, dus het had weinig zin om hun nu te vertellen dat ze hem de bons had gegeven.

'Ga nu maar spelen, Magga lieverd', zei Eggert tegen het kleine meisje terwijl hij haar neerzette. Die bekende woorden – 'Magga lieverd' – uit de mond van zijn vader brachten een merkwaardige reactie in Valdimars gedachten teweeg: geen verbittering, merkte hij, maar een bitterzoet gemis. Onbewust moest hij terugdenken aan hoe het was toen zijn moeder nog bij hen aan tafel zat. Hij keek zijn vader aan, die ongetwijfeld aanvoelde waaraan hij zat te denken, aangezien hij een andere kant op keek en zijn keel schraapte.

'Gefeliciteerd trouwens', zei hij toen ineens.

'Dank je, insgelijks', zei Birta. Valdimar keek zo schaapachtig dat het Birta duidelijk werd dat hij hen niet kon volgen.

'Toe, Eili, het is vandaag mamma's verjaardag. Ze zou vijfenvijftig zijn geworden', zei ze meer geïrriteerd dan ze in feite was.

Valdimar raakte in de war.

'O? Aha. Nou, gefeliciteerd.'

Hij verbaasde zich er nog het meest over dat zijn vader zich deze dag had herinnerd. Misschien had Birta hem eraan herinnerd toen ze hem had uitgenodigd, ook al had ze er tegen Valdimar met geen woord over gerept.

Opeens werd er veel harder gesmakt dan eerst. Ívar verbrak de stilte.

'Lekkere taart.'

Daar was iedereen het over eens.

Valdimar had een foto van zijn moeder als meisje van tien in een Robin Hood-pakje, met een boog en pijlen en alles erop en eraan. Dat pakje was er nog steeds, bij zijn vader in de kast, maar hij wist niet wat er met de pijlen en de boog was gebeurd. Het was de foto waar hij het meest om gaf; ze glimlachte gelukkig naar de camera in haar rol van de vogelvrije die streed voor de rechtvaardigheid en de armen en tegen onrechtvaardige en arrogante mannen met macht.

Op het onrecht in het leven en in de liefde had ze echter geen antwoord gehad en uiteindelijk was ze eronder bezweken. Valdimar herinnerde zich een avondmaal thuis aan de Hverfisgata, toen zijn vader een vriendinnetje mee naar huis had gebracht die op de stoel naast hem zat te giechelen met wazige ogen van de slapeloosheid en de wiet. Zijn moeder had opgeschept en daarbij zo bloeddorstig gekeken dat Valdimar als de dood was dat er iets vreselijks zou gebeuren. Later had hij beseft dat het juist vreselijk was dat er niets was gebeurd en dat ze samen hadden gegeten zonder dat er veel werd gezegd, waarna zijn vader en zijn minnares waren verdwenen om verder te gaan feesten.

Weer later had een van zijn vaders vriendinnen geprobeerd Valdimar te ontmaagden. Met zijn vijftien jaren had hij al zijn kracht nodig gehad om zijn dekbed over zich heen te houden, maar hij had niet kunnen voorkomen dat ze haar hand tussen zijn benen had gestoken om te 'kijken of er al wat bewoog'. Zijn vader was toeschouwer van het gebeuren en had hard moeten lachen, stomdronken en heel tevreden over het leven. De volgende dag had hij gezegd dat dat meisje een 'allemansgleuf' was; hij had niet eens begrepen dat zijn zoon zo'n goed aanbod niet had willen aannemen. 'Seks kan niemand anders voor je doen, jongen', had hij gezegd. Naar eigen zeggen was hijzelf op zijn twaalfde begonnen te 'neuken als een hitsige hond'.

Maar Valdimar voelde er niets voor te leven als een hond, net zomin als hij zich, achteraf gezien, kon verzoenen met het feit dat zijn vader zijn moeder tijdens haar leven – in naam der vrijheid en der liefde – als een beest had behandeld. Zijn ouders waren het tofste stel hippies van de stad geweest, had men hem verteld; hun relatie was vanaf het begin 'open en vrij' geweest, zoals zijn vader later had gezegd om zichzelf te rechtvaardigen, maar Valdimar wist heel goed dat zijn moeder de vruchten van die vermeende vrijheid allang niet meer plukte, als ze dat al ooit had gedaan, terwijl zijn vader in een of andere oude commune rondhing om in al zijn hitsigheid over haar gevoelens heen te blijven walsen. 'Het waren gewoon andere tijden, Eili', had hij later gezegd, ongeveer in de tijd toen Valdimar de naam Eilífur had afgezworen en bij een kerkelijke doopplechtigheid zijn grootvaders naam had aangenomen. Hij was toen bijna twintig.

Van zijn moeder had hij, zo dacht hij graag, zijn rechtvaardigheidsgevoel geërfd, alsmede zijn opvallende uiterlijk en zijn overgevoeligheid. Van zijn vader had hij een – aangeboren of aangeleerde – neiging tot individualisme en onbeschaamdheid, die hij zonder enige aarzeling ten behoeve van de orde en regelmaat in de wereld had aangewend. Terwijl zijn vader het als zijn heilige plicht beschouwde de graal der vrijheid te heffen, opdat hij en anderen eruit konden drinken, had Valdimar op weloverwogen wijze de taak op zich genomen de chaos dezer wereld te beteugelen, omdat hij vond dat ongebreidelde vrijheid niemand ten goede kwam. Voor zijn gevoel was het zo klaar als een klontje: van die vrijheid werd alleen voortdurend misbruik gemaakt. Ze deden de dingen allebei op hun eigen manier en gaven geen moer om wat anderen ervan vonden.

Dat wilde niet zeggen dat Valdimar zijn vaders zegen zou hebben gekregen voor de weg die hij had gekozen, net zo min als hij op zijn beurt zijn zegen zou hebben gegeven aan de manier waarop zijn vader zijn leven leidde. Toch heerste er tussen hen beiden een soort wapenstilstand, voortgekomen uit de zelfmoord van Magga, Valdimars moeder. Valdimar wist dat zijn vader nooit over die gebeurtenis heen was gekomen, ook al had hij die op zijn eigen manier verwerkt.

Zijn moeder was er slecht uit gaan zien, hoewel ze niet bijzonder oud was. Het hippiemeisje begon in een dik, oud mens te veranderen. Valdimar zou nooit de dag vergeten waarop ze haar lange haar had laten afknippen ten teken dat haar jeugd voorbij was. Ze had dit feit onder ogen willen zien, maar dat was niet goed gelukt: als een veroordeelde had ze erbij gezeten, met een volledig uitdrukkingsloos gezicht.

Opeens sprong de snor aan de andere kant van de tafel alle kanten op: zijn vader zat in zichzelf te lachen.

'Wat is er?' vroeg Birta glimlachend.

'Och, ik moest ineens denken aan die beruchte taart bij jouw doop', hinnikte hij. Het was een van die familieanekdotes; ontelbare keren hadden ze erom gelachen toen hun moeder nog leefde, maar in de jaren daarna hadden ze hem niet vaak meer verteld. Ívar had het verhaal nog nooit gehoord, dus haalde Eggert het op: toen Birta gedoopt werd, had Magga een taart in de oven vergeten. Ze werd thuis gedoopt en Magga had op het allerlaatste moment besloten nog één taart te bakken, maar toen was de dominee opeens gekomen, waardoor ze vlug andere voorbereidingen had moeten treffen. Toen de doopplechtigheid begonnen was, hing er een branderige lucht en toen Magga naar de keukendeur holde en die opendeed, kwamen er zwarte wolken de kamer in, zodat de plechtigheid onderbroken moest worden totdat de kamer ontlucht was.

Birta lachte met haar vader mee en Ívar glimlachte, maar Valdimar lachte niet. Hij werd overspoeld door een hevig verlangen om op te staan en zijn vader aan de andere kant van de tafel door elkaar te schudden. Gevoelens die hij jarenlang niet had gevoeld, woedden binnen in hem en kwamen volkomen onverwacht naar buiten. Zo had hij zich al heel lang niet gevoeld. Het liefst wilde hij de taart en alle andere baksels op de vloer gooien, zijn vader te lijf gaan en hem in elkaar slaan, als hij hem tenminste aankon, want hij was zo sterk als een beer. Op zijn minst zou hij die grijns van zijn gezicht vegen en tegen hem zeggen: 'Jij vuile klootzak, lach niet! Jij hebt haar zo goed als vermoord; jij zou hier niet moeten zitten lachen!'

Hij had nog maar een wafel genomen.

'Mag ik de jam?' vroeg hij zijn zus.

'Sorry, Eili.'

'Je hoeft je niet te verontschuldigen.'

De wafel was zonder meer lekker, maar voor Valdimars gevoel smaakte hij naar hondenpoep. De sfeer rond de tafel was drukkend.

'Wat wordt die kleine Skúli toch groot', zei Eggert.

'Ja, ze schieten de lucht in, die kinderen', zei Ívar.

Schiet zelf de lucht in, lul, dacht Valdimar. Nu had die vervloekte jam hem herinnerd aan die keer toen hij zijn vader onder de auto vandaan had getrokken om tegen hem te zeggen dat hij naar huis moest gaan en dat hij eens bij zijn vrouw moest gaan kijken, die in de kelder de ene na de andere pot bessenjam stond leeg te eten. Valdimar was al vergeten hoe die zak van een vent in die tijd altijd onder een of andere verdomde auto lag, als hij geen wiet aan het roken was of in de stad vrouwen lag te naaien. En nu zat hij hier breeduit te grijnzen en zich vol te stoppen met slagroomtaart en grappen te maken over de vrouw die hij vermoord had, terwijl de maden zich aan haar te goed deden, als er tenminste behalve haar skelet nog iets van haar over was.

'Heb jij soms een slechte bui, Eili?'

'Wat? Nee hoor', antwoordde hij. Ineens kwam zijn genegenheid voor zijn zus naar boven, die een hoop moeite had gedaan om dat wat voor haar familie moest doorgaan, bij elkaar te krijgen. Zij kon zich alleen op deze twee einzelgängers beroemen. Ívar daarentegen had vier broers en zussen, gezonde en leuke kinderen en welgestelde, gelukkige ouders in een eengezinswoning met een mooie tuin, die van hun zoon hielden en die hem onder andere geholpen hadden om deze puike en mooie woning met uitzicht en wat niet al in Hlídar te kopen. Hij voelde dat Birta zich aan hem begon te ergeren, dus probeerde hij de wirwar van gevoelens die hem overspoelden, van zich af te zetten. Normaal gesproken voelde hij zich niet zo en zo hoefde hij zich nu ook niet te voelen.

'Magga is anders ook flink gegroeid', zei hij.

vijfentwintig

Hij was zo lief tegen mij, maar hij kon ook ruw zijn, veeleisend en gewetenloos als mannen soms zijn. Hij gebruikte me en ik vond het heerlijk. Ik vond het lekker dat hij op me lag en me overmeesterde, ik vond het lekker om aan hem toe te geven, me voor hem open te stellen, me door hem te laten nemen en te voelen dat ik volkomen weerloos was tegen zijn mannelijke kracht. Hij was verbazingwekkend sterk, ook al was hij niet zo groot, en het gaf me heel veel voldoening om hem zijn lusten op mij te laten botvieren. Ik spoorde hem zelfs aan met me te doen waar hij zin in had, want ik ervoer het niet als vernedering of misbruik: in mijn ogen was het een onderdeel van onze liefde of passie om alle barrières op te heffen, om alles op ons af te laten komen.

En datzelfde gold ook voor hem, dacht ik. Het zou allemaal nutteloos zijn geweest als ik mezelf had opengesteld, terwijl hij dat niet deed; als hij gewoon een uitlaatklep had gezocht voor een drang die we negatief kunnen noemen. En gelukkig had hij ook andere kanten, die ik vrouwelijk zou noemen, hoewel dat natuurlijk geen kwestie van geslacht was. Hij vond het lekker om tegen me aan te kruipen wanneer we wat tijd voor onszelf hadden gestolen; soms was hij moe van zijn hele leven, van het werk waardoor hij overbelast werd. De hele tijd dat we samen waren, werkte hij als een beest; dat hield ik nauwlettend in de gaten. Soms was hij agressief: dan besprong hij me en lag hij op me te bonken, zodat ik onder hem lag te sidderen. Andere keren wilde hij besprongen worden en zich eigenlijk pijn laten doen. Hij bracht me ertoe dingen te doen die nooit in me opgekomen zouden zijn, zelfs dingen die ik hem niet zou hebben toegestaan om met mij te doen. Het was alsof hij voelde waar mijn grenzen lagen, omdat hij ze altijd naderde, maar er nooit overheen ging.

Hij praatte vrijuit met mij over zijn vrouw en hun problemen. Hij hield van haar, zei hij, maar de passie tussen hen beiden was als het waren bevroren. Het was een levenslange uitdaging, zei hij, om de passie levend te houden. Hij was gek op dat woord, 'passie'. Een leven zonder passie, zei hij, was iets wat hij zich niet kon voorstellen. Hij zei dat hij, voordat hij mij had leren kennen, zich ernstig zorgen om zichzelf had gemaakt: hij had de passie in zichzelf in gevaarlijke mate onderdrukt, iets in hem had geen uitlaatklep gehad en in gedachten gaf hij zichzelf ervan langs omdat hij deze drang onderdrukte. Hij zei dat hij zijn vrouw zelden had bedrogen voordat ik er was, en ik geloofde hem. Hij was net een vulkaan die lust uitspuwde; in die zin denk ik dat ik een soort genezende werking op hem had, dat ik hem zuiverde van alle chaos en tumult die in hem heersten. Ik voelde dat hij in vele opzichten beschadigd was, maar ik wist zeker dat we hem konden doen herstellen door samen alles te proberen, maar toch een soort onschuld te bewaren. Dat gevoel had ik en ik denk dat ik het bij het juiste eind had, ook al was het resultaat van die zuiverings-actie niet wat ik gehoopt had.

Zijn vrouw was natuurlijk depressief en hij gaf er zichzelf tot op zekere hoogte de schuld van hoe het met haar ging of van hoe het met hen in hun privéleven ging. Hij maakte het nog erger door het zich aan te trekken, net zoals zij het zich aantrok wanneer het hem niet goed ging, en daarmee was er één grote warboel van gevoelens ontstaan. Schuld- en schaamtegevoel hadden de overhand en alles was erop gericht om algehele instorting te voorkomen. Toen hij mij leerde kennen, was hij impotent aan het worden, zei hij, maar ik merkte daar nooit iets van. Waarschijnlijk had ik hem in die zin geholpen.

Hun zomerhuisje werd ons hoofdkwartier. Hij had daar in het begin moeite mee, omdat er zo veel familieherinneringen aan kleefden, zowel uit de tijd toen hij daar als jongen met zijn ouders was geweest, als van latere tijd toen hij zelf een gezin had gesticht en het huisje had overgenomen. Ik herinner me onze eerste keer daar. Hij was zo somber dat hij weer terug wilde gaan; hij wilde me niet eens aanraken. Natuurlijk was het verraad dat we daar waren, dat begrijp ik nu heel goed, maar toen werkte zijn sentimentele gedoe me op de zenuwen. Op weg naar de parkeerplaats liet ik hem struikelen, waardoor hij achterover tussen de heidestruiken viel; toen liet ik me boven op hem vallen, met mijn hoofd op zijn kruis, en ik nam zijn penis door zijn broek heen tussen mijn tanden. Hij vond het grappig en aaide me over mijn hoofd en toen kreeg hij een stijve. Ik had hem best ter plekke willen pijpen en hij wilde dat ook graag, maar we waren vanaf de weg goed te zien en dat durfde hij toch niet aan. We liepen hand in hand terug naar het huisje. Vanaf dat moment was het ijs gebroken, ook al was het duidelijk dat hij er altijd moeite mee had om het in zijn echtelijk bed met me te doen.

Zondag

zesentwintig

Gunnar schrok vroeg in de ochtend wakker met een vaag gevoel dat er iets mis was, iets ernstigs. Zoals alle andere hersenschimmen die hij door alcohol kreeg, verdrong hij ook dit gevoel, schonk de fles wijn van gisteren leeg in een glas en sloeg de inhoud achterover, voordat hij zijn tanden ging poetsen. Dat was een van zijn principes: vóór de middag nooit sterkedrank. Hij bekeek zichzelf in de badkamerspiegel alsof hij een onbekende was: weerspannig, asblond haar dat om een of andere reden ondanks zijn leeftijd – en zijn losbandige leven, dacht hij – niet grijs wilde worden. Zijn oude, vertrouwde zelfverachting kwam hem altijd zo goed van pas dat hij haar bij de geringste aanleiding opriep. Na een paar dagen zuipen was in de spiegel kijken trouwens altijd een betrouwbare prikkel.

Op zoek naar nog meer redenen om zichzelf te verachten stond hij over zijn bestaan na te denken, toen hij zich ineens dat laatste telefoontje herinnerde en het werd hem koud om het hart. *Do you love your family?* had de man aan de telefoon gevraagd. Hij had die vraag naderhand niet al te serieus willen nemen en hij had zich, als het ware glimlachend, buiten zichzelf en buiten de omstandigheden geplaatst, nadat hij zich had hersteld van het ongelofelijke feit dat men hem met geweld tegen zijn naasten had gedreigd. Oké, het was maar een toespeling geweest, maar toch was het duidelijk genoeg. Hij onderdrukte de neiging om een tweede fles rode wijn open te trekken, liep de slaapkamer in en belde Hildigunnur op. Ze nam meteen op met een heldere stem, die zijn nervositeit nou niet bepaald tot rust bracht. Van de ondeugende charme die ze graag als dekmantel gebruikte, was niets te merken. In deze stem weerklonk onverbloemde lamlendigheid.

'Is er iets?' vroeg hij meteen zonder haar te begroeten.

'Ik hoop van niet', antwoordde ze. Ze was niet streng en ze plaagde hem niet; het leek haast alsof ze blij was van hem te horen.

'Wat dan?'

'Nou ja, het gaat gewoon om Sunneva. Ik weet niet waar ze zit. Misschien stel ik me wel aan', zei ze, maar ze corrigeerde zichzelf meteen. 'Nee, ik stel me niet aan. Ze zou gisterochtend komen, maar ze kwam niet. Ik krijg haar telefonisch niet te pakken. En ze had haar hond niet gevoerd. Ik begrijp niet waar ze kan zitten. Ik heb haast geen oog dichtgedaan.'

Gunnar deed geen poging haar zorgen te verdrijven. 'Ik kom direct', zei hij alleen.

'Zit je niet in Londen?' vroeg ze.

'Daar had ik het geld niet voor', zei hij. 'Ik zit bij mijn moeder.'

zevenentwintig

'Ben je al wat verder gekomen in die Thingvellir-zaak?' vroeg Haflidi. Ze zaten in zijn werkkamer voor overleg.

'Tja, die Björn is nog steeds bewusteloos en het lijkt er niet op dat hij binnenkort bij zijn positieven gaat komen. Degene die hem die nacht heeft opgebeld, heet Sunneva Gunnarsdóttir', zei Valdimar.

'Wát zeg je?' zei Haflidi. 'Dat is ook vreemd.'

'Hoezo?' vroeg Valdimar.

'Volgens mij is dat dezelfde vrouw bij wie vrijdagochtend ingebroken is. Ik ben bij haar thuis geweest om met haar te praten.'

'Verdomd,' zei Valdimar, 'ik dacht al dat ik die naam ergens van kende. Ik heb haar niet kunnen bereiken, maar ik heb zowel op haar voicemail als op haar antwoordapparaat een bericht achtergelaten, dus ik neem aan dat ze vroeg of laat contact gaat opnemen. Als ze ons tegen twaalven nog niet gebeld heeft, wil ik proberen haar ouders of haar broers of zussen te pakken te krijgen. Denk jij dat er een verband tussen deze zaken is?'

'Joost mag het weten. Het is in elk geval een krankzinnig toeval. Jullie zijn toch naar Thingvellir geweest? Hebben jullie daar nog iets gevonden wat licht zou kunnen werpen op de gebeurtenissen daar? Iets wat erop wijst dat hij daar niet alleen was?'

'Nee, op zich hebben we verrekt weinig gevonden', zei Valdimar met tegenzin. 'Het lijkt mij natuurlijk het meest waarschijnlijk dat Sunneva en Björn elkaar ergens hebben ontmoet nadat ze hem had opgebeld. We moeten haar dus zo snel mogelijk zien te vinden. Wat betreft de mogelijkheid dat ze samen in dat huisje zijn geweest: het viel ons op dat er geen beddengoed in de slaapkamer was, wat dat ook moge betekenen, maar we vonden in elk geval geen bijzondere sporen die erop wezen dat ze die avond daar geweest kunnen zijn.'

'En die jongen dan, die zoon? Hoe zit dat? Wat had hij daar die avond te zoeken?' vroeg Haflidi.

'Hij vond het vreemd dat zijn vader er midden in de nacht vandoor was gegaan en daarna zijn telefoon niet opnam', antwoordde Valdimar.

'Weten we ongeveer wanneer dat ongeluk gebeurde? Kan het niet zo zijn dat vader en zoon ruzie hadden? Het zou niet de eerste keer zijn dat er zoiets gebeurde', gaf Haflidi aan.

'Nee, dat klopt,' gaf Valdimar toe, 'maar moeten we nog niet even wachten met dat soort conclusies? Er is tot dusver nog niets aan het licht gekomen wat er expliciet op wijst dat dit een gewelddelict was.'

Tussen de middag belde Valdimar Sunneva's ouders op en er werd meteen opgenomen. De vrouw hapte naar adem toen hij zei wie hij was.

'Is Sunneva iets overkomen?' vroeg ze meteen zonder dat Sunneva ook maar genoemd was. Dit overrompelde Valdimar enigszins.

'O ... dat weet ik niet. Ik wil alleen met haar praten in verband met een zaak die hier bij ons loopt. Waarom denkt u dat haar iets is overkomen?'

'Omdat ik tien minuten geleden contact met de politie heb

opgenomen om haar als vermist op te geven. De vrouw met wie ik sprak, zou de ziekenhuizen gaan afbellen om te kijken of ze daar ligt. Ik dacht dat dit daarmee te maken had. Moest u met haar praten vanwege die inbraak? Hebt u de dader inmiddels te pakken?'

Valdimar zweeg. Hij wist niet zeker of Sunneva het hem in dank zou afnemen dat hij haar moeder zou inlichten over zaken die ze ongetwijfeld voor zich wilde houden. Anderzijds was het opmerkelijk dat de moeder van dit meisje zich zo veel zorgen om haar maakte. 'Laten we maar bij het begin beginnen', zei hij. 'Wanneer hebt u Sunneva voor het laatst gezien?'

'Op vrijdag. Ik had haar gevraagd of ze gisterochtend koffie kwam drinken, maar ze kwam niet. Ik dacht dat ze gewoon vergeten had mij te laten weten dat ze niet kon, ook al is dat niets voor haar, maar toen ik vanochtend met haar werk belde, bleek dat ze daar helemaal niet was komen opdagen. Ze heeft een hond die verhongerd zou zijn, als ik niet was langsgekomen om hem te voeren. En ze heeft vannacht niet thuis geslapen.'

'U moet niet meteen wanhopen. Jonge mensen slapen nu eenmaal soms niet thuis; u bent niet de eerste moeder die in soortgelijke omstandigheden contact met ons heeft opgenomen. Over het algemeen duiken mensen uiteindelijk vanzelf weer thuis op.'

'Dat dacht ik ook, maar dan had ze ervoor gezorgd dat haar hond te eten had. Ze had bijvoorbeeld haar buren kunnen opbellen, want het huis is van hen en ze hebben dus een sleutel. Hun dochter houdt van die hond en mag hem vaak lenen, dus u kunt zich voorstellen dat zij hem met liefde zou hebben verzorgd.'

'Denkt u dat haar buren thuis waren?'

'Ja, dat waren ze zeker, want ik heb hen opgebeld. Maar wat voor zaak zei u dat u aan het onderzoeken was? Had u het niet over die inbraak?'

Valdimar weifelde. Hij moest iets prijsgeven, maar hoeveel? De vrouw merkte hoe hij aarzelde en zei scherp: 'Bespaar me in godsnaam dit terughoudende gedoe! Ik heb het recht te weten waar we het over hebben! Heeft ze een of andere misdaad gepleegd of zo?'

'Nee, zoiets is het helemaal niet. Het staat ons gewoon niet vrij om overal informatie over te verstrekken, zelfs al is dat aan verwanten van getuigen, zoals in dit geval. Maar zodat u zich niet onnodig zorgen hoeft te maken, kan ik u hoe dan ook vertellen dat het te maken heeft met een ongeluk waarvan we geen getuigen hebben. Uw dochter heeft echter kort voor het ongeluk een telefoongesprek met het slachtoffer gehad.'

'Een ongeluk? Wie was dat?'

Valdimar aarzelde weer. Hij had haar eigenlijk alles wat van belang was, al verteld, dus de naam maakte nu nauwelijks nog iets uit.

'Hij heet Björn Einarsson. Kent u hem?'

'Wat, Björn? Ja, ik ken hem heel goed. Hij heeft een verkeersongeluk gehad, zegt u?'

'Nee, het was geen verkeersongeluk.'

'Sunneva werkt deze zomer voor hem. Dat telefoongesprek had vast iets met het werk te maken.'

'Aha, dat is interessant. Ze werkt dus op zijn architectenbureau?'

'Ja, ze studeert architectuur. Is hij ernstig gewond geraakt?'

'Hij heeft ernstig hoofdletsel opgelopen en is nog steeds buiten bewustzijn.'

'Godallemachtig, wat vreselijk', zei ze en ze zweeg een tijdje. 'Tja, daar moeten anderen zich maar zorgen om maken; ik kan dit er momenteel niet bij hebben. Wat mij interesseert is wat jullie aan Sunneva's verdwijning gaan doen', ging ze verder. 'Gaan jullie niet naar haar zoeken?'

Valdimar trachtte zijn ergernis over het feit dat deze vrouw nu begon de politie opdrachten te geven niet te laten merken. 'Moeten we eigenlijk niet hopen dat het niet zover hoeft te komen?' vroeg hij zo vriendelijk als hij kon. 'Mijn ervaring zegt me dat we gewoon nog even moeten wachten.'

'Mijn ervaring zegt me dat we helemaal niet moeten afwachten. Organiseer onmiddellijk een zoektocht naar haar, anders ga ik zelf actie ondernemen!'

'Wat wilt u daarmee zeggen?' vroeg Valdimar stomverbaasd over de overheersende toon van de vrouw.

'Dat merkt u vanzelf.'

'Ik zal het met mijn baas bespreken.'

'Doet u dat. Tot ziens', zei ze en toen hing ze op.

achtentwintig

'Je bent knettergek!' zei Hallgrímur. Hij sprong op.

'Jij bent de enige die ik om hulp kan vragen. Iemand anders is er niet', zei Marteinn terwijl hij zijn vriend aankeek.

'Bekijk het maar! Ben je nou helemaal gek geworden, man?!'

Hallgrímur zag bleek; Marteinn wist niet of dat van kwaadheid of van ergernis of zelfs van angst was. Zelf rilde hij van de kou, hoewel het zonnetje op hen scheen. Ze zaten op een steen op de heuvel Öskjuhlíd, zoals zo vaak de afgelopen jaren, maar de laatste tijd gebeurde het niet zo vaak meer, met name sinds Hallgrímur verhuisd was. Marteinn had zijn vriend zojuist gevraagd of hij hem wilde helpen Sunneva's lijk onder het zomerhuisje vandaan te halen. Het kon, het mocht daar niet blijven liggen, want wanneer Sunneva vermist werd, zou de politie gaan nadenken over het feit dat zij zijn vader die avond had gebeld en de volgende stap zou een grondige speurtocht in het zomerhuisje en de omgeving zijn.

'Ik begrijp best dat je je hier niet in wilt mengen.'

'Weet je, jou hiermee helpen is zo ongeveer het laatste wat ik wil; daar heb jij helemaal geen idee van. Stop hiermee, man, dit is waanzin!'

'Dat kan ik niet. Ik moet dit afhandelen. Het spijt me dat ik je gevraagd heb of je me wilde helpen; dat was niet redelijk. Maar doe me een lol en vertel het niet verder.'

'Vertel het niet verder? Wie denk je wel niet dat ik ben? Fuck, fuck, fuck, fuck!'

Hallgrímur sprong uit onmacht en woede op de grond. Hij kon zichzelf maar met moeite in bedwang houden. 'Weet je wel wat je van me vraagt?'

'Ja, maar je hoeft het niet te doen. Het enige dat je nu hoeft te doen, is het niet verder vertellen.'

'Nee, weet je, je hebt geen idee wat je van me vraagt. Volgens mij heb je daar helemaal geen idee van!'

'Het spijt me dat ik erover begonnen ben', zei Marteinn. Hij was als het ware verdoofd ten aanzien van het hele gebeuren; voor zijn gevoel was het ergste achter de rug. De gedachte waar hij mee speelde, was gewoon een noodzakelijke nasleep en hij vond dat hij er niemand kwaad mee deed. Het was eerder een goede daad: Sunneva's lijk moest bij haar dierbaren terechtkomen zonder dat Marteinns vader en vooral zijn moeder het op hun brood zouden krijgen.

'En wat doe je als je vader bij bewustzijn komt en vertelt wat er echt gebeurd is?'

'Ten eerste is het niet zeker of hij weer bij bewustzijn gaat komen, helaas. Ten tweede weet ik helemaal niet zo zeker dat hij geweten heeft dat ze dood was. Ten derde is het, zelfs als hij echt iets ...' Marteinn moest even slikken voordat hij zijn zin op zachtere toon afmaakte: '... gedaan heeft wat hij niet had moeten doen, vrijwel zeker dat hij het zich niet zal kunnen herinneren. Er moet gewoon een gat van een paar uur in zijn geheugen zitten. Herinner jij je die keer toen ik door die auto aan de Efstasund aangereden was? Ik was misschien een paar minuten bewusteloos en ben toen zelf huilend naar huis gerend, dat heb jij me zelf verteld. Maar de dag erna herinnerde ik me niet eens hoe ik thuisgekomen was. Er zat een gat van een paar uur in mijn geheugen. Hoe zal dat volgens jou met mijn vader zijn? Want die heeft ernstig hoofdletsel.'

'Je hebt het allemaal al lang en breed uitgekiend', zei Hallgrímur somber.

'Kun je je mond hierover houden?' vroeg Marteinn zacht.

'Houd daar nou eens een keer over op, man!' riep Hallgrímur, die zijn zelfbeheersing weer begon te verliezen. 'Zie jij me ervoor aan dat ik naar de politie ga om ze alles te vertellen? Denk je nou echt dat ik een verklikker ben? Ken je me dan werkelijk helemaal niet?'

Marteinn glimlachte vermoeid. Hij merkte dat Hallgrímur door de knieën ging, zoals hij had gehoopt.

'Maar de gevolgen zijn voor jouw rekening!' schreeuwde Hallgrímur tegen hem. Ze hoorden dat er iemand – waarschijnlijk een jogger – over het grindpad kwam aanrennen. Marteinn legde een vinger op zijn lippen en Hallgrímur ging zachter praten: 'Ik weet dat het erop uit zal draaien dat ik degene ben die er het slechtste van afkomt. Zo gaat het altijd.'

'Gelul', zei Marteinn droog.

negenentwintig

Hallgrímur stond voor eeuwig bij Marteinn in de schuld. Waar ze het ook over hadden, het was altijd alsof Marteinn vond dat hij nog steeds evenveel van Hallgrímur te goed had.

Ze hadden elkaar leren kennen toen Hallgrímur in moeilijkheden zat. Hij kwam pas laat in de groeispurt en was dus een ukkie; hij was net van Zweden naar IJsland verhuisd, zijn IJslands was lachwekkend en zelfs in het Engels kon hij zich niet redden. Natuurlijk werd hij gepest, hetgeen steeds erger werd totdat het uit de hand liep. Axel, de stoerste jongen van de klas, had ervoor gezorgd dat hij in dezelfde week twee keer in het schoonmaakhok was opgesloten. De eerste keer was het niet zo erg geweest. Hij dacht dat het een grapje was en had gewoon gewacht totdat hij eruit zou worden gelaten. Hij geloofde niet dat ze hem een les zouden laten missen. Toch was dat precies de bedoeling geweest. Een paar minuten nadat de bel was gegaan begon hij onrustig te worden in dit hok zonder ramen; toen hij op de deur had gebonsd, was de conciërge meteen gekomen en had hem eruit gelaten. Hij had hem op zijn lazer gegeven, alsof hij zichzelf had opgesloten, en hij was te klein geweest en had zich te ellendig gevoeld om terug te schelden.

De tweede keer hadden twee jongens en een meisje hem in het hok geduwd. Hij had zich met hand en tand verzet, maar dat had hem niets opgeleverd behalve een bloedneus. Hij had geen klap op zijn neus gekregen, maar het gebeurde in die tijd vaker dat hij zomaar ineens een bloedneus kreeg. Toen hij voelde hoe zijn neus volliep met bloed, hield hij zonder erbij na te denken zijn hoofd achterover en kneep zijn neus dicht, zoals ze hem geleerd hadden. Op dat moment viel de deur weer dicht en zat hij alleen in het donker. Hij zocht naar het lichtknopje naast de deur en vond het meteen, maar toen hij erop drukte, ging het licht niet aan. Hij drukte er nog een paar keer op, maar er gebeurde natuurlijk niets. Kwaadheid en een gevoel van onmacht laaiden in hem op; hij had het gevoel dat hij van woede niet kon ademhalen. Hij probeerde met zijn linkerhand zijn neus dicht te houden terwijl hij op de deur bonsde. Het gebons was nauwelijks te horen, dus probeerde hij er met zijn vlakke hand tegen te slaan, maar dat ging niet veel beter. Hij begon te roepen. Toen begon hij in het donker om zich heen te tasten; eerst vond hij een bezemsteel, maar die was te lang, dus zocht hij verder. Hij vond een zware jerrycan en ramde hem zo hard tegen de deur dat de jerrycan openschoot. Alkalisch schoonmaakmiddel spoot over zijn gezicht. Mooi, nu zou hij dus ook nog blind worden. Hij zakte in de plas ineen. Had hij in zijn broek geplast? Hij dacht van niet, maar dat werd de volgende dag beweerd. Hij bleef de lege jerrycan tegen de deur rammen terwijl hij gilde van angst en pijn. Voor zijn gevoel ging er een eeuwigheid voorbij. Hij dacht dat de schooldag voorbij zou gaan zonder dat iemand hem zou vinden en dat hij in dit hok moest blijven totdat de schoonmaakploeg daar weer moest zijn. Hij was opgehouden met gillen; het geluid dat hij voortbracht, had meer weg van gejammer. Zijn neus zat helemaal verstopt en hij had knallende koppijn, afgezien van het feit dat zijn ogen brandden, zijn hart hem in de hals klopte en hij dacht dat hij doodging. Hij was duizelig en had een beklemmend gevoel. Nog steeds stootte hij de jerrycan tegen de deur. Hij wist dat kinderen een zwak hart konden hebben en moest denken aan zijn nichtje dat op tienjarige leeftijd was overleden. Hij zat erop te wachten dat zijn hart ermee zou ophouden. En toen hield het ermee op. Hij merkte er niets van toen hij het bewustzijn verloor; hij herinnerde zich alleen dat hij weer bijkwam. Daarna ging het met zijn hart beter, maar hij had nog steeds het gevoel dat hij een zak zand in zijn borst had. Hij ramde de jerrycan tegen de deur. Toen deed hij een poging om de deur open te trappen, maar hij deed alleen zijn hiel zeer.

Uiteindelijk was de conciërge gekomen en had de deur opengedaan. Zijn boze blik maakte plaats voor wijdopen ogen en een bezorgde blik toen hij hem met rode ogen, zwaar bebloed rond zijn neus en mond, rillend en riekend naar schoonmaakmiddel op de vloer van het hok zag zitten.

Hallgrímur had niet willen zeggen wie hem zo te grazen hadden genomen. Hij wilde eigenlijk liever wachten en het hun zelf betaald zetten.

De rector had een donderpreek gehouden, maar Hallgrímur vond dat hij daar weinig mee te maken had. Hij had de indruk dat de rector graag naar zichzelf luisterde, alsof hij de gelegenheid vooral aangreep om te proberen hen te disciplineren of liever gezegd om te doen alsof hij hen disciplineerde. Het draaide allemaal om de schijn.

Dit had tot in het oneindige door kunnen gaan als Marteinn de teugels niet had gegrepen. Hallgrímur had zich vaak afgevraagd wat daarachter had gezeten.

Een paar dagen na het avontuur in het schoonmaakhok hadden Axel en twee van zijn maten Hallgrímur bij een wc in de hoek gedreven.

'Nu gaan we je dopen, maat', zei Axel, groot en opgeblazen. Op dat moment was Marteinn uit de wc gekomen. Ineens stonden ze naast elkaar, Marteinn en Hallgrímur, allebei vrij klein en spichtig. Zonder erover na te denken – naar het scheen althans – liep Marteinn recht op Axel af, alsof hij van plan was langs hem heen te glippen, maar in plaats daarvan stompte hij hem in zijn kruis. Jankend zakte de jongen in elkaar. Eerst keken zijn maten hoe het met hem was en vervolgens maakten ze aanstalten om Marteinn aan te vallen, maar die dook weg; hij was dan wel veel kleiner dan zij, maar zo lenig als een jong hondje.

'Ik ga jullie verklikken! Ik zal ze vertellen dat jullie degenen waren die Hallgrímur in dat hok opgesloten hadden! En dan worden jullie allemaal van school gegooid!'

'Dat waren wij niet eens', zei een van de jongens nors. Het feit dat de ander aarzelde, zei genoeg.

'Ik laat jullie van school verwijderen!' riep Marteinn triomfantelijk. 'Jullie zijn een stelletje etters die de school een slechte naam bezorgen, net zoals de rector zegt!'

Er had zich inmiddels een groepje kinderen om hen heen verzameld in de hoop dat ze een knokpartij te zien zouden krijgen. Axel lag nog steeds op de vloer en hield zijn kruis stevig vast. De twee anderen hielpen hem overeind en toen was het drietal weggelopen. Een paar meisjes in het groepje giechelden; het woord 'losers' viel.

Zo hadden ze elkaar leren kennen. Wanneer Hallgrímur maar kon, hing hij bij Marteinn rond. In het begin had hij het gevoel gehad dat Marteinn niet echt op zijn gezelschap gesteld was, maar dat was gaandeweg beter geworden. Op een dag – Hallgrímur was inmiddels veel zelfverzekerder geworden – had Marteinn tegen hem gezegd: 'Shit, ik heb mijn gymtas in de gymzaal laten staan! Kun jij hem niet even halen, Grímsi?'

'*Nope*, ga hem zelf maar halen.'

'Wil je mijn vriend nou zijn of hoe zit het?' zei Marteinn om hem te plagen, maar er lag een scherpe ondertoon in zijn stem die ervoor zorgde dat Hallgrímur zijn schouders ophaalde en wegliep om de tas te gaan halen. Sindsdien had hij nog altijd het gevoel dat hij die tas aan het ophalen was, ook al waren alle premissen allang veranderd.

dertig

Daar lag hij op het witte laken: geheel nietszeggend, maar tegelijkertijd zo knap als een gebeeldhouwde slapende godheid, met zijn grijs dooraderde, donkere haar en met baardstoppels van zo'n knap uitgekiende lengte dat je nooit wist of hij zich geschoren had of niet. Hoe graag zou ze iets zwaars – een vleeshamer of een moker – willen oppakken om dat gezicht net zo lang te slaan totdat het een bloederige vleesmassa was geworden waarvoor elke vrouw, jong en oud, zou terugdeinzen. 'Val toch dood, klootzak, als dat toch is wat je van plan bent,' zei ze in gedachten tegen hem, 'laat ons hier maar achter met alle schuld, met alle schande en met alle gevolgen van je krankzinnige acties en je egoïstische geilheid.' Daarna barstte ze in snikken uit en kuste zijn vingers, omdat ze ondanks alles nog zo veel van hem hield en zo vurig wenste dat hij zijn ogen open zou doen, dat hij wakker zou worden als ze net als vroeger tegen hem aan kroop, zoals in die lente toen ze elkaar hadden leren kennen en zij verliefd was geworden op deze ietwat vrouwelijke jongen. Haar broer had hem in Akureyri leren kennen en had over hem gezegd dat hij een homo was, maar zij had besloten het erop te wagen en van de gelegenheid gebruikgemaakt om in de baai bij Akureyri zijn aandacht te trekken in een roeiboot die ze met z'n vieren op een zachte zomerdag te leen hadden gekregen. Hij had haar sarcastische blik een hele tijd schichtig ontvlucht, alsof hij niet wist waar hij moest kijken, maar toen had hij haar kant op gekeken en haar recht in de ogen gestaard. Ze zei tegen hem dat ze zichzelf verloor, in die ogen die net zo spiegelglad waren als de baai, en hij lachte en vroeg: 'Alle ogen zijn toch glad? Of heb jij soms geribbelde gezien?' Ze antwoordde: 'Er zijn in elk geval geen ogen die net zo spiegelglad zijn als de jouwe.' En ze herinnerde zich hoe zijn oogopslag weer onrustig was geworden toen een van zijn huisgenoten na een weekendje weg was teruggekomen en hij haar aan hem had voorgesteld als 'Eva, mijn vriendin uit Reykjavík'. Op dat moment voelde ze twee dingen tegelijk. Het ene was dat ze deze jongen elk moment zou kunnen kwijtraken: hij zou om het minste of geringste – misschien van verlegenheid alleen al – als een schichtig veulen bij haar weg kunnen springen. Het andere was dat ze hem nooit meer kwijt wilde. Ze vertrouwde erop dat ze hem binnen een bepaalde straal om zich heen kon houden, maar naarmate haar aantrekkingskracht zou afnemen, zou een centrifugale kracht hem bij haar wegslingeren, wist ze, het heelal in. Ze had niet met bijzonder veel mannen geslapen en geen van hen was zo lief tegen haar geweest als hij, maar hij deed ook niet veel moeite voor haar: het was net alsof hij het breekbare beeld van mannelijkheid dat veel jongens hun omgeving met zo veel moeite probeerden op te dringen, niet hoog hoefde te houden. Ze begreep waarom haar broer had gedacht dat hij homo was, maar tegelijkertijd vond ze dat belachelijk, want niemand was zo mannelijk als hij en ze kende geen enkele man die in zekere zin zo zelfverzekerd in zijn vel zat. Toch was hij ook verlegen en zo bang voor haar nabijheid als een preutse maagd, maar als het erop aankwam, ontvouwde hij zich als een bloem en gaf zich helemaal. Ze waren nog zo jong. Er was een lange, goede tijd gevolgd. In het begin had ze het gevoel gehad dat hij als een lang, scherp mes was dat zij voortdurend in een foedraal probeerde te stoppen. Zij was dat foedraal, maar tevens datgene waarin het lemmet sneed en wat het verwondde, zodra het mes uit het foedraal was. Ze hadden eerst een zoon gekregen en toen een dochter. Ze had zich zekerder gevoeld vanwege het feit dat ze haar kleine zonnestelsel zo knap draaiende wist te houden door steeds de zwaartekracht uit te oefenen waarvan ze in het begin al had ontdekt dat die niet mocht afnemen. Toch moest het er uiteindelijk een keer van komen dat haar aandacht even verslapte. Dat was voldoende geweest: ze voelde bijna fysiek dat hij afstand tot haar nam en van haar naar andere hemellichamen schoot. Dat was het moment geweest waarop zij begon in te storten. Misschien had ze aanvankelijk al voorvoeld dat het moeilijk zou worden om hem vast te houden, maar dat was toch niet hetzelfde als erachter te komen dat hij zonder iets tegen haar te zeggen en zonder haar ook maar ergens de gelegenheid toe te geven bij haar wegging. Terwijl ze instortte, had ze geïnternaliseerd wat er gebeurd was. Ergens op hun pad was ze afhankelijk van hem geworden en dat keerde zich nu tegen haar. Zij was een geïmplodeerde, uitgebrande zon en hij had zelfs medelijden met haar gehad, het ergste wat een man de vrouw die van hem hield, kon aandoen. Tijdens haar inzinking merkte ze dat hij weer tot leven kwam: er gleed een soort verdoving van hem af die zijzelf veroorzaakt had. Hij praatte niet meer met haar over de zaken die hem bezighielden, zoals hij had gedaan toen ze nog de zon in zijn leven was. Dat was voordat het vlijmscherpe mes uit zijn foedraal was gegleden en in haar vlees had gesneden, terwijl het zijn bestaan in de wereld der messen heroverde of andere foedralen opzocht; ze wist niet welk van beide. In elk geval deelde hij niets belangrijks met haar. Ze wist dat hun leven als zodanig voorbij was, maar toch zette hij er geen punt achter. Hij had de ballen niet om voor haar te gaan staan en te zeggen: 'C'est fini.' In plaats daarvan speelde hij los-vast. Hij deed zelfs alsof het allemaal prima ging of in elk geval alsof het niet uitgesloten was dat het – ooit, later, wanneer het hem uitkwam en wanneer hij zover zou zijn – weer goed zou komen en dat vrat aan haar. Ze loste langzaam op. Ze was bezig het loze omhulsel van een mens te worden: een vrouw in wie alleen nog plaats was voor wonden en voor een liefde die doodbloedde, een liefde die was als een ziekte, een tumor, een gezwel dat haar lichaam en ziel overwoekerde. Dit had te lang voortgeduurd en het was steeds slechter met haar gegaan. Nu er iets ergs gebeurd was, voelde ze zich haast opgelucht, maar toch huiverde ze bij de gedachte dat zij misschien de rol van de echtgenote van een gehandicapte op zich moest nemen, de vrouw van iemand die zichzelf misschien niet meer zou kunnen uitdrukken en die tegen zijn zin vast zou zitten aan degene van wie hij koste wat het kost bevrijd had willen zijn. Zulke wraak zou te wreed zijn, dacht ze. Ze zou hem nog liever vermoorden.

'Hoor je dat? Ik zou je nog liever vermoorden', zei ze hardop tegen hem.

Daar lag hij dan languit en bewusteloos vóór haar in bed; overal staken slangen uit hem. Ze hielden hem kunstmatig in coma, zoals dat heette, en hij was niet in direct levensgevaar, had men haar laten weten.

eenendertig

Ze had gehuild; dat zag hij meteen. Haar ogen waren groot en glinsterden en er zaten rode vlekken in haar hals. Hildigunnur was een knappe vrouw van midden in de veertig: ze had mooie sproeten, rossig haar en een gewelfde taille. Ze droeg een blauwe spijkerbroek en een wollige trui in een vrolijke, lichtrode tint, alsof ze door haar kleding de angst die op haar gezicht te lezen stond, wilde verbergen.

Haflidi stelde zich voor en ze vroeg hem of hij wilde zitten. De woonkamer was helder en spaarzaam ingericht. Het plafond was hoog, de muren waren wit en er hingen een paar schilderijen aan de muur, voor zover Haflidi kon zien allemaal van dezelfde schilder: grote schilderijen van naakte mensen, dieren en fruit in diverse opstellingen. Hij nam haar aanbod van koffie aan om haar op haar gemak te stellen en ging zitten in een donkerbruine, leren stoel tegenover een bank, maar hij kreeg al gauw spijt van zijn keuze, omdat de stoel bij de geringste beweging kraakte. Hildigunnur bracht meteen een klein, bruin kopje koffie, die onder lichtbruin schuim verborgen ging. Zoals hij had verwacht, ging ze op de bank tegenover hem zitten en ze vroeg voordat hij iets kon zeggen: 'Hoe gaat het met Björn?'

'Zijn toestand is naar het schijnt onveranderd. Is uw dochter al ver met haar studie?' vroeg Haflidi vriendelijk.

'Ja, ze zit in haar laatste jaar.'

'En gaat het goed?' vroeg hij door. Ze keek hem onderzoekend aan zonder antwoord te geven. Haflidi kleurde rood en leunde naar voren, maar dat veroorzaakte hevig gekraak, waardoor hij zich nog ongemakkelijker voelde.

'Ik probeer alleen de belangrijkste informatie over uw dochter op een rijtje te krijgen.'

'Wanneer gaan jullie naar haar zoeken?'

'Wilt u dat we daar direct mee beginnen?'

'Ja.'

'Dan doen we dat.'

'God zij geloofd', zei ze. Ze staarde even voor zich uit voordat ze eraan toevoegde: 'Uw collega zei door de telefoon dat jullie dat ongeluk van Björn aan het onderzoeken zijn. Heb ik uit de kranten terecht opgemaakt dat hij het slachtoffer van het ongeluk op Thingvellir was?'

'Ja, dat klopt.'

'En u bent die zaak dus aan het onderzoeken. Denkt u dat ... Sunneva's verdwijning ergens iets met Björns ongeluk te maken heeft?'

'Die mogelijkheid willen we niet uitsluiten', zei Haflidi. 'In elk geval kunnen we niet voorbij aan het feit dat ze hem in de nacht van dat ongeluk ver na tweeën heeft gebeld en dat het erop lijkt dat Björn na dat telefoontje linea recta naar zijn zomerhuisje bij Thingvallavatn is gereden en korte tijd later bij het meer die schedelfractuur heeft opgelopen.'

'Hè? Heeft ze hem midden in de nacht opgebeld?' vroeg Hildigunnur verbaasd.

'Ja, dat staat vast. Heb ik goed begrepen dat u daarna niets meer van uw dochter hebt vernomen?'

'Dat is juist, ja. Snapt u er iets van?'

'Ik snap er helemaal niets van; ik hoopte dat u wat licht op de zaak zou kunnen werpen. Om te beginnen wil ik graag weten wat voor relatie er tussen beide gezinnen bestaat. U schijnt Björn vrij goed te kennen.'

'Ja, Björn en mijn man, Gunnar, zijn oude klasgenoten en vrienden. Tot een paar jaar geleden hebben ze trouwens samen in een maatschap het architectenbureau geleid dat Björn nog steeds heeft. Sinds die tijd is er minder contact, maar Sunneva werkt 's zomers nog bij Björn, net als toen haar vader nog in het bedrijf werkzaam was.'

'Waarom kwam er een einde aan hun samenwerking?' vroeg Haflidi belangstellend.

'Tja, zoals die dingen gaan, was het gewoon een verschil van inzicht', zei ze terwijl ze haar schouders ophaalde. 'Björn heeft Gunnar uitgekocht en Gunnar is kort daarna zijn eigen bureau begonnen.'

'Hebt u enig idee wat uw dochter zo laat in de nacht nog met Björn te bespreken kon hebben?'

'Nee, ik heb geen idee, maar ze zijn op het bureau bezig met een offerte voor Leikvangur, dus ik neem aan dat er in samenhang daarmee veel te doen is.'

Haflidi wilde hierover geen ruzie met haar maken, maar andere zaken buiten beschouwing gelaten was het in zijn ogen duidelijk wat dit telefoontje over de relatie tussen Björn en Sunneva zei, en hij wist dat Hildigunnur niet zo achterlijk was dat ze niet wist waar hij aan dacht, ook al wilde ze de mogelijkheid niet onder ogen zien. Leikvangur moest de grootste sporthal van het land worden; het werd gefinancierd door de stad Reykjavík en de omringende gemeenten, alsmede door één van de banken en andere sponsoren. Het moest een sporthal voor handbal en andere indoorsporten worden; ook moesten er een turnhal, een sportbad en een voetbalveld komen en bij dit alles moest een groot hotel komen te staan.

Onafhankelijke partijen moesten offertes voor het ont-werp, de bouw en het beheer van de sporthal tegen jaarlijkse betaling door de gemeenten en de sponsoren uitbrengen. Er waren offertes uit de hele wereld gekomen, maar men was van mening dat de enige offerte vanuit IJsland goede kansen maakte.

'En u zegt dat uw dochter iets met deze onderneming te maken heeft gehad?' vroeg Haflidi.

'Ik denk dat vrijwel alle medewerkers van het bureau het afgelopen half jaar met dit project bezig zijn geweest', ant-woordde Hildigunnur. 'Ze moesten allemaal een contract tot geheimhouding ondertekenen, omdat het bij zulke aanbe-stedingen van het grootste belang is dat de andere bieders er niet achter komen wat je plannen zijn.'

'Nu ik er toch aan denk: hebt u misschien een foto van Sunneva?' vroeg Haflidi.

Hildigunnur reikte onder de tafel tussen hen in; onder het tafelblad was een plank en daar pakte ze een foto van af die ze – waarschijnlijk voor hem – op glanzend papier had ge-print.

Sunneva leek een ongelofelijk vrolijke jonge vrouw. Ze zat op een eetkamerstoel met een hoge rugleuning en droeg een witte blouse met een laag uitgesneden hals. Haar rode haar was donkerder dan dat van haar moeder en ze had een knap gezicht dat je bijbleef. Op de foto glimlachte ze vanuit een mondhoek, alsof ze iets achterhield. Haflidi verwachtte dat hij later nog weleens goed naar deze foto zou kijken, legde hem weg en keek Hildigunnur aan.

'Is het echt nog nooit voorgekomen dat Sunneva niets van zich liet horen?'

'Nee. Tot twee jaar geleden woonde ze hier thuis en ze liet altijd heel gewetensvol iets van zich horen. Soms bleef ze bij haar toenmalige vriendje overnachten, maar nooit zonder het mij te vertellen, want ze wist dat ik me anders zorgen ging maken.'

'Vertelt u me eens over die vriend.'

'Hij heet Ingi Geir; het is de zoon van onze buren hier in de straat. Hij en Sunneva waren al vrienden sinds hun jeugd, maar hun relatie liep stuk. Het was ook nadat daar de klad in was gekomen dat ze het huis uit ging. Ze vond het niet nodig dat ze op een paar meter afstand van elkaar woonden. Ik ben erg op Ingi Geir gesteld, maar hij kon zich er niet bij neerleggen dat Sunneva het uitgemaakt had: hij belde om de haverklap hierheen en praatte alsof ze gewoon tijdelijk uit elkaar waren.'

'Juist ja. Misschien moet ik maar eens met die jongen gaan praten.'

'Dat kunt u doen, als u wilt, maar ze zijn al twee jaar uit elkaar en kort nadat zij verhuisd was, hield hij op met bellen.'

'Heeft Sunneva sindsdien geen vaste relatie meer gehad?'

'Nee,' antwoordde Hildigunnur resoluut, 'ze zei dat ze zich op haar studie wilde concentreren. Ze zei soms voor de grap dat ze geen tijd had voor een vriendje.'

'Drinkt ze weleens alcohol?'

'Ja, maar alleen met mate.'

'Weet u of ze verdovende middelen gebruikte?'

'Nee, het lijkt mij erg stug dat ze dat zou doen', antwoordde Hildigunnur nadrukkelijk.

'Zijn er ziekten waaraan ze lijdt?'

'Nee.'

'Hoe zou u haar karakter omschrijven? Heeft ze de neiging tot depressiviteit of impulsief gedrag?'

'Eerder tot impulsief gedrag dan tot depressiviteit, maar niet ziekelijk. Ze is meestal vrolijk en soms is ze weleens wat impulsief. Ze is wat opvliegend: ze kan van kleinigheden over haar toeren raken, maar trekt daarna ook vlug weer bij.'

'Heeft ze veel vrienden?'

'Ja, aan vrienden en vriendinnen heeft ze geen gebrek. Veel kinderen uit de buurt waren kind aan huis bij ons en haar beste vriendin kent ze al van kinds af aan.'

'Hoe heet die vriendin?'

'Ze heet Rúna. Ze zaten bij elkaar in de klas totdat ze gingen studeren. Rúna studeert biologie.'

'Misschien kunt u mij haar telefoonnummer geven?' zei Haflidi. Het zou weleens de moeite waard kunnen zijn om met die vriendin te gaan praten, want als hij een beetje zicht op dit meisje wilde krijgen, dan kon hij niet alleen afgaan op dat wat haar moeder vertelde.

'Natuurlijk,' zei Hildigunnur, 'ik denk zelfs dat ik het in mijn telefoon heb opgeslagen.'

Toen ze het nummer had gevonden en aan Haflidi had gegeven, vroeg hij: 'Hebt u op enigerlei wijze gemerkt dat ze de laatste tijd anders deed dan gewoonlijk?' Hildigunnur keek hem nogal somber aan. Hoe zorgvuldig hij ook probeerde zijn woorden te kiezen, zonder het te zeggen hing de mogelijkheid dat Sunneva zichzelf iets had aangedaan tussen hen in de lucht en die mogelijkheid was als een giftige damp die geen van beiden wilde inademen.

'Sunneva is niet depressief', zei Hildigunnur gedecideerd.

'Is haar hond nog in haar flat?' vroeg Haflidi ineens. Het leek hem een goed idee dat ze daar een kijkje zouden gaan nemen en dan zou die hond een probleem kunnen vormen.

'Nee, ik heb hem meegenomen', antwoordde Hildigunnur; haar stem trilde een beetje. 'Hij zit hierbeneden.'

'Zouden wij haar flat misschien te zien kunnen krijgen? Het zou fijn zijn als ik de sleutel kon krijgen.'

'Vanzelfsprekend', zei ze. Ze stond op en liep naar de antieke ladekast, die achter de bank stond; erboven hing een spiegel. Ze trok de bovenste la open en begon erin te zoeken. De spiegel was in dezelfde antieke stijl als de kast en was zo aan de wand opgehangen dat de bovenkant naar voren helde. Vanaf de plek waar Haflidi zat, zag hij alleen de bovenste helft van Hildigunnurs gezicht. Op het moment waarop ze zich had omgedraaid, had ze haar masker afgelegd: haar gezicht vertrok in een geluidloos huilen van angst. Haflidi ging verzitten, zijn stoel kraakte luid en één enkel ogenblik ontmoetten hun blikken elkaar in de spiegel. Toen ze zich omdraaide, zat haar gezicht weer in de plooi.

tweeëndertig

De laatste twee jaar was het in Gunnars leven constant bergafwaarts gegaan en van al zijn falen had hij Björn de schuld
gegeven. Het begon ermee dat hij uit zijn eigen bedrijf,
architectenbureau Bouwkunst, was gezet om redenen waarbij hij zich nooit had kunnen neerleggen. Zeker, hij had
misbruik gemaakt van het bedrijf om zijn drinkreisjes naar
het buitenland te kunnen bekostigen, maar hij had aangeboden alles terug te betalen; het was ook geen kwestie van
geld. Zeker, hij was ook onregelmatig komen opdagen, maar
hij had beloofd dat hij zijn leven zou beteren. Verdomme, hij
had zelfs aangeboden dat hij in behandeling zou gaan en hij
wás daarna ook in behandeling gegaan om Björn ervan te
overtuigen dat hij het bedrijf niet hoefde op te splitsen. Maar
Björn had voet bij stuk gehouden en hoewel Gunnar zichzelf
had vervloekt om het feit dat zijn gedrag Björns houding nog
meer had gerechtvaardigd, had hij zich vervolgens volgens
het boekje bezopen. Björn had hem twee mogelijkheden
geboden: hij wilde Gunnar uitkopen of hij zou zijn eigen
aandeel verkopen, hetzij aan Gunnar zelf, als die daarin
geïnteresseerd was, hetzij aan iemand anders. Björn wist
dat Gunnar de middelen niet had om hem uit te kopen,
dus natuurlijk zou hij zijn aandeel verkopen; daarover bestond geen twijfel. Maar toch was het Gunnar niet gelukt
deze gouden gelegenheid te gebruiken om weer vaste grond

onder zijn voeten te krijgen. Hij had zich inderdaad prachtig gevestigd en goed personeel – een jonge architect, een ontwerper en een secretaresse – in dienst genomen, maar alles was in het honderd gelopen. Het was alsof niemand nog vertrouwen in hem had: hij kreeg met moeite opdrachten. Steeds vaker zoop hij zichzelf helemaal laveloos; dan kwam hij met een kater op zijn werk en was kwaad op alles en iedereen. De schulden begonnen zich opnieuw op te stapelen. Het was niet rechtvaardig, maar hij liet toch alles uit zijn handen glippen. Binnen twee jaar was hij erin geslaagd op de rand van het faillissement terecht te komen: híj stevende recht op zijn bankroet af, terwijl het Björn voor de wind ging en bureau Bouwkunst als nooit tevoren bloeide.

Ruim een maand geleden was Sunneva zoals wel vaker op een zaterdagavond komen eten. Ze was ongewoon opgewekt en ze was erg voldaan. In de week ervoor was de eerste uitslag in de wedstrijd om het ontwerp voor Leikvangur bekendgemaakt en architectenbureau Bouwkunst stond met zijn ontwerp op de eerste plaats als het enige IJslandse bureau van de vier bureaus die door waren naar de volgende ronde en een bindende offerte mochten maken. Haar ogen hadden gestraald. Sinds ze met haar studie architectuur begonnen was, had ze elke zomer bij het bedrijf gewerkt en dat was niet veranderd nadat haar vader vertrokken was, dus dit was ook háár overwinning: zij had haar steentje bijgedragen aan dit prestigieuze project.

Natuurlijk was Gunnar nieuwsgierig geweest, maar Sunneva had een contract tot geheimhouding ondertekend en mocht daarom niets over het ontwerp zeggen. Na het eten hadden ze nog een fles rode wijn opengetrokken en waren met z'n tweeën in de serre gaan zitten. Hildigunnur ging afruimen, de twee andere kinderen gingen televisie kijken. Puur en alleen door oprechte nieuwsgierigheid en blijdschap over het succes van zijn dochter gedreven vroeg Gunnar haar het hemd van het lijf over de offerte en hij kreeg haar zover dat ze haar eed van geheimhouding brak. Hij merkte dat er een bijzondere blik in haar ogen lag wanneer ze het over Björn had.

Later, na drie dagen zuipen op een architectencongres in Rotterdam, was er een duiveltje op zijn schouder gaan zitten dat een nacht lang aan zijn kop zeurde over verraad, reputaties, geld, gerechtigheid, onvergeeflijke misstappen en Björns verdiende loon. Het begon licht te worden en het groene schijnsel dat door de gordijnen in zijn hotelkamer viel, hulde de kamer in een vreemde gloed. Hij kreeg een sterke hallucinatie dat de tijd twee keer zo langzaam verstreek als hij zou moeten doen. Hij keek naar de palmen van zijn handen en zijn polsen, zoals hij al zo vaak had gedaan, en vond het zoals altijd weer ongelofelijk dat dit zijn eigen handen waren, toen hij zag hoe de gezwollen aderen zich naar zijn arm vertakten.

De gedachte had zich ergens in een uithoek van zijn geest gevormd; ze schoot kant-en-klaar tevoorschijn zonder dat hij erover had hoeven nadenken. De ochtend ervoor had een Spaanse architect, Navarro, hem aangeschoten. De man kwam uit Andalusië, had donker haar en was slank; hij was rond de veertig en droeg een linnen pak. Hij zei dat hij bij een conglomeraat van Japanse bedrijven werkte dat bezig was een plaats in de Europese projectontwikkelingsmarkt te veroveren en dat een offerte voor een groot sportcentrum op IJsland had uitgebracht. Navarro had grote ogen opgezet toen Gunnar hem vertelde dat hijzelf het bedrijf had opgericht dat het IJslandse ontwerp had ingediend, en dat zijn dochter daar werkte. De Spanjaard was erg nieuwsgierig geweest, maar Gunnar had alleen gegrijnsd toen hij hem vragen over de IJslandse offerte had gesteld. Navarro grijnsde terug: hij wist nu eenmaal dat het uitgerekend nu voor alle partijen van het grootste belang was om niet te laten uitlekken wat hun voorstel was.

Of het nu toeval was geweest of niet, Navarro had tijdens het diner aan dezelfde tafel gezeten als hij. Hij had het überhaupt niet over de ontwerpwedstrijd gehad; dat kon Gunnar hem niet verwijten. Hijzelf was degene die het onderwerp ter sprake bracht, hij was het die zichzelf had overgehaald om het vreselijke voorstel te doen dat zich in zijn gedachten had genesteld als een gifslang die wacht op een gelegenheid om te bijten.

'Denkt u dat de Japanners veel interesse zouden hebben voor de getallen waar de IJslanders van uitgaan?' vroeg hij terwijl hij zich naar Navarro toe boog.

'Natuurlijk, ze denken dat de plaatselijke indieners in het voordeel zijn', antwoordde Navarro grijnzend. 'Ze denken ook dat de beoordelingscommissie informatie over de concurrentie naar hen heeft laten uitlekken', voegde hij eraan toe.

'Ik neem aan dat ze blij zouden zijn als iemand hun de mogelijkheid bood informatie over de IJslandse offerte te kopen?' zei Gunnar grinnikend. Navarro glimlachte terug, maar zijn ogen lachten niet: hij nam Gunnar wantrouwig op.

'Ik weet zeker dat ze zulke informatie goed zouden belonen', zei hij met een vluchtige blik. 'Moet ik soms navragen hoeveel interesse ze hebben?' vroeg hij en hij mompelde er ter verduidelijking binnensmonds bij: 'In dollars omgerekend.'

Gunnar lachte weer, maar niet zo hard. Hij voelde hoe het koude zweet hem over de rug liep.

'Waarom niet?' zei hij. 'Dat kan toch nauwelijks kwaad.'

'Dat is aan u om in te schatten', zei Navarro bedachtzaam. Hij keek Gunnar in de ogen. 'Ik zou geen grappen uithalen met die Japanners, als ik u was: in dit soort aangelegenheden hebben ze geen gevoel voor humor.'

Ze zwegen allebei een tijdje. Een Nederlandse collega, een jonge vrouw die wat belangstelling voor Navarro had getoond, ging naast Gunnar zitten. Daar had eerder een Noorse architect gezeten, maar die had zich een paar minuten eerder verontschuldigd en was weggegaan en het meisje had haar kans schoon gezien. Navarro stuurde haar een betoverende glimlach en veranderde van gespreksonderwerp. Ze spraken er verder niet meer over. Gunnar wachtte op een gelegenheid om zich eruit te praten, maar op een of andere manier vond hij er de woorden niet voor. Hij wierp de Spanjaard een wanhopige blik toe toen die een tijdje later van tafel ging en vergezeld door de Nederlandse in de richting van de bar liep. Gunnar hoopte dat hij begreep wat hij bedoelde, maar Navarro grijnsde weer geraffineerd en knipoogde naar hem terwijl hij wegliep.

De volgende ochtend had er een bericht zonder afzender op hem liggen wachten: een briefje waarop het getal 250.000 geschreven stond. In gedachten rekende hij het om en zag dat dit getal, als het hier om dollars ging, ongeveer achttien miljoen IJslandse kronen bedroeg. Vervolgens had hij diep gezucht: wat haalde hij zichzelf eigenlijk op de hals? Hij besloot deze zaak te laten voor wat hij was; hij had zich de hele dag en ook de volgende dag in zijn hotelkamer verschanst en geen telefoongesprekken aangenomen.

Tien dagen later ontving hij tot zijn onnoemelijke schrik een e-mailbericht waarin stond: '*Your offer has been accepted. We'll pay half now and the rest on delivery.*' Toen hij daarna zijn gsm had aangezet, had hij een sms-bericht van zijn bank ontvangen, zoals ze altijd bij grote transacties deden. De Japanners hadden tien miljoen kronen naar zijn rekening overgemaakt en de bank had dit geld meteen voor uitstaande schulden gebruikt, iets waarom Gunnar zijn bankmanager bij machtiging had verzocht.

'Ach, Sunneva,' zei Gunnar hardop terwijl hij op het bed in haar oude kamer zat, 'het komt goed. Ik weet zeker dat het goed komt. Vertel hun gewoon wat ze willen weten; doe het maar, lieverd. Ik weet dat ik enorme fouten heb gemaakt, maar ik kan ze niet ongedaan maken.'

drieëndertig

Hananda Nau was afweziger dan gewoonlijk. Hij was in feite afweziger dan hij ooit was geweest, voor zover hij zich kon herinneren. Hij had een klus te klaren, maar wist niet hoe hij het moest aanpakken. Hij had geen enkele inval en vond geen enkel plezier in de gedachte dat hij de problemen die tussen hem en zijn doel in zouden kunnen staan, moest zien te overwinnen. Het redden van dat jongetje – dat kleine, slappe lichaam in zijn armen te voelen toen hij het uit het water optilde, zo veel lichter dan veel van de wapens die hij in de loop der tijd had gedragen – had een diepere indruk op hem achtergelaten dan hij mogelijkerwijs van tevoren had kunnen weten. Plotseling had de gedachte dat hij de vader van dit jongetje had kunnen zijn hem geraakt. Toen de moeder naar hem toe was gerend om haar bijna overleden zoontje levend terug te krijgen, had hij een haast onweerstaanbaar verlangen gevoeld om het jongetje zo stevig mogelijk vast te houden. Op een of andere manier vond hij dat dit jongetje meer bij hem hoorde dan bij haar, want hij had het aan de handen des doods onttrokken. Zijn oosterse gelaatstrekken lagen er misschien aan ten grondslag dat deze illusie nog verder aangemoedigd werd, maar hij vond werkelijk dat hij daar een lang vermiste zoon had vastgehouden, hij die altijd zo'n afkeer van de gedachte aan nageslacht had gehad dat hij bijna misselijk werd wanneer hij zijn penis in een vagina stak. Hij kreeg bij penetratie altijd last van een soort claustrofobie die hij bij andere seksuele handelingen niet voelde. Oraal was bij hem favoriet: hij genoot ervan om naar een mooie vrouw tussen zijn benen te kijken die haar lippen uitdagend tuitte; hij was bereid om daar veel geld voor te betalen en dat deed hij dan ook naar eer en geweten.

Terwijl hij daar op het opgemaakte bed in zijn hotelkamer zat, dacht hij na over de totale hoeveelheid sperma die hij had verbruikt, en opeens bedacht hij hoeveel kinderen hij had kunnen hebben, als al die ejaculaties eitjes hadden bevrucht. Hij werd er duizelig van; het zweet brak hem uit. Hij stelde zich voor dat hij boven op een vrouw lag, met zijn penis op de juiste plek in haar en zonder voorbehoedsmiddelen te gebruiken, en het verraste hem dat hij die gedachte helemaal niet zo onaangenaam vond. Hij drukte met zijn vingers op zijn oogleden, zoals hij soms deed om zijn gedachten helder te krijgen. Hij drukte met de toppen van zijn wijsvinger en middelvinger net zo lang totdat het zeer deed; toen liet hij los, deed zijn ogen open en hernam zijn focus. Maar hij vond geen brandpunt in zijn gedachten: hij was nog net zo in de war als eerst. Hij besloot een eindje te gaan wandelen om te kijken of hij ervan af kon komen.

Deze keer begon het meisje in de receptie stralend te glimlachen toen ze hem zag.

'Gefeliciteerd, meneer Nau! U bent een echte held', zei ze terwijl ze de sleutel van zijn kamer aannam. Even kon de Porseleinen Jongen zijn oren niet geloven. Hij staarde de vrouw aan alsof ze gek was geworden.

'Hebt u de krant nog niet gezien?' vroeg ze toen ze merkte dat hij niet begreep waar ze het over had. Ze pakte de krant op die voor haar lag. Hij hoefde de kop niet te begrijpen om te weten waar het krantenbericht over ging: daar stond hij naast de moeder die het kind dat hij van de verdrinking gered had, vasthield. De vrouw keek hem met tranen in haar ogen aan en hij keek met wilde ogen in de richting van de camera; de fotografe of de krant had gekozen voor de laatste foto die genomen was. Hij was zo afwezig dat hij zich niet eens opwond over zijn hoogst onprofessionele gedrag, omdat hij het zover had laten komen dat een foto van hem op de voorpagina van een krant prijkte, terwijl er een klus geklaard moest worden.

Hij ging naar buiten, wandelde naar de vijver en liep verder, de stad in. Het was al laat op de dag en de hemel was weer schril helderblauw. Hij keek naar het gladde, schitterende zeeoppervlak onder zich en volgde op zijn gemak een voetpad bij de kade langs de rotsige kustlijn. Na een tijdje kwam hij bij een paar grote, gladgeschuurde rotsblokken die een andere kleur hadden dan de stenen eromheen. Ze waren glad en rood van kleur, elk waarschijnlijk vele tonnen zwaar. Hananda Nau liet zijn handen over deze gladde, maar onregelmatig gevormde rotsen glijden. Ze hadden iets oosters, iets wat hem ergens aan thuis deed denken. Hij las op een bordje naast de rotsblokken dat ze in China op initiatief van een kunstenaar gladgeschuurd waren voor een of ander doel; welk doel begreep hij niet goed. Hij bleef daar een tijdje staan en probeerde zijn hoofd van alle gedachten te ontdoen.

Hij was in staat om tijden achter elkaar bewegingloos te zijn, als het ware in een toestand van meditatie, zonder zicht te verliezen op datgene wat hij op dat moment in de gaten hield. Ooit was een van zijn vaste cliënten belazerd door een Russische magnaat die goede banden met de Russische maffia had. Meneer Nau was door zijn cliënt uitgenodigd voor een gesprek, omdat hij hem om raad wilde vragen. Bij een spelletje biljart in de privébiljartzaal van de cliënt hadden ze gepraat. Zijn cliënt had in dubio gestaan over wat hij moest doen: moest hij voor veel geld de diensten van een Russische partij inkopen die de middelen had om de oneerlijke magnaat een hak te zetten die gevoelig aan zou komen? Of moest hij het er gewoon bij laten zitten? De Porseleinen Jongen had de laatste mogelijkheid resoluut van de hand gewezen: dat zou alleen maar gevaar opleveren, maar hij ried zijn cliënt wel aan om te wachten en geen contact op te nemen met de Russen, terwijl hij de zaak overdacht. Toen ze elkaar aan het einde van het gesprek de hand hadden geschud, had de Porseleinen Jongen een van die lucide gedachten gehad waarom hij bekendstond.

Een week later zat hij in een jachthut in een van de noordelijkste provincies van Rusland met een sigaarsnijder in zijn rechterwant. Het huisje was onverwarmd en donker, hoewel het brandhout in de open haard erop lag te wachten om aangestoken te worden. Hij had acht uur lang bijna bewegingloos naast het raam gezeten, gekleed in een hagelwit, met dons gevoerd pak voor poolexpedities, toen hij zes zwarte vlekken in de sneeuw zag opdoemen en tegelijkertijd het geronk van sneeuwscooters hoorde. In deze streek was het verboden op beren te jagen; dat verhoogde waarschijnlijk het plezier van de magnaten die hier elk jaar kwamen om deze sport te bedrijven, een sport die gevaarlijk kon zijn en die deze uitverkorenen uit de elite van het bedrijfsleven daarom een bijzonder soort opwinding bezorgde. Deze jacht zou de gevaarlijkste tot dusver worden. Zoals de Porseleinen Jongen had voorzien, liep een van de lijfwachten als eerste naar de deur. Zelf stond hij onzichtbaar achter de deur en hij snoof bijna toen hij zag dat de man zonder wapen in zijn handen lachend de hut binnenging. Toen de volgende in de deuropening de sneeuw van zijn schoenen stampte, sloeg hij twee vliegen in één klap. Met zijn rechterhand schoot hij de lijfwacht een pijltje in zijn bovenbeen met een verdovend middel, dat bedoeld was om roofdieren onverwacht te verdoven; de man kreunde nog even en zakte toen in elkaar. Met zijn linkerhand greep de Porseleinen Jongen de andere man bij zijn arm, die – zo bleek later, maar niet dat dat uitmaakte – een broer van de magnaat was, en hij hield hem in zijn ijzeren greep, terwijl hij een stevige ketting vastmaakte die hij aan de deur had bevestigd om te voorkomen dat de deur meer dan twintig centimeter geopend kon worden. Vervolgens deed hij de stomverbaasde man handboeien om; deze handboeien zaten vast aan een haak die hij in de muur had geschroefd. Toen trok hij de man een van zijn wanten af en sneed zijn pink af. Hij trok de want weer over de hand van de gillende man, stak de bloederige vinger in een klein doosje dat hij dichtdeed en in de zak van zijn overal liet glijden. Twintig seconden later klom hij door het raam aan de achterkant naar buiten en maakte dat hij wegkwam op zijn witte ski's. Hij had de wind in de rug en was bijna onzichtbaar in de jagende sneeuw. Tegelijkertijd begonnen de vrienden van de vingerloze man op de deur te schieten. Hopelijk raken ze die arme lijfwacht niet, dacht de Porseleinen Jongen. Toen was hij weg. Een kwartier later sprak hij een paar woorden door zijn satelliettelefoon, voordat hij het witte zeil van een kleine helikopter af trok. Een minuut later kwam het volgende bericht binnen bij het Russische satelliettelefoonbedrijf: 'Aan de bedrijfsleider: de volgende keer is het geen vinger. Het ziekenhuis in Moermansk staat bekend om zijn goede hulpverlening. Terugbetalen voordat het te laat is.'

Enerzijds had de Porseleinen Jongen het aan zijn vindingrijkheid te danken dat zijn cliënt zijn geld kreeg en anderzijds aan de clementie die hij had betoond. Toen zou hij natuurlijk niet hebben geaarzeld om zijn dreigement uit te voeren en de man zijn penis af te snijden, maar nu had hij het gevoel dat hij niet eens in staat was om ook maar iets onbenulligs als iemands vinger af te snijden. Hij moest weer denken aan hoe het hart van het jongetje onder zijn hand had geklopt als het hart van een vogeltje, toen hij hem naar de kant had gedragen. Zo levend en zo kostbaar omdat het zo teer en breekbaar was. Hij streek met zijn hand over de gladgeschuurde steen en toen realiseerde hij zich dat zijn carrière als huurmoordenaar erop zat. Die gedachte riep geen angst of ergernis bij hem op, noch barstte hij in lachen uit; in plaats daarvan voelde hij intens welbehagen en een plotseling, warm gevoel barstte in hem open, alsof er midden in zijn hart een ballon vol warm water was geknapt.

vierendertig

Zijn vader en moeder wilden altijd klokslag zes uur eten vanwege het nieuws op de radio, omdat zijn vader dat niet wilde missen. Vroeger, toen het nieuws een uur later was geweest, hadden ze om zeven uur gegeten. Ingi Geir had geprobeerd zich tegen de verandering te verzetten: hij vond het belachelijk om zijn leven rond nieuwsuitzendingen in te richten en zich te schikken naar de beslissingen van anderen inzake essentiële onderdelen van het dagelijks leven, zoals het tijdstip waarop je eet. Hij had zelfs aangeboden het nieuws elke dag op te nemen en het om zeven uur af te spelen, zodat iedereen tevreden zou zijn, maar ze hadden alleen hun hoofd geschud, alsof het voorstel lachwekkend was. Inmiddels was het mogelijk om via het internet naar het nieuws te luisteren. Hij had voorgesteld dat ze weer om zeven uur zouden gaan eten en via het internet naar het nieuws zouden luisteren; hij kon de luidsprekers van zijn computer in de keuken neerzetten terwijl ze zaten te eten, maar ook dit voorstel viel niet in goede aarde. 'Je let niet op, jongen', zei zijn vader. 'Om zeven uur is het nieuws op televisie.' Waarom moesten ze eigenlijk zowel naar het nieuws op de radio luisteren als naar het nieuws op de televisie kijken, nota bene bij beide godvergeten omroepen? Ingi Geir begreep het niet en telkens wanneer hij dat aan hen probeerde uit te leggen, was het hetzelfde liedje: 'Je moet je er gewoon bij neerleggen dat het leven verandert en dat we ons allemaal aan die veranderingen moeten aanpassen.' Dan keken ze hem aan, zijn moeder bezorgd en zijn vader streng, maar allebei alsof ze verwachtten dat er een peertje boven zijn hoofd zou gaan branden en dat hij omhoog zou springen en zou roepen: 'Geweldig idee! Van nu af aan ga ik me aan alle veranderingen aanpassen!' Hij zou de bijnaam Aanpassing aannemen en de achternaam Verandering! Hij zou zich zo rigide aan de veranderde tijden gaan aanpassen dat hij, als ze het avondnieuws 's ochtends vroeg voorgeschoteld zouden krijgen, zijn avondeten zou opeten zodra hij wakker werd!

Maar ach, hij had geen zin om er nog langer met hen over te stechelen. Ze kregen toch altijd hun zin. Hij ging om twee voor zes aan de ronde kunststof tafel zitten, zodat zijn moeder klaar zou zijn met opscheppen wanneer de leader van het nieuws begon, want anders was er zo veel gekletter met bestek en servies dat zijn vader het nieuwsoverzicht niet kon horen. *How pathetic was that?*

'Ingi, lieverd, heb je je handen al gewassen?' vroeg zijn moeder. Dat was een dwangneurose van haar.

'Ik ben drieëntwintig jaar oud; vind je niet dat ik dat zelf wel kan bepalen?'

'Zolang jij hier in dit huis wilt eten, was je je handen als je moeder jou daarom vraagt', donderde zijn vader.

'Rustig nou maar', zei zijn moeder bezorgd en ze legde de gehaktballen-in-koolbladeren op zijn bord. Zijn vader keek haar doordringend aan. Hij kon er slecht tegen wanneer ze zich met zijn opvoedingsmethodes bemoeide, zei hij altijd, maar deze keer deed hij dat alleen met zijn oogopslag. Opvoedingsmethodes! Wanneer lieten ze hem een keertje volwassen worden? 'Ik zeg helemaal niet dat je een viespeuk bent, lieverd', zei zijn moeder terwijl ze een zijdelingse blik op zijn handen wierp. De leader van het nieuws bespaarde hem verdere kritiek. Hij waste zijn handen nooit. Hij had er plezier in om hun eten aan te raken met de hand waarmee hij zichzelf de hele dag had bevredigd. Ze konden hem wat met hun kritiek! Hij kon hen niet meer uitstaan met hun nieuws; het ging altijd over wat een stelletje bobo's te zeggen had over problemen die ze door hun eigen bemoeizucht en stompzinnige controleerdwang zelf veroorzaakt hadden. Zijn vader stak zijn hand uit om het apparaat harder te zetten. Zwijgend luisterden ze naar het nieuwsoverzicht.

'Ingi lieverd, de opleidingen gaan al gauw van start. Had je al in die brochure gekeken die ik je gegeven heb?' zei zijn moeder. Zou ze het dan nooit leren? Ingi Geir mompelde iets op een manier waardoor het onduidelijk was of hij ja of nee zei. Het was beter om op zulke dingen niet direct antwoord te geven. Zijn moeder liet zich echter niet uit het veld slaan. 'Je zou daar eens goed naar moeten kijken, lieverd: zo'n begaafde jongen als jij moet iets studeren om verder te komen in het leven. Ik zal er niet altijd zijn om voor je te koken en mensen die niet studeren, krijgen later geen baan die hun voldoening geeft. Dat weet je toch, lieverd?'

'Praat niet door de radio heen, schat', zei zijn vader. Ingi Geir vond het altijd weer fantastisch om hem dat te horen zeggen: het leek net alsof ze in een of andere absurde soap zaten.

'Pappa heeft ook niet gestudeerd', liet hij zich ontvallen, maar niet zacht genoeg, want zijn vader legde zijn mes neer. 'Ja, ja, ik weet het: de tijden zijn veranderd en jij zou een vervolgopleiding hebben gedaan als je de gelegenheid had gehad', dreunde Ingi Geir op. Zijn vader keek hem fronsend aan, maar zijn blik was leeg: hij had zijn aandacht alweer bij het nieuws. Zijn moeder had haar hand op de arm van zijn vader gelegd, maar ontweek Ingi Geirs blik. 'Ik wil gewoon niet als leraar eindigen, zoals jij, mamma', voegde hij eraan toe. Zijn moeder deed een poging om te glimlachen, maar dat lukte haar niet helemaal. Ingi Geir grinnikte. Hij genoot ervan haar pijn te doen met opmerkingen waarvan hij deed alsof ze onschuldig waren. Zij deed hem immers constant op alle denkbare manieren pijn – haar aanwezigheid alleen al was voldoende om hem pijn te doen – dus waarom zou hij haar op zijn beurt ook geen pijn doen?

'Hoor deze halve gare nou eens', snoof zijn vader, die aandachtig naar een interview met een idioot van een politicus zat te luisteren. Hoe kon zijn vader een ander een halve gare noemen? Dat kon toch zeker alleen een grapje zijn? Je hoefde maar naar de neus van die vent te kijken! Het was gewoon akelig om ernaar te kijken: de huid was zo grof en rood en vettig. Soms was het net alsof de neus van die klootzak blauwzwart was. En dat is nou mijn genetische achtergrond, dacht hij, dus misschien krijg ik op die leeftijd ook zo'n neus. Zat hij nog maar op zee, dan was het leven zo veel eenvoudiger: daar kon hij zich op de matrozen uitleven. Waarom was die vent ook zo oud geweest toen hij hem had gekregen? Mensen hadden het recht uit huis te gaan voordat hun ouders zwarte neuzen begonnen te krijgen. Natuurlijk kon hij uit huis gaan wanneer hij wilde en in zekere zin was hij ook uit huis gegaan, want hij woonde immers in zijn eigen woning in het souterrain, maar hij had gewoon geen gelegenheid gehad om fatsoenlijk keukengerei te regelen, want hij had sowieso weinig zin om zich met koken bezig te houden en bovendien zou het zijn moeder maar kwetsen. Maar was dat niet precies wat hij wilde? Misschien moest hij een paar pakjes pasta en saus kopen: zo veel moeite kon het niet zijn om zoiets op te warmen. Het zou in elk geval beter zijn dan gehaktballen met kool. Waarom kon zijn moeder niet zoals andere wijven op cursus gaan en Indisch of Thais leren koken? In plaats daarvan was het allemaal net zoals bij oma thuis in Hornafjördur, met uitzondering van een dood-enkele pizza misschien.

'Godallemachtig!' zei het mens opeens.

'Wat is er?' vroeg de ouwe.

'Dat is Sunneva! Onze Sunneva!'

Ingi Geir schrok en keek haar verbaasd aan.

'Waar heb je het over? Wat is er met Sunneva?' vroeg de ouwe.

'Volgens de radio zijn ze naar Sunneva aan het zoeken. Luister je soms niet? Sunneva Gunnarsdóttir, zei de nieuws-lezer!'

'Wat is er eigenlijk aan de hand?' gromde de ouwe. Ze keken Ingi Geir allebei aan. Hij siste dat ze stil moesten zijn, hoewel ze niets zeiden, en staarde naar de radio alsof hij hoopte daar iets te zien.

'*Sunneva is één meter vijfenzestig lang en heeft rossig haar. Toen ze voor het laatst gezien werd, droeg ze een blauwe spijker-broek en een witte blouse.*'

'Godallemachtig, ik mag toch hopen dat haar niets is overkomen', zei zijn moeder.

'Nee! Verdomme!'

Ingi Geir spuugde een mondvol gehaktbal en aardappelen met botersaus op zijn bord uit. Zijn vader deed zijn mond open en keek hem verbaasd en geërgerd aan.

'Ingi lieverd, blijf nou rustig', zei zijn moeder ongelukkig. 'Het staat toch niet vast dat er iets met haar is. En ze maakt nu toch niet meer deel van onze familie uit, dus gelukkig is het ons probleem niet.'

195

'Kutwijf! Je begrijpt er geen kloot van!' schreeuwde Ingi Geir tegen haar. Er ging zo veel door hem heen dat hij stond te sputteren.

'Hoor eens even, dat soort taal wil ik hier aan tafel niet hebben! Ben je soms gek geworden dat je zo tegen je moeder praat?' bulderde zijn vader. Hij stond op en leunde over de tafel heen om hem bij zijn T-shirt te pakken en hem door elkaar te schudden, zoals hij altijd deed wanneer hij kwaad was. Ingi Geir liet zich niet pakken. Hij deed wat hij al tien jaar, zo niet zijn hele leven al had willen doen: hij stompte zijn vader in zijn maag en legde al zijn kracht in die ene stoot. Honderdtwintig kilo's vlees smakten tegen de bank, maar Ingi Geir genoot niet van het feit dat hij zijn droom had laten uitkomen, noch wachtte hij de straf af die hem ongetwijfeld te wachten stond: hij rende de keuken uit en had de auto van zijn moeder al gestart voordat zijn vader overeind was gekrabbeld.

vijfendertig

Hij zei dat ik onze relatie niet al te serieus moest nemen, dat er voor ons geen toekomst was en dat er voor ons geen 'wij' bestond, want alle omstandigheden stonden zoiets in de weg; dat moest ik van hem aannemen.

'Had je daar niet over moeten nadenken voordat je met mij begon te rotzooien?' zei ik, gemeen als ik was. Ik wist dat hij gelijk had, maar ik vond het verdacht dat hij hier nu over begon te zemelen. Ik vermoedde dat hij moed aan het verzamelen was om mij te dumpen. Maar ík was degene die hem moest dumpen, deze argumenten moesten uit mijn mond komen; begreep hij dat dan niet? Dacht hij dat hij onweerstaanbaar was of zo, die oude kapsoneslijer? Dacht hij dat ik geen veel knappere man zou kunnen vinden dan hij, als ik daar überhaupt in geïnteresseerd was geweest? Wat veronderstelde hij? Dat ik dit serieuzer nam dan hij? Terwijl deze vragen door mijn hoofd schoten, voelde ik dat het zo niet zat. Hij had iets bij mij wakker gemaakt en ik wilde dat het mocht bloeien. Ik wilde hem niet missen. Ik wilde me niet bij het vuilnis laten gooien als een gebruikt condoom, nadat hij me naar believen had geneukt en misschien klaar was om door te schuiven naar het volgende vakje op zijn ontwikkelingstraject of weg naar de verdoemenis. Bij zijn woorden overmande de jaloezie me met zo veel geweld dat ik mezelf helemaal niet in bedwang kon houden: ik begon te snikken en ik sloeg met gebalde vuisten tegen zijn borst zoals Italiaanse vrouwen in een

197

lachfilm. Schaamde ik me? Natuurlijk schaamde ik me. Maakte ik het zelf erger? Natuurlijk maakte ik het zelf erger: ik joeg hem haast bij me weg en verhinderde daardoor dat hij eerlijk tegen me durfde te zijn. Het kon me allemaal niets meer schelen, ook al kwamen al onze avonturen aan het licht. Ik had dat best kunnen verdragen; in feite wilde ik graag ophouden verstoppertje te spelen. Hij had dat waarschijnlijk ook gewild, maar zíjn uitweg was zeker niet de uitweg die ik gekozen zou hebben.

'Toe nou, leeuwtje van me', zei hij tegen me en hij beet me zachtjes in mijn hals. Hij had diverse koosnaampjes voor me. We waren een hele zaterdagochtend in het zomerhuisje geweest; om zes uur waren we uit de stad vertrokken. Hij had tegen zijn vrouw gezegd dat hij moest werken en hij had zijn laptop dan ook bij zich, maar ik gaf hem er de gelegenheid niet toe: zo vaak had ik hem niet voor mezelf alleen en ik liet hem nu niet los. Ik wilde gewoon neuken, neuken en nog eens neuken totdat ik erbij neer zou vallen. Op een of andere manier had ik een bepaald voorge-voel: ik meende te voelen dat er iets was, dat hij in zijn achteruit ging, dat hij eruit wilde, dat hij er een punt achter wilde zetten, maar ik had geen moment vermoed wat me te wachten stond. Misschien had hij me vanaf het begin al belazerd met die kut? Daar zie ik hem wel voor aan: het was al zo lang geleden sinds onze laatste keer. Ik begroef mijn gezicht in zijn oksel en dronk zijn geur in, die mannelijke zweetlucht waarvan ik zo vreselijk was gaan houden. Ik stak van achteren mijn hand in zijn kruis en greep zijn ballen.

'Je moet niet denken dat je van me af bent', zei ik tegen hem.

'Niet nu je me zo stevig te pakken hebt', zei hij lachend. Toch dook hij weg toen ik hem in zijn ballen kneep.

'Nu moet ik je straffen', zei hij zogenaamd streng. Ik keek hem uitdagend aan.

'Nee, ik ben degene die jou moet straffen. Ga op handen en

voeten zitten, lummel', zei ik terwijl ik mijn grip op zijn ballen liet verslappen. Hij lachte en kroop voor me uit. Hij likte mijn tenen, waardoor zijn kont omhoogstak, een schandalig mooi kontje voor een vent van zijn leeftijd. Ik liet mijn hand over zijn lichaam glijden, van zijn taille over zijn stevige billen naar zijn dijen toe. Zijn haren kietelden mijn hand; het was een wat merkwaardig gevoel, maar het was mij zeer bekend.

'Neuk me', zei hij. Ik greep een handvol haar en trok zijn hoofd naar achteren om hem op zijn mond te zoenen.

'Ik hou van je', zei ik toen. Hij stond op. Vond hij het jammer? Ik legde mijn hoofd op zijn schouder en barstte opeens in tranen uit als een kind dat zich helemaal geen raad weet. Hij aaide me over mijn bol, maar sloeg zijn armen niet om me heen.

Maandag

zesendertig

Hildigunnur stak een sigaret op, haar eerste in tien jaar. Het pakje lag gewoon op tafel in de woonkamer waar Gunnar het had laten liggen en de aansteker lag erbovenop. Haar gevoelens waren een wonderlijke mengeling van angst, haat, medelijden en afkeer van haar eigen lichaam: ze had die sigaret niet uit behoefte of voor het genot opgestoken, maar haast om wraak te nemen op haar eigen lichaam, om het te straffen voor het feit dat het er was, dat het zich ooit goed had gevoeld en vooral dat het onder Björn had gelegen en daarvan had genoten. Ze inhaleerde gretig en stelde zich voor hoe de rook zich door de bronchiën verspreidde en als een film van verontreinigend en schadelijk vuil condenseerde. Bij deze gedachte begon ze kil te lachen.

Ze had er moeite mee zich voor de geest te halen hoe Björns lichaam was geweest, toen ze nog goed bevriend waren. Ze hadden in de jaren toen hun beider liefdesleven – met name het zijne – in sneltreinvaart ging, twee, drie maanden iets met elkaar gehad en ze wist best dat hij haar niet trouw was, want wat dat aanging deed hij geen enkele poging om haar voor de gek te houden. Ze herinnerde zich dat hij ooit had gezegd dat hij, voordat hij ging trouwen en een gezin zou gaan stichten, met zo veel mogelijk vrouwen wilde slapen nu hij jong was. Hij wilde alles wat de liefde te bieden had, uitproberen. Zo sprak hij; zij had niet begrepen hoe iemand zo kon denken en ze begreep het nu nog minder. Hij had zich aan zijn voornemen gehouden zolang hij zijn wilde haren nog had, zoals dat heet, totdat hij Eva had leren kennen en met haar twee kinderen had gekregen en ze nog lang en gelukkig leefden. Ze zou hem voor altijd vergeten zijn, zoals ze sommige anderen vergeten was, ware het niet dat ze door hem Gunnar, haar man, had leren kennen, van wie ze met al zijn manco's en ondeugden hield, ook al was hij zoals hij was: een hopeloze dronkelap en in zijn vak een mislukkeling. Maar hij was eerlijk op een manier die ze kon waarderen, en als het erop aankwam, wist ze dat ze hem kon vertrouwen of liever gezegd, ze kon erop vertrouwen dat hij meende wat hij zei en deed. Maar nu was het zo ver komen dat ze zijn oordeel niet meer kon vertrouwen; het was zelfs alsof Sunneva's verdwijning hem van zijn verstand had beroofd. Ze had hem het liefst terug naar zijn moeder willen sturen toen hij stomdronken thuis was komen binnenvallen en zich druk zat te maken over een of andere geheime Japanse organisatie die, naar ze begrepen had, Sunneva vanwege geldzaken moest hebben ontvoerd.

Maar wat er nu gebeurd was, was veel erger: kennelijk waren de wilde haren van de faun Björn weer aangegroeid en kennelijk was hij zo'n ongelofelijk grote klootzak dat hij van alle vrouwen die in aanmerking kwamen, uitgerekend Sunneva, hun dochter, had uitgekozen.

Indertijd had Björn zich goed gehouden toen ze het uitmaakte en tegen hem zei dat ze iets met Gunnar was begonnen, maar een jaar later had hij haar op een feestje onder vier ogen verteld dat het hem best wat tijd had gekost om eroverheen te komen, omdat zij de eerste was geweest die het ooit met hem had uitgemaakt: eerder had hij altijd het initiatief genomen. Maar hij wist ook, zei hij, dat hij dit alleen aan zichzelf te wijten had en dat hem dat veranderd had. Hij wilde mensen niet langer op deze manier gebruiken. Toentertijd wist Hildigunnur niet zeker of hij meende wat hij zei – misschien had hij gewoon wat terrein willen verkennen om te zien of hij haar bij Gunnar weg kon krijgen – maar nu vroeg ze zich in alle ernst af of hij hun dat al die tijd kwalijk had genomen en erop had zitten wachten om wraak te nemen.

Hoe dan ook, zo te zien had Björn Sunneva ingepalmd; dat zou ze hem nooit vergeven en ze zou het zichzelf nooit vergeven dat ze dit niet op een of andere manier had voorkomen. Maar wie had dit ooit kunnen vermoeden van een man die 'zich allang had afgewend van zijn dwalingen op het gebied van de politiek en de vrouwen', zoals hij het zelf een paar jaar eerder op zijn veertigste verjaardag had verwoord. Ze had hem al die jaren als vriend beschouwd, in elk geval tot het moment waarop hij Gunnar uit het bedrijf had gezet, maar zelfs dat had ze tot op zekere hoogte kunnen begrijpen. Ze was al bijna helemaal vergeten dat ze ooit een relatie hadden gehad. De eerste jaren was Gunnar een enkele keer vreselijk jaloers op Björn geweest, zelfs nadat Björn Eva had leren kennen. Hildigunnur wist best dat Gunnars jaloezie hoofdzakelijk met zijn eigen onzekerheid te maken had. Hij was vreselijk bang om afgewezen te worden; dat wist zij als geen ander. Ze had voorgesteld om niet meer met Björn en Eva om te gaan, maar dat wilde hij niet en stukje bij beetje was de situatie genormaliseerd, niet in de laatste plaats omdat er aan haar kant geen liefdesvuur meer brandde: de liefde of seksuele spanning die ze voor Björn had gevoeld, was allang verdwenen.

Ze wist heel goed hoezeer Sunneva op haar leek toen zij net zo oud was. Misschien was Björn achter haar aan gegaan uit een soort pervers verlangen naar vroeger. Misschien dacht hij dat hij weer jong zou worden door een vriendin te hebben die hem moest herinneren aan de vrouw die hij zo veel jaar geleden door zijn vingers had zien glippen. Maar wat was Sunneva's doel eigenlijk geweest? Wat had haar in hemelsnaam bezield om te gaan rotzooien met een veel oudere man die niet alleen getrouwd was, maar die zelfs een oude vriend van hun familie was? Ze hoopte van ganser harte dat Sunneva uit eigen beweging een punt achter deze onhoudbare verhouding had gezet en dat ze daarom verdwenen was, dat ze hem ontvluchtte. Dat paste best aardig bij het feit dat ze de laatste week zo zwaarmoedig was geweest. Misschien was ze gewoon in de provincie gaan rondrijden om even aan alles te ontsnappen. Deze mogelijkheid vrolijkte haar een beetje op.

Ze stak een tweede sigaret op. Ze werd een tikje duizelig van het roken en had het gevoel dat het bloed in haar aderen kookte. Dat was een bekend gevoel dat ze al heel lang niet meer had gehad. Ze voelde zich misselijk, maar rookte toch verder. Hoewel ze niet aan Björn en Sunneva probeerde te denken, kwam er opeens een vreselijke vraag in haar op: wist Sunneva dat zij en Björn ooit een paar waren geweest? Ze overdacht deze vraag nog eens. Ze vond 'een paar' niet de juiste benaming voor Björn en haar: ze was eerder zijn maîtresse geweest, zoals haar dochter dat nu misschien was. Waarschijnlijk was ze dat ook. Ze had dit vermoeden niet tegenover de politie uitgesproken en in feite had ze niet eens gelogen, want ze wist immers niet zeker of haar gedachtegang in enig opzicht bij de waarheid in de buurt kwam, ook al had ze sterk dat gevoel gekregen toen ze had gehoord dat Sunneva Björn midden in de nacht had opgebeld.

De draadloze telefoon lag op de glazen tafel voor haar. Ze staarde ernaar alsof het een entiteit van onbekende herkomst was die ze misschien moest vrezen. Toen pakte ze de telefoon en toetste een nummer in. Na een paar keer overgaan werd er opgenomen.

'Hallo', zei Eva met een ietwat dubbele tong.

'Hallo, Eva, met Hildigunnur', zei ze gehaast en zonder omhaal. 'Ik hoorde wat Björn is overkomen. Vreselijk om zoiets te horen. Hoe is het met hem? Is er nieuws?'

'Nee', zei Eva langzaam en aarzelend. 'Ze houden hem in coma', voegde ze eraan toe. Er klonk heel zacht gesnik door de telefoon.

'Ach, lieve Eva,' zei Hildigunnur, 'ik weet dat dit afschuwelijk voor je is. Ik wilde alleen tegen je zeggen dat ik aan je denk; Gunnar en ik denken allebei aan je. Wat er eerder ook gebeurd is, dat is niet meer van belang als er zoiets gebeurt.'

Eva bleef bijna geluidloos huilen.

'Lieve Eva, is er iemand die voor je zorgt?' vroeg Hildigunnur. Eva jammerde iets door de telefoon wat ze niet kon verstaan. 'Wist je trouwens van Sunneva?' vroeg Hildigunnur peilend.

'Wat? Is er iets met Sunneva?' vroeg Eva; ze sprak zo onduidelijk dat Hildigunnur haar amper kon verstaan.

'Ik hoop van niet', antwoordde Hildigunnur, die niet kon voorkomen dat haar stem begon te trillen. 'Maar ze is verdwenen', voegde ze eraan toe. Het laatste woord piepte ze bijna.

'O', zei Eva. Ze voegde eraan toe: 'Wat erg.' Het was alsof haar stem duidelijker werd. Hildigunnur verwachtte dat ze verder zou vragen, maar in plaats daarvan zei ze somber: 'Alles om ons heen is aan het instorten.'

Dat was niet wat Hildigunnur het liefst wilde horen. 'Ik

moet er maar op vertrouwen dat alles goed is met Sunneva', zei ze terwijl ze probeerde overtuigend te klinken. Tegen haar eigen overtuiging in voegde ze eraan toe: 'Je weet hoe jongeren kunnen zijn. Luister, lieve Eva,' zei ze toen, 'ik wilde gewoon even van me laten horen. Ik bel je later wel weer om te horen hoe het met Björn is.'

'Uiteindelijk gaan we toch allemaal dood', zei Eva zwaarmoedig. Hildigunnur kon meer van dat soort gepraat niet aanhoren en hing zonder afscheid te nemen op.

zevenendertig

Valdimar had het op zich genomen om met Rúna, Sunneva's vriendin, te gaan praten. Hij wist dat ze als vrachtwagenchauffeur werkte en verwachtte een strijdlustige lesbotrucker met tatoeages op haar bovenarmen, maar Rúna bleek een klein meisje te zijn met een paardenstaart en – dat wel – een kleine tatoeage op de rug van haar hand, volgens hem in de stijl van een grottekening. Rúna bekeek Valdimar van top tot teen met een intelligente blik toen ze hem in de heldere keuken van haar kleine flat in Hlídar vroeg of hij wilde gaan zitten. Kennelijk kwam ze net uit bad, want ze rook naar zeep. Plotseling werd hij zich bewust van zichzelf en hij voelde hoe zijn oude claustrofobie kwam opzetten.

Ze was goed op de hoogte: Hildigunnur had met haar gepraat voordat ze contact met de politie had gezocht.

'Ben jij het ermee eens dat het onwaarschijnlijk is dat Sunneva zomaar verdwenen is zonder iets van zich te laten horen?' vroeg hij.

'Ja, ik vind dat niets voor haar. Het zit me helemaal niet lekker, helaas', zei Rúna. Valdimar voelde hoe haar blik op hem rustte terwijl hij nodeloos haar antwoord opschreef. Onbeholpen stelde hij haar een paar vragen over hun vriendschap, waaruit hoofdzakelijk bleek dat ze al sinds hun jeugd vriendinnen waren en dat ze altijd veel samen hadden gedaan.

'Ik wil je dit op de man af vragen', zei Valdimar energiek in een poging vaste voet in het gesprek te krijgen. 'Heeft Sunneva op dit moment een relatie?'

Hij merkte tot zijn verbazing – en toch ook weer niet – dat hij een woordkeuze had vermeden die Sunneva's mogelijke minnaar een bepaald geslacht toedichtte, ook al was zijn uitgangspunt daar helemaal niet op gericht; praatte hij nog steeds met de lesbo die zijn verbeeldingskracht in het leven had geroepen?

'Tja, ze heeft geen vaste relatie meer gehad sinds ze het met Ingi Geir heeft uitgemaakt.'

Verrek, daar had hij dus moeten beginnen. Ze wilde er iets aan toevoegen, maar dat kon wachten, want hij was haar te snel af: 'Vertel me eens over die relatie.'

Ze dacht even na en zei toen: 'Ingi Geir is helaas een ziek persoon.'

Een ziek persoon. Hij zei niets en schreef niets op, maar wachtte totdat ze verderging. Ze scheen niet te weten waar ze moest beginnen, maar hij wilde haar niet opjutten. Ze vouwde haar handen zo dat de nagels van haar rechterhand tussen de nagels en vingertoppen van haar linkerhand uitstaken. Hij wachtte zich ervoor haar in de ogen te kijken: hij vond het eerder van belang dat hij zichzelf niet uit balans bracht dan dat hij haar uit balans bracht.

'Kijk, ze waren erg jong toen ze elkaar leerden kennen. Feitelijk kregen ze wat met elkaar toen ze pas veertien waren.'

Ze keek uit het raam terwijl ze nadacht en probeerde haar gevoelens onder woorden te brengen. Achttien, had Hildigunnur volgens hem gezegd.

'Toen dachten we dat Ingi Geir gewoon een leuke jongen was, wat hij natuurlijk ook is ... of nee, ik kan niet zeggen dat ik hem bijzonder leuk vind', verbeterde ze zichzelf vrij streng. 'Het begon ermee dat hij in kleinigheden de baas over haar probeerde te spelen. Hij had kritiek op alles wat ze deed: nooit had ze zijn instructies en zelfs zijn onduidelijke aanwijzingen goed opgevolgd. Het ging veel te ver en het ging veel te lang door, dus tegen de tijd dat wij in de bovenbouw kwamen was hij ziekelijk jaloers.'

Rúna begon zich op te winden.

'Hij ging net als zij de bètarichting doen om haar maar in de gaten te kunnen houden en toen ging het meteen verkeerd. Ze ging aan vrouwenvoetbal doen om maar ergens te kunnen zijn waar hij niet constant achter haar aan sloop; dat bekende ze later tegen mij. Ik ging met haar mee naar voetbal. Soms belde hij haar 's avonds op en dan schold hij haar verrot om iets stompzinnigs wat hij eerder die dag gemerkt had. Om maar een voorbeeld te noemen, zodat je begrijpt wat ik bedoel: hij werd kwaad op haar als ze tijdens de les te veel naar de leraren keek.'

Ze pauzeerde even en staarde uit het raam. Daarna sprak ze op zachtere toon verder: 'Dat wist bijna niemand, want ik had haar beloofd dat ik het aan niemand zou vertellen, maar nu het van belang kan zijn, vind ik niet dat ik haar verraad. Misschien heeft Ingi Geir haar ergens opgesloten. Dat meen ik, want daartoe zou hij best in staat kunnen zijn. Het verhaal is namelijk nog niet afgelopen. Uiteindelijk verzamelde ze moed om het uit te maken, want het ging gewoon niet meer. Ze had me toen al verteld hoe het tussen hen beiden stond. Ze kon 's nachts niet meer slapen en ik geloof dat ze in die tijd zo ongeveer een zenuwinzinking kreeg. Simpel gezegd redde ze haar eigen leven, want Ingi Geir maakte haar helemaal kapot, ook al kon hij tussendoor ook heel lief zijn. Hij nam het heel zwaar op: hij hield al snel met zijn studie op en zei tegen iedereen dat zij daarvoor verantwoordelijk was. Voor zover ik weet is hij niet meer naar school teruggegaan. Sinds die tijd is hij helemaal bezeten van haar. Hij komt trouwens niet op bezoek, want dat heeft ze hem afgeleerd, maar hij laat regelmatig iets van zich horen. Soms krijgt ze een week lang elke dag sms-berichten van hem en het is altijd hetzelfde: "Ik hou van je." Hij heeft na hun relatie geen vriendin meer gehad: hij zegt dat hij niet van een andere vrouw kan houden. Het punt is dat hij op niemand anders ooit nog zo'n grip kan krijgen; dat kon hij alleen omdat ze zo jong een relatie kregen. Ik zeg het gewoon zoals het is: ik denk dat hij ziek is en ik heb al tegen hem gezegd dat hij hulp zou moeten zoeken.'

'Dus je hebt het hierover met hem gehad?' zei Valdimar.

'Ja, dat heb ik. Meer dan één keer. Dat kwam haar de eerste keer natuurlijk op zware beschuldigingen te staan, want alleen al doordat ze met mij over hem had gepraat, had ze hem als het ware verraden. Ze vertelde me dat hij bij het eerstvolgende telefoongesprek tegen haar had gezegd: "Jij treedt mijn vertrouwen met voeten! Jij treedt alles wat heilig is, met voeten!" Nu ik dit vertel, begrijp ik niet dat ik Sunneva niet al veel eerder heb gedwongen om hem aan te geven. Hopelijk is het niet te laat ...'

Ze slikte en ging verder: 'Hij achtervolgde haar gewoon. Ze vertelde me dat hij een keer had beloofd dat hij haar verder met rust zou laten als ze nog een keer met hem naar bed zou gaan. En ze was het zo zat dat ze erop inging. Dat was meer dan een jaar nadat ze het had uitgemaakt.'

Rúna ging zachter praten; haar stem werd hees.

'En ze vertelde me dat ze, toen ze in zijn woning kwam – hij woont bij zijn ouders in het souterrain – er ineens van overtuigd raakte dat hij haar nooit meer zou laten weggaan.

Ze had gewoon het gevoel alsof achter haar de deur vergrendeld werd.'

'En heeft ze de afspraak toen afgekapt?' vroeg Valdimar nadat Rúna een tijdje had gezwegen.

Ze bleef nog langer stil. In feite had ze niet hoeven antwoorden, maar ze deed het toch: 'Nee, ze heeft het uitgezongen. Natuurlijk hield hij zich niet aan de afspraak: hij werd eigenlijk nog hysterischer.'

'Heeft hij ooit geweld tegen haar gebruikt?'

'Niet voor zover ik weet.'

'En zij dan?' vroeg Valdimar. Met die jongen zou hij wel gaan praten, maar in zijn hoofd was hij al een stap verder en hij had zijn gedachten onhandig verwoord.

'Wat bedoelt u?' vroeg Rúna argwanend. Waarschijnlijk dacht ze dat hij het over Sunneva's gevoelens voor haar oude minnaar had of zelfs over de vraag of zij geweld tegen Ingi Geir had gebruikt. Soms was hij een sukkel.

'Sorry, ik refereerde aan wat je zei: dat Ingi Geir geen vriendin meer heeft gehad nadat Sunneva het had uitgemaakt. Je zegt dat zij geen vaste relatie meer heeft gehad, maar hoe zit het dan met ... kortstondige relaties?'

Hij maakte er een grote puinhoop van.

'Ja, ze sliep weleens met jongens, als u dat bedoelt.'

'Maar is er op dit moment iemand in het bijzonder met wie ze misschien een vrij losse relatie heeft?'

'Nee', antwoordde Rúna na een korte aarzeling die Valdimar ervan overtuigde dat ze niet de waarheid sprak.

'Als ik jou nu zou vertellen dat Sunneva een man heeft opgebeld in de nacht waarin ze naar alle waarschijnlijkheid verdwenen is, wie zou die man dan volgens jou zijn?' vroeg hij sarcastisch. Hij kreeg ineens het gevoel dat hij nu controle over de omstandigheden had: in zekere zin was het paradoxaal, maar zodra mensen begonnen te liegen, wist hij voor zijn gevoel waar hij aan toe was. Hij zocht haar blik, maar ze keek een andere kant op.

'Dat weet ik eigenlijk niet ...' Ze ontweek een antwoord. Hij probeerde een sarcastische grijns te onderdrukken.

'En als ik je nou eens vertelde dat de man die ze belde, Björn Einarsson heet, zou er dan een belletje bij je gaan rinkelen?'

'Ja, ik weet wie dat is: Sunneva werkt bij hem.'

'Enig idee waarom ze hem 's nachts om twee uur zou opbellen?'

'Vraagt u me soms of zij een relatie hebben?' vroeg ze ineens uitdagend.

'Is dat zo?'

'Ja, maar ze zijn bezig uit elkaar te gaan', zei ze om haar uitspraken van zo-even te rechtvaardigen. 'Ik had haar beloofd dat ik het aan niemand zou vertellen. Ik hoop dat ze het me vergeeft als ...'

'Wanneer zei ze voor het eerst dat zij en Björn een relatie hadden?'

'Een paar maanden terug misschien.'

'Wat zei ze daarover?'

'Tja, ze ... ze vond het een beetje gênant dat ze in deze situatie terecht was gekomen.'

'Dat ze een relatie met een veel oudere man had?'

'Precies, ja. Ook omdat het een oude vriend van haar ouders is.'

'Waren dat haar woorden toen ze je dit vertelde? Dat ze in een "gênante situatie" terecht was gekomen?'

'Ja ... het was misschien niet het eerste wat ze zei. Volgens mij beschouwde ze het eerder als een leuk avontuur. Een nieuwe ervaring. Spannend en stiekem en al die dingen meer: romantische rendez-voustjes in zijn zomerhuisje en zo.'

'In zijn zomerhuisje?'

'Ja, hij heeft een zomerhuisje, naar het schijnt. Zij was er niet kapot van dat hij te vaak bij haar thuis kwam: een van haar familieleden zou eens onverwachts op bezoek kunnen komen waardoor alles in het honderd zou lopen, en daarnaast woont er een erg nieuwsgierig mens in het huis ernaast dat graag haar buren bespioneert.'

'Aha.'

'Ze was bang dat hij het allemaal te serieus begon te nemen. Zij zag er geen toekomst in. Ze was niet van plan om thuis bij haar ouders met een oude vriend van de familie te komen opdagen om hem als haar nieuwe vriend voor te stellen. En zelfs als ze elkaar niet hadden gekend, zei ze tegen me, dan nog zag zij het niet zitten om te gaan samenwonen met een man die misschien vijftig was tegen de tijd dat zij kinderen wilde hebben en die een zoon had die qua leeftijd veel dichter bij haar stond dan hijzelf.'

'Juist', zei Valdimar zonder hier iets over los te laten. Zijn kijk op dit soort logica was erg ambivalent: ze was prettig omdat hij haar kon begrijpen, maar irritant omdat hij het niet vond kloppen dat mensen hun gevoelens op de weegschaal der pragmatische gezichtspunten legden.

achtendertig

'Verdomme!'

'Wat gebeurt er?'

Ach, houd toch je mond, mamma.

'Doet er niet toe', zei Hallgrímur luid. Hij had ermee ingestemd om Marteinn te helpen bij het verplaatsen van het lijk, maar het zat hem helemaal niet lekker dat hij zich daarmee bezig moest houden. Wat was het ergste dat er kon gebeuren? Gewoonlijk gebruikte hij deze vraag om zichzelf te kalmeren, want doorgaans was het antwoord iets wat hij het hoofd kon bieden en als referentiekader kon gebruiken, maar deze keer kon hij het antwoord niet eens in zijn volle omvang overdenken: elke keer raakte hij halverwege de draad kwijt door een of ander duivels scenario langs te lopen dat hij tot zijn eigen immense angst zelf fabriceerde. Elke keer dat het in zijn gedachten slecht met hem afliep vloekte hij hardop, alsof hij de ban van de redenatie die hem in denkbeeldige impasse had gebracht, wilde verbreken. Zijn moeder zat achter zijn computer. Hij had haar toestemming gegeven om haar e-mail af te handelen, maar daar had hij inmiddels spijt van: hij kon er niet tegen dat ze over hem heen hing en ook kon ze haar mond niet houden.

'Is er nog nieuws over Marteinns vader?'

'Geen idee.'

'Daar heb je toch zeker naar gevraagd? Had je hem daarnet niet aan de telefoon?'

'Ja.'

'Heb je hem dan niet gevraagd hoe het met zijn vader was?'

'Ik nam aan dat zijn toestand ongeveer hetzelfde was.'

'Je zou toch een beetje belangstelling moeten tonen: hij is toch altijd zo aardig voor je geweest?'

'Waarom zou Marteinn niet aardig tegen me zijn geweest?'

'Ach, doe toch niet zo flauw, Grímsi. Ik heb het over zijn vader en dat weet je best.'

Hij liet het er maar bij zitten: hij wilde haar geen gelegenheid geven om nog verder te praten, maar zijn moeder hield voet bij stuk.

'Was hij niet degene die jou dat pak gaf?' vroeg ze alsof ze het antwoord niet wist. Kon ze nu nooit een keer ophouden over dat pak?

'Ja, ja, dat pak dat hij niet meer droeg.'

'Het was zo goed als nieuw.'

'Hij droeg het niet meer. Of dat zei hij.'

'En nu hoeft hij misschien nooit meer een pak te dragen. Die arme weduwe van hem!'

'Hij is nog niet dood', corrigeerde hij haar geërgerd. Zijn moeder was gek op andermans ongeluk: ze vond het zalig om daarin te zwelgen.

'Dat zal niet veel uitmaken: het is afschuwelijk om zulk hersenletsel op te lopen en niet in de laatste plaats voor de naaste familie. Je kunt beter meteen overlijden, zeg ik maar. Ik had bijvoorbeeld niet gewild dat mijn lieve Thorgeir nog jarenlang had moeten vegeteren.'

En daarmee had ze het gesprek op haar eigen ongeluk

gebracht: de man die ze in de bloei van zijn leven verloren had, zoals ze het zelf verwoordde. Dit was haar excuus voor alles wat er in haar leven verkeerd ging. Zij kon er niets aan doen dat ze gewoon was wie ze was: alles was terug te voeren op die ene voorjaarsochtend, toen haar verloofde een vrachtwagenchauffeur aanwijzingen aan het geven was en op een of andere manier door een val onder de vrachtwagen terechtgekomen was, die vervolgens over zijn benen was gereden. Men achtte het waarschijnlijk dat hij een losse steen die tussen de banden zat, had willen wegtrappen. Zijn broek was opengeknapt als het vel van een knakworstje; dat was een detail bij het noodlottige einde van zijn moeders vriend dat ze constant herhaalde wanneer ze het over zijn dood had, hetgeen vaak gebeurde als ze in haar eentje zat te drinken. In dat opzicht vond Hallgrímur het gewoon beter dat ze met kerels ging die ze via particuliere websites vond. De laatste tijd hield ze zich trouwens bezig met het bezoeken van eetgelegenheden waar tussen de middag werklui kwamen eten. Daar flirtte ze links en rechts en pikte gescheiden en liefst ook nog dronken loodgieters en metselaars en meer van dat soort mannen op, onder wie een bestrijder van ongedierte. Deze mannen behandelden haar een beetje beter dan de mannen die ze via het internet aan de haak had geslagen, maar meestal had ze er een paar tegelijk, omdat ze het zo kort volhielden. Hierdoor ontstonden vaak zeer dramatische situaties wanneer die kerels erachter kwamen dat ze niet de enige waren die van haar gunsten genoten. Hallgrímur had meer dan genoeg van zijn moeders privéleven.

Beneden ging de telefoon.

'Neem jij even op, Grímsi?' zei ze; ineens had ze het heel druk met iets wat ze aan het schrijven was.

'Nee, neem zelf maar op', antwoordde hij afwezig. 'Het is jouw nummer, niet het mijne.'

Zijn moeder zuchtte op haar typische manier; hij kon bijna zien hoe ze met haar ogen rolde, hoewel hij met zijn rug naar haar toe stond. Ze rende de trap af en nam op; toen liep ze snuivend de trap weer op en haar stem was zowel beschuldigend als triomfantelijk toen ze hem de draadloze telefoon gaf: 'Het is voor jóú, Grímsi.' Ze fronste haar wenkbrauwen om met lichaamstaal duidelijk te maken dat er iets mis was met degene die belde. Hij pakte de telefoon aan. Een onbekende beller, zag hij. Een geheim nummer of een bedrijfstelefoon misschien? Een verkoper?

'Met Hallgrímur', antwoordde hij droog en vastbesloten om degene die belde ongeacht de reden van het telefoontje met een simpele afwijzing af te schepen.

'Creep,' zei een verbeten mannenstem, 'waar is Sunneva?' Hallgrímurs hart sloeg over.

'Met wie spreek ik?' vroeg hij met trillende stem.

'Waar is ze?' vroeg de stem. Het leek Hallgrímur het beste om niets te zeggen. 'Als haar iets is overkomen, dan vermoord ik je', siste de stem. Hallgrímur hoorde hoe zijn hart tekeerging. 'Ik maak je af. Ik snijd je lul af en dan ram ik je hem door je strot, verdomme, en daarna breek ik alle botten in je lijf.'

Hallgrímur zag geen reden om afscheid te nemen voordat hij de verbinding verbrak.

'Wie was dat?' vroeg zijn moeder vanuit het blauwe schijnsel van de monitor.

Hij kuchte en probeerde zijn tong vochtig te maken voordat hij antwoord gaf: 'Gewoon, een verkoper.'

negenendertig

'*Finally I meet you. I have come for the information.*'

Zijn accent was nauwelijks te horen, maar zijn uiterlijk maakte de oosterse herkomst van de man duidelijk. Hij zag eruit als een lange, soepele sumoworstelaar, als je je zoiets kon voorstellen. Waarschijnlijk was hij meer dan één meter negentig lang, dacht Gunnar. Zijn torso was net een massieve cilinder in colbert, van zijn massieve borstkas tot aan zijn iets minder brede heupen. Zijn glimmend gepoetste schoenen waren zo groot dat ze wel op maat gemaakt moesten zijn voor deze reusachtige voeten, die dan ook bij zijn massieve benen pasten. Ondanks zijn omvang bewoog hij zich als een kat.

Een half uur eerder had Gunnar een telefoontje gekregen: '*You have one chance. Step outside* NOW', had de stem aan de telefoon gezegd. Hij had overwogen of hij de politie zou bellen, maar hij durfde niet. Het laatste wat hij wilde, was het risico dat hij Sunneva in nog groter gevaar bracht dan ze nu ongetwijfeld al was.

De reus had buiten in een Toyotajeep met het opschrift AUTOVERHUUR AKUREYRI op hem zitten wachten. Hij had Gunnars groet beantwoord, maar had op verdere vragen geen antwoord gegeven totdat ze de auto aan de Bragagata hadden achtergelaten en naar de eindbestemming waren gelopen, die tot Gunnars lichte verbazing het park Hljómskálagardur bleek te zijn. Ze zaten op een bankje. Gunnar was er al vijfentwintig jaar niet meer geweest, hoewel hij er elke dag langs reed. Hij herinnerde zich niet dat er bankjes waren. Even verderop stond een klimtoestel dat hij zich ook niet herinnerde. Het werd inmiddels donker, maar op het grasveld voor hen was een groep jongeren aan het voetballen. De oosterse reus scheen geen belangstelling voor die jongeren te hebben: hij stak een sigaret op en bood Gunnar er ook een aan. Gunnar sloeg het aanbod af.

'*Nice place. Sometimes there are airplanes*', zei hij voordat hij een trek van zijn sigaret nam, waardoor hij in het donker gloeiend oplichtte. Hij tuitte zijn lippen en blies een dunne rookzuil de lucht in.

'Het is allemaal een misverstand. Ik zal het geld terugbetalen; ik heb er nog niets van uitgegeven', loog Gunnar in het Engels en hij voegde er met trillende stem aan toe: 'U kunt mij vermoorden als u wilt; het enige wat ik wil, is dat jullie mijn dochter vrijlaten.'

De man keek hem aan zonder dat zijn gladgeschoren gezicht ook maar een spier vertrok.

'Het staat niet in mijn macht om over geld te onderhandelen. De partijen die ik vertegenwoordig, willen van u alleen de informatie die hun is toegezegd.'

Gunnar slikte. 'Ik heb geen toegang tot die informatie', zei hij.

De reus fronste zijn wenkbrauwen.

'Bedoelt u dat u iets te koop hebt aangeboden wat u niet had? Noemt u dat verstandig?'

'Nee, nee, helemaal niet', protesteerde Gunnar. 'Ik was volkomen oprecht, maar de situatie is veranderd. Laat in hemelsnaam mijn dochter toch vrij, dan kunnen we een overeenkomst bereiken. Als u een haar op haar hoofd krenkt, dan ...'

'Ik heb mijn instructies en die behelzen onder andere dat ik niet naar uitleg luister. U hebt toegang tot die informatie of u hebt hem niet', zei de man. Gunnar raakte plotseling zijn zelfbeheersing kwijt en wilde hem te lijf gaan. De oosterse reus hield hem met zijn vlakke hand tegen en hield hem zonder de geringste inspanning van zich af.

'Laat mijn dochter gaan, bruut! Waar is ze? Wat heb je met haar gedaan?'

'Niets', zei de reus met pretlichtjes in zijn verder strakke en uitdrukkingsloze gezicht. 'Gaat u alstublieft zitten', zei hij. Gunnar gehoorzaamde. 'Ik ben hierheen gestuurd om u te vermoorden. De partijen waarvoor ik werk, zijn ontzettend lichtgeraakt en ze kunnen er bijzonder slecht tegen wanneer ze voor de gek worden gehouden. En zij vinden dat u hen voor de gek hebt gehouden. Ik ga u eigenlijk een uitweg bieden zonder dat ik daar de bevoegdheid toe heb; omwille van u neem ik zelf een risico om bijzondere, persoonlijke redenen, dus als ik u was, zou ik geen uitvluchten proberen te verzinnen. Kunt u aan die informatie komen?'

'Nee, dat kan ik niet', antwoordde Gunnar met onvaste stem. De man inhaleerde en blies de rook toen uit.

'Dat dacht ik al', zei hij.

'En mijn dochter?' vroeg Gunnar.

Zijn gesprekspartner maakte een langzame beweging met zijn hand, alsof hij zijn gesprekspartner op de pracht van deze wereld wilde wijzen of omdat hij hem duidelijk wilde maken dat hij zijn vraag niet kon beantwoorden.

'Die loopt het risico dat ze haar vader zal kwijtraken.'

'In hemelsnaam, laat haar toch gaan', snotterde Gunnar.

'Daar heb ik de macht niet toe', antwoordde de man terwijl hij voor zich uit keek. Gunnar sloeg zijn handen voor zijn gezicht en begon zachtjes naast hem op de bank te huilen.

'U houdt van uw dochter?' vroeg de man zacht terwijl hij zijn sigaret weggooide.

'Van mijn kinderen hou ik meer dan van wat dan ook.'

'Zou u alles voor haar overhebben?'

'Ja.'

'Zelfs uw eigen leven?'

'Vele malen, als ik zou kunnen.'

Toen Gunnar zijn handen van zijn gezicht haalde, was de man verdwenen.

veertig

Na de bekendmaking van Sunneva's verdwijning hadden er zes getuigen gebeld die zeiden dat ze haar die vrijdag na twaalven hadden gezien. Dat klonk goed, maar op zich bleek deze informatie weinig waarde te hebben. De eerste aanwijzing was het meest veelbelovend geweest: een leeftijdsgenoot en medestudent van Sunneva had haar vrijdagavond in café Grand Rokk gezien. Hij herinnerde zich dat ze een zwart-witte trui met een driehoekspatroon had gedragen en Hildigunnur had bevestigd dat ze zo'n trui had. Haflidi en Valdimar zaten met z'n tweeën hun aanpak te bespreken. Laatstgenoemde vertelde van zijn gesprek met Rúna en wat daaruit naar voren was gekomen.

'Nou, het is goed dat we nu boven water hebben dat Björn en Sunneva iets met elkaar hadden', zei Haflidi.

'Is er al geregeld dat we vingerafdrukken van haar krijgen?'

'Daar wordt aan gewerkt.'

'Mooi. We hebben in dat zomerhuisje vingerafdrukken genomen; het zou informatief zijn als we wisten of een van die afdrukken die we gevonden hebben, van haar afkomstig is.'

'Denk je nu echt dat ze daar is geweest? Met wiens auto? En waar is ze dan gebleven? Ik denk veel eerder dat we die Ingi Geir te pakken moeten krijgen: dat is tenminste iets concreets.'

'Dat telefoontje van haar kan geen toeval zijn en we weten dat Björn meteen daarna naar Thingvellir is gereden. Waarom zou hij zoiets doen als ze hem ergens anders vandaan had gebeld?'

'Daar kunnen allerlei redenen voor zijn: misschien heeft ze hem per ongeluk opgebeld, omdat ze een verkeerd nummer had gedraaid, of misschien wond Eva zich zo over dat telefoontje op dat hij er niet meer tegen kon en weggegaan is.'

'Lijkt jou dat nou waarschijnlijk?'

'Nee, maar uitgesloten is het niet. Misschien belde ze hem ook om hem in een hinderlaag te lokken, om hem thuis in de problemen te brengen door midden in de nacht op te bellen. Misschien belde ze om wraak te nemen voor iets wat hij haar volgens haar had aangedaan. Er kunnen allerlei redenen voor zijn.'

'Jij probeert hier nog steeds twee zaken van te maken, maar volgens mij kan er voor twee van dit soort gebeurtenissen op dezelfde avond – een verdwijning en een ernstig ongeluk – maar één toedracht zijn en bovendien hadden ze telefonisch contact met elkaar gehad. Geen van beiden heeft die avond iemand anders opgebeld.'

'Wat is er volgens jou gebeurd?'

'Ik denk dat hun relatie op zijn eind liep en dat zij hem opbelde om het uit te maken. Misschien heeft ze gedreigd dat ze drastische maatregelen zou nemen, wat hem er weer toe heeft gebracht te zeggen dat ze knettergek was en dat hij de politie zou bellen.'

'Je moet niet vergeten dat ze niet alleen minnaars zijn, maar ook samen aan een project werken waar veel geld mee gemoeid is. Dat is een aspect dat we nog moeten onderzoeken. Het zou best kunnen zijn dat hij de politie wilde waarschuwen als zij bijvoorbeeld dreigde iets illegaals te doen.'

'Mogelijk, maar hoe het ook zij, ze zouden natuurlijk over de telefoon besloten kunnen hebben om samen naar Thingvellir te rijden. Hij heeft haar ergens opgepikt, want er stond daar maar één auto, en hun ontmoeting is erop uitgelopen dat hij haar vermoord heeft; waarschijnlijk zonder voorbedachten rade, want volgens mij was er niets beraamd. En daarna besloot hij het lijk te verbergen, misschien op een of andere verraderlijke plek daar in de buurt; je weet toch dat er holen in die lavavelden kunnen zitten? Hij kan het lijk ook op een of andere manier in het water hebben laten afzinken. Is hij daar met een bootje gekomen? Ik heb geen idee. Misschien heeft hij haar ergens op het strand waar wij hem vonden, verborgen. Dat is geen plek waar geregeld mensen komen, dus het is heel goed mogelijk dat hij meende haar ongestraft daar ergens te kunnen begraven en de rest aan moeder natuur over te laten.'

'Zo'n grote idioot kan hij nauwelijks zijn.'

'Nee, misschien niet, maar je moet wel bedenken dat de beslissing die hij nam – welke dat nou ook was – in grote commotie genomen is. Hij had niet veel keus, hij moest een zeker risico nemen. Maar hoe dan ook was hij daar in het donker met iets bezig en hij is gewoon gevallen en gewond geraakt; zoiets kan iedereen overkomen. Ik denk dat we er niet aan ontkomen die regio met honden en de technische recherche uit te kammen om te kijken of we haar kunnen vinden.'

'Ja, dat kunnen we in elk geval doen,' zei Haflidi instemmend, 'maar dat betekent niet dat we daarmee andere mogelijkheden uitsluiten. Ik wil bijvoorbeeld dat we die Ingi Geir van a tot z gaan natrekken.'

226

'Absoluut', viel Valdimar hem bij, die blij was omdat hij zijn zin had gekregen.

'En we mogen er niet van uitgaan dat Sunneva dood is. Het is helemaal niet uitgesloten dat ze nog leeft en in levensgevaar is. Als we het in dit geval over een misdaad hebben, dan is het geenszins ondenkbaar dat er een derde achter beide gebeurtenissen zit, want Sunneva is verdwenen en Björn is zwaargewond.'

Valdimar moest denken aan wat Rúna over Ingi Geir had gezegd, maar het lag wat hem betreft niet voor de hand dat deze jongen Sunneva opzettelijk of onopzettelijk iets had aangedaan. Voor zijn gevoel wees alles erop dat Björn Sunneva had vermoord; de vraag was alleen of ze in deze zaak ooit achter de waarheid zouden komen.

eenenveertig

In het schijnsel van de zaklamp zag ze eruit als een paspop, een ietwat kleinere versie van een echt mens, al zou natuurlijk niemand op het idee komen een paspop met zo'n ijzingwekkende gelaatsuitdrukking te maken. Haar lippen stonden een beetje open, een donkere afscheiding was in straaltjes uit haar mond gedropen en tussen haar tanden glinsterde het puntje van haar tong. De gedachten en gevoelens, wanhoop en angst van de laatste dagen brachten Marteinn volkomen van zijn stuk. Even zag hij sterretjes in het donker, wat rondzwevende lichtjes als in een stripboek. Eigenlijk hoorde zoiets grappig te zijn, redeneerde hij met een verwrongen restje logica, maar in zijn bewustzijn had de paniek de overhand. God zij geloofd: ze had haar ogen dicht, zei Marteinn tegen zichzelf. Toen beet hij zijn tanden op elkaar en zei toen in zichzelf, alsof hij een klein jongetje een standje gaf: 'Laat God hierbuiten, idioot.' Tegelijkertijd vond hij dat belachelijk: zo leek het alsof hij bang was om God op zichzelf te attenderen, alsof hij dan eerder gestraft zou worden, net alsof het mogelijk was God – als Hij bestond – voor de gek te houden door niet op te vallen en door te hopen dat Hij je niet opmerkte. 'Lieve Heer, vergeef me wat ik nu ga doen', zei hij toen, maar dat was slechts een poging om onder de straf die hij volgens hemzelf verdiend had, uit te komen: het was nog een truc om de God die in hemzelf

woonde en die zijn acties nooit zou zegenen, om de tuin te
leiden.

Hij had geprobeerd haar af te dekken toen hij haar hier had
achtergelaten, maar haar blote, bijna witte voeten staken
onder het witte laken uit en sprongen in het oog toen hij
en Hallgrímur haar met de zaklamp beschenen. Marteinn
voelde een steek door zijn hart toen hij haar tenen – zo
deerniswekkend menselijk – zag: ze maakten deze witte
vorm in de duisternis tot mens. Naast hem hapte Hallgrímur
naar adem. Samen zaten ze een tijdje volledig verlamd op
hun knieën onder het huis. Het was alsof de tijd stilstond.
Het was Hallgrímur die hun beider twijfels onder woorden
bracht: 'Marteinn, is het geen waanzin dat we dit doen?'
    Marteinn begon te rillen. Hij voelde zich verschrikkelijk,
maar probeerde nuchter en weloverwogen te denken om de
mogelijkheden in deze situatie in te schatten, zoals zijn
vader zou hebben gedaan. Op cruciale momenten zijn je
gevoelens je ergste vijanden, zei zijn vader altijd. Marteinn
trachtte zijn angst en zijn afkeer te onderdrukken.
    'Er liggen vuilniszakken in de auto', zei hij. 'Wil jij ze gaan
halen?'
    'Waar heb je eigenlijk vuilniszakken voor nodig?' vroeg
Hallgrímur.
    'Is dat niet wat mensen doen?'
    'Weet je wat: ik doe hier niet aan mee', antwoordde
Hallgrímur en hij kroop naar het deurtje. Marteinn keek
hem na en voelde hoe zijn koppigheid de kop opstak. Hij
kon Hallgrímur dit niet voor hem laten beslissen.
    'Dan doe ik dit wel alleen', zei hij terwijl Hallgrímur zich
naar buiten wurmde. 'Wil je me in elk geval die vuilniszakken brengen?'

Hallgrímur zuchtte.

'Ach, val toch dood.'

Zijn stem was hees en vlak. Hij liep langs het huis de helling op. Marteinn zat op zijn hurken en keek tussen de planken door. De maan, gigantisch en geel, was bijna vol en verlichtte het meer. Toen deed hij zijn ogen dicht en wenste dat hij ergens anders was; hij wenste dat hij de tijd terug kon draaien, al was het maar een dag, een week, een maand of een jaar. Hij hoorde Hallgrímurs voetstappen op de veranda boven hem. Wat was hij aan het doen? Het was alsof het Marteinn helemaal niets meer kon schelen. Was hij werkelijk hier, op de plek waar hij nu op zijn hurken naast de dode minnares van zijn vader zat, in slaap gevallen? Misschien was hij eerder door een soort slaperigheid vol onmacht en verslagenheid overvallen. In elk geval kwam hij weer bij zinnen toen Hallgrímur hem aanstootte.

'Ik heb de vuilniszakken gevonden. Wat wil je doen?'

Marteinn deed zijn ogen open; hij was vreselijk slaperig, ook al was het pas negen uur.

'Wil je me helpen haar naar buiten te dragen?'

Hij wachtte het antwoord niet af, maar greep de knoop in het laken bij haar voeten en begon het lijk in de richting van het deurtje te slepen. Het bleek moeilijker dan hij dacht. Toen hij het lijk de dag ervoor uit huis had gesleept, werd hij gedwongen door angst en hysterie die nu niet meer heersten. Hij vond dat niet erg, maar nu leek het alsof het lijk wortel had geschoten, want hij kon het amper van zijn plaats krijgen. Daar kwam bij dat hij van de stank zo misselijk werd dat hij probeerde geen adem te halen.

Toen gaf Hallgrímur hem een klap in zijn gezicht.

De klap was niet hard, maar overrompelde hem volledig: hij raakte zijn evenwicht kwijt en viel achterover. Hallgrímur zat op zijn knieën tegenover hem en ademde snel.

'Wat doe je nou?' zei Marteinn geschrokken.

'Lul! Heb je dan helemaal niet door hoe erg je me al in de nesten hebt gewerkt? Denk je nou werkelijk dat je dit ongestraft kunt doen?'

'Doe normaal! Ik heb het je toch al uitgelegd?'

'Je lulde uit je nek en ik luisterde alleen naar je omdat ik vanwege je vader met je te doen had. Vanwege die fijne vader van je, verdomme!'

'Luister eens even!' zei Marteinn, kwaad en wanhopig tegelijk.

'Ja, ik luister heel goed. Waarom zou ík achter je vaders kont moeten opruimen als hij een dood meisje in zijn zomerhuisje achterlaat? Kun je me dat soms uitleggen?'

'Ik zei toch tegen je dat je niet hoefde ...'

'Ja ja, je zei dit en je zei dat. Door jou zit ik in een positie van óf jou helpen, óf met de politie gaan praten. Óf ik laat je hier alleen, maar zelfs dan kom ik nog in de problemen, zodra bij jou alles de mist in gaat. Is het geen moment bij je opgekomen dat je me misschien helemaal niet had moeten vertellen dat je vader zijn maîtresse had vermoord?'

'Hij heeft niemand vermoord!' probeerde Marteinn hem tegen te spreken, maar Hallgrímur sloeg geen acht meer op wat hij ook zei.

'Dat moet je zelf gewoon onder ogen zien. Denk jij dat het toeval is dat dat meisje dood op de plek lag waar je vader overspel met haar pleegde?'

'Waarom zou hij haar vermoord moeten hebben?' vroeg Marteinn.

'Wat weet ik daarvan? Misschien heeft ze gedreigd dat ze hem zou verraden, dat ze haar vader zou vertellen dat zijn goede, oude vriend het met zijn dochter deed. Hoe zou die daarop gereageerd hebben? Denk je dat hij niet geprobeerd zou hebben er een stokje voor te steken? Met álle mogelijke maatregelen, begrijp je dat?'

'Ik had jou nooit moeten vertrouwen!' riep Marteinn tegen zijn vriend.

'Precies!' schreeuwde die opeens woedend terug. Marteinn staarde hem aan en hield zich nog net in voordat hij hem allerlei verwensingen naar zijn hoofd zou hebben geslingerd. Hallgrímur zag bleek, hij hield zijn lippen stijf op elkaar en had rode vlekken in zijn hals. Hij had helemaal gelijk, dacht Marteinn. Hij had hem nooit in deze nachtmerrie moeten meeslepen, maar nu was het te laat om daar nog iets aan te doen.

'Het spijt me,' zei hij verslagen, 'ga maar naar huis; ik zal me hier wel mee redden.'

'Ach, houd je bek', antwoordde Hallgrímur.

Met grote inspanning lukte het hun het lijk in het laken het gazon op te slepen. Hun gepuf en gehijg was oorverdovend in de stilte. Toen Sunneva op het gras lag, maakte Marteinn de knopen in het laken los en trok het onder haar vandaan. Het dekbed uit het huisje lag verfrommeld half onder haar, samen met haar kleren. Marteinn slaagde erin het dekbed onder haar vandaan te trekken, maar hij moest haar verleggen om haar broek onder haar achterste vandaan te krijgen. Hij had ergens verwacht dat het lijk stijf zou zijn, maar het was slap. Koud en slap. Hij kokhalsde een paar keer, maar gaf niet over. Haar buik was opgezet; ze had een vaalgroene teint en in haar taille zaten hier en daar grote, donkere vlekken. Marteinn kreeg nu zo'n pijn op zijn borst dat hij één moment het liefst wilde gaan liggen om naast dit dode meisje te sterven. Toen bracht de stank van het lijk hem weer aan zijn verstand dat hij en zij elk tot een eigen wereld behoorden.

'Moeten we haar niet aankleden?' vroeg Hallgrímur met een holle klank in zijn stem. Marteinn keek hem wanhopig aan.

'Ik ga het laken en het dekbed op het bed leggen', zei hij alsof dat er het meest toe deed.

Hij ging naar binnen en maakte het bed op. Toen hij klaar was, staarde hij in de slaapkamer om zich heen. Hoe was het mogelijk dat je niet kon zien wat hier gebeurd was? Ergens vond hij dat onbegrijpelijk. Daarna trok hij alles weer van het bed af, want wat hij hier aan het doen was, had geen enkele zin. Op weg naar buiten zag hij haar trui in de woonkamer, het eerste teken van Sunneva dat hij hier had gezien. Hij nam de trui mee en ook het beddengoed en sloot het huisje af. Hij legde de sleutel op zijn plek. Toen hij het gazon weer op liep, had Hallgrímur haar haar onderbroek en haar T-shirt al aangetrokken; hij was aan het worstelen om haar haar broek aan te trekken.

'Help me!' zei hij tegen Marteinn. Marteinn probeerde moed te vatten, maar hij had het gevoel alsof er iets groots en scherps vastzat in zijn keel.

Het was bijna niet te doen om haar haar broek aan te trekken, maar uiteindelijk lukte het. De trui ging een stuk eenvoudiger, maar het was vreselijk om in het maanlicht naar Sunneva's gezicht te moeten kijken. Haar ogen schitterden ijzingwekkend van onder haar oogleden en haar armen hingen slap op de grond. Het leek alsof ze weerstand bood. Marteinn had in zijn hele borst pijn.

Schoenen aantrekken gaven ze na een paar pogingen op omdat ze geen sokken konden vinden; anders was het misschien gelukt. Ze zouden ze naast haar neer moeten zetten: iets anders zat er niet op.

Marteinn scheurde een vuilniszak van de rol, ging op zijn knieën zitten, deed de zak om haar blote voeten en trok hem omhoog tot aan haar middel. Daarna trok hij er op dezelfde manier nog een zak overheen, maar toen kon hij niet meer. Hallgrímur haalde diep adem en trok een plastic zak over haar hoofd naar de andere toe. Vervolgens trok hij er zoals Marteinn een tweede overheen. Marteinn zat al verdoofd voor zich uit te staren. Hallgrímur zag bleek, maar hij keek geconcentreerd: zo te zien was hij niet van plan halverwege op te houden. Hij begon de zakken aan elkaar te plakken met plakband dat ze meegebracht hadden. Daarna maakte hij een gebaar met zijn hoofd dat Marteinn hem moest helpen.

Marteinn pakte het meisje onder haar knieholten vast en Hallgrímur manoeuvreerde zijn handen onder haar oksels, voor zover de vuilniszak dat toeliet. Ze droegen haar met z'n tweeën langs het huisje en liepen daarvandaan de eindeloze trap langs de steile helling op, gemaakt door Marteinns grootvader en geliefd door drie generaties kinderen. Hallgrímur liep voorop met het bovenlichaam van het lijk, Marteinn kwam erachteraan en hield de benen omhoog. Het was verdomd zwaar werk.

Ze waren bijna boven toen Hallgrímur op de losse tree stapte, de tree die ze de vorige zomer hadden moeten repareren. En de zomer daarvoor ook al, eigenlijk.

'Auw!' schreeuwde hij uit toen de tree opwipte, waardoor hij zijn evenwicht verloor en tegen de leuning viel, die juist op deze plaats ook niet geweldig betrouwbaar was: hij landde precies op een paal, die het onder zijn gewicht begaf, evenals de paal eronder. Hallgrímur moest het lijk loslaten om met zijn handen houvast te zoeken; het was een instinctieve reactie, maar de leuning sleurde hem mee naar beneden, de berkenbosjes en heidestruiken in. Het lichaam van het meisje viel ook; de gladde vuilniszak verdween onder de neerhangende leuning. Marteinn deed een wanhopige poging om haar benen vast te houden, maar ook hij verloor zijn evenwicht en moest haar loslaten. Het in vuilniszakken verpakte lijk verdween in het duister met een hoop geritsel uit zicht. Ze hoorden een auto naderen. Ze waren er allebei van overtuigd dat het de politie was en keken elkaar aan, in de startblokken om te maken dat ze wegkwamen.

Op dat moment vond Marteinn elke beslissing die hij eerder genomen had, niet alleen fout, maar ook belachelijk. Het zou een verademing zijn als de waarheid aan het licht kwam.

Hallgrímur vloekte toen het geluid van de auto in de verte verdween. Zijn heup deed hem vreselijk zeer, maar toch hinkte hij de helling af, wierp het lijk over zijn schouder, strompelde ermee over de kapotte tree, beklom toen de rest van de trap en liep naar de auto. Marteinn stopte intussen het beddengoed in een zak: het was het eenvoudigst om alles gewoon bij het vuilnis te gooien.

Onderweg, met Sunneva in de kofferbak, zeiden ze niet veel.

'Waar wil je heen?' had Hallgrímur gevraagd.

'Mijn idee was om haar ergens op het strand achter te laten', antwoordde Marteinn zacht.

'Dat is hopeloos,' zei Hallgrímur, 'dan ziet iemand ons. Onze enige mogelijkheid is een plek waar bomen staan en niemand in de buurt is. Ik weet er een', zei hij toen. Marteinn had niet geprotesteerd; hij had niet eens gevraagd waar ze naartoe gingen. Wat er verder ook gebeurde, hij wist dat hij Hallgrímur nooit meer zou kunnen commanderen. Hij zou nooit meer gebruik van hem kunnen maken, iets waar hij sterk de neiging toe had gehad. Eindelijk stonden ze quitte.

tweeënveertig

'Hoi, mag ik binnenkomen?'

'Ingi? Wat kom jij hier zo laat doen?' zei Hildigunnur door de kier van de deur.

'Sorry, ik had er niet op gerekend dat jullie al lagen te slapen.'

'Welnee ...' zei ze aarzelend; ze wachtte even en deed toen de deur voor hem open.

'Ik weet best dat ik me hier niet in zou moeten mengen,' zei hij terwijl hij achter haar aan naar de keuken liep, 'maar ik kan er gewoon niets aan doen. Ik maak me vreselijk zorgen om Sunneva. Ik wilde gewoon ...'

Hij wist niet hoe hij deze zin moest afmaken. De geur van te lang gekookte koffie in een koffiezetapparaat kwam hem door de deur tegemoet. Hij werd er bijna misselijk van.

'Wil je niet even gaan zitten nu je er toch bent? Wil je koffie?'

Hildigunnur was aangekleed, ook al was het één uur 's nachts. Ze zag er tien jaar ouder uit dan de laatste keer dat hij haar gezien had: haar gezicht was ingevallen, ze had wallen onder haar ogen en had haar rustige en prettige aanwezigheid verloren. Aan de keukentafel zat Gunnar met een fles whisky en een leeg glas voor zich. Desondanks scheen hij nog niet lazarus te zijn.

'Is er nog nieuws?' vroeg Ingi Geir ellendig vanuit de

236

deuropening zonder op Hildigunnurs aanbod te reageren.

'Wat kom jij hier eigenlijk doen?' vroeg Gunnar bot. 'Vind je niet dat onze familie het gezien de omstandigheden verdient met rust gelaten te worden?'

'Ik ga wel weg. Ik wist gewoon niet wat ik moest. Ik wilde alleen ...'

Weer had hij moeite om zijn zin af te maken.

'Ach, doe toch niet zo tegen hem, Gunnar', zei Hildigunnur. 'Hij bedoelt het goed. Ach, lieverds', zei ze toen. Twee blonde hoofden, het ene rossiger dan het andere, waren achter Ingi Geir opgedoken. Hij aaide het jongetje over zijn bol, dat zich dat liet welgevallen, maar het meisje keek hem verbaasd en nieuwsgierig aan. 'Ga nu maar naar jullie kamers, jongens. Jullie hadden allang moeten slapen.' Hildigunnur bracht ze naar hun slaapkamers.

Ingi Geir stond een tikje aangeslagen in de deuropening. Ondanks het feit dat hij elke dag veel aan Sunneva dacht, waren zijn gedachten nooit naar haar broer en zus afgedwaald. Deze kinderen die eerder deel van zijn leven uitmaakten, waren hem ontglipt. Hij had hen al eeuwen niet gezien, hoewel ze zo dichtbij woonden. Waarom moest het leven zo zijn, vroeg hij zichzelf. Je hebt een nauwe band met mensen, die zomaar op een dag verbroken wordt zonder dat je er iets aan kunt doen. Er wordt je niets gevraagd: je hebt te accepteren dat de beslissing van een ander je leven in zo veel opzichten verandert en zo veel armer maakt, zoals in zijn geval. Hij merkte dat het bekende gevoel van verbittering zich meester van hem maakte. Hij ziedde van kwaadheid, maar die mocht nu niet aan de oppervlakte komen: hij moest zichzelf in bedwang houden.

'Blijf je daar als een zoutpilaar staan, jongen?' vroeg Gunnar. Ingi Geir schrok op en liep een paar stappen naar de tafel toe. Ineens wist hij niet zeker of hij er goed aan had gedaan om hierheen te komen. 'Wil je koffie?' vroeg Gunnar. Ingi Geir schudde zijn hoofd. 'Whisky?' zei hij toen. Ingi Geir aarzelde zo lang dat Gunnar opstond om een glas voor hem te pakken. Hij ging tegenover zijn voormalige schoonvader zitten. Ze hadden het altijd goed met elkaar kunnen vinden en Gunnar had indertijd gezegd dat hij het jammer vond hem uit de familie te zien vertrekken, maar hoewel ze elkaar jarenlang een paar maal in de week hadden gezien, wist Ingi Geir niet zeker of ze ooit alleen, met z'n tweeën, hadden gepraat. Laat staan dat ze samen iets hadden gedronken. Hij nipte van zijn whisky. Hij was er niet aan gewend om sterkedrank puur te drinken: zijn gezicht vertrok toen hij de whisky op zijn tong voelde branden. Gunnar keek hem aan.

'Sommige mensen zijn net roofvogels of bloedzuigers: die zijn gek op andermans ongeluk. Ben jij daar soms een van?' vroeg hij terwijl hij hem nauwlettend aankeek. Ingi Geir voelde zich ongemakkelijk, maar keek hem recht in de ogen en schudde zijn hoofd. 'Ik weet het, jongen; vergeef me dat ik het je vroeg. Jij geeft om haar, net als ik. Het verschil tussen ons is dat ik er niet aan ontkom. Ik heb weleens gedacht dat een mens om zo weinig mogelijk anderen zou moeten geven, want als je om mensen geeft, maak je jezelf kwetsbaar. Je maakt jezelf kwetsbaar voor het ongeluk.'

'Ik ontkom er ook niet aan dat ik om Sunneva geef', zei Ingi Geir, maar Gunnar scheen het niet te horen.

'Maar het ergste onheil dat een mens kan overkomen, is als hij onheil afroept over degenen om wie hij het meeste geeft. Begrijp je?'

'Nee, ik weet niet waar je het over hebt. Heb jij onheil over Sunneva afgeroepen?'

238

Gunnar snikte een paar keer en kreeg toen een astmatische hoestbui.

'Natuurlijk begrijp je dat niet, maar ik begrijp het en dat is voldoende.'

'Ik wil het ook graag begrijpen', zei Ingi Geir. 'Weet jij iets wat ik niet weet? Over wat voor onheil heb je het?'

'Ga nu maar naar huis, Ingi. Je hoort niet meer bij deze familie.'

'En Sunneva moet me dus gewoon maar koud laten?' siste hij tegen Gunnar. Gunnar wilde opstaan, maar Ingi Geir duwde hem terug, leunde over de tafel en greep zijn overhemd vast. Vroeger zou hij er niet over hebben gepeinsd om geweld tegen Gunnar aan te wenden. Twee jaar geleden was hij waarschijnlijk geen partij voor Gunnar geweest, maar inmiddels hadden regelmatig trainen en de anabolica hun vruchten afgeworpen. 'Vertel me waar je het over hebt, want ik word gek! Ik moet weten wat er met haar gebeurd is!' zei hij terwijl hij Gunnar nog steviger beetpakte. Hij trok hem bijna van de bank.

'Houd op!' zei Gunnar kwaad. 'Ik laat Hildigunnur de politie bellen als je niet ophoudt.'

Ingi Geir keek Gunnar met een doordringende blik aan, maar kalmeerde toen en liet hem los. 'Denk je nu echt dat het me niets kan schelen? Is het soms een misdaad om je zorgen te maken over een vrouw om wie je geeft? Maakt het wat uit dat zij misschien niet meer zo veel om mij geeft? Stel je eens voor dat jij en Sunneva ruzie hadden gehad en opeens was ze verdwenen: zou het feit dat jullie onenigheid met elkaar hadden je dan meer kunnen schelen dan dat wat er werkelijk toe doet?'

'Dat is geen vergelijking, want ik ben nu eenmaal haar vader.'

'Ja, maar ik ken Sunneva al een groter deel van mijn leven dan jij van het jouwe; sta daar eens bij stil.'

Gunnar snoof bij het horen van deze logica, maar hij gaf geen antwoord. 'Ik weet niet waar Sunneva is,' zei hij, 'maar ik denk dat ze ontvoerd is om mij te dwingen iets te overhandigen wat ik niet kan overhandigen.'

'Waar heb je het over? Een ontvoering?'

'Ze hebben me gedreigd dat ze mijn familie iets zouden aandoen. Het zijn Japanse investeerders die kennelijk banden met de Japanse maffia hebben. Ik had iets laten vallen over een offerte voor het sportcentrum en dat mijn dochter daar nauw bij betrokken was. Ineens hadden ze een enorme som geld op mijn rekening gestort en nu willen ze me dwingen informatie te leveren waarover ik niet beschik. Zij hebben haar ontvoerd, dat weet ik gewoon. Ik heb een van die lui gesproken.'

'Waarom heb je de politie niet gebeld?'

'Dat zou Sunneva op haar bord kunnen krijgen en daarom wil Hildigunnur het niet. Ze denkt dat het dronken gelul is en dat ik de schuld op me probeer te laden. Ze gelooft het verhaal met die Japanners niet.'

'Maar daar heeft ze geen gelijk in? Of wel?'

'Nee, dat zweer ik bij ...' zei Gunnar, maar hij bleef midden in zijn zin hangen. 'Ik ben als de dood', zei hij toen. Hij zakte voorover. Ingi Geir schoof onrustig op zijn stoel heen en weer. Gunnars schouders schokten van het snikken, terwijl Ingi Geir de keuken uit liep en zichzelf uitliet.

drieënveertig

Ik dacht dat hij het zou uitmaken vanwege Marteinn. Ook vanwege Björg, maar meer nog vanwege Marteinn. Begrijpelijk; ik had me erbij kunnen neerleggen. Zijn relatie met hen was heel belangrijk voor hem, hoewel ik niet weet of ze zich daar bewust van waren. Ik vind het moeilijk om daar uitspraken over te doen. Misschien was die relatie ook niet zo belangrijk als hij deed voorkomen. Hij bleek een doortrapter persoon te zijn dat ik had vermoed. Ik wist dat hij gecompliceerd en moeilijk was, maar niet dat hij zo doortrapt was. Bij nader inzien weet ik precies wanneer hij begon me te bedonderen. We hadden een afspraakje, een rendez-vous, en toen ik aan hem rook, merkte ik dat zijn haar naar parfum rook. Ik kon dat parfum helemaal niet bij zijn vrouw plaatsen. Was het wel van haar? En was er niet ook een bepaalde lichaamsgeur mee vermengd, misschien zelfs een geur van lust? Zijn neus was rood, alsof hij hem in zaken had gestoken waar hij niets te zoeken had.

'Heeft je vrouw een nieuw parfum gekocht?' zei ik plagend tegen hem.

'Wat? Ja, dat kan wel. Ik houd dat soort dingen niet echt in de gaten', zei hij. Hij probeerde te doen alsof er niets aan de hand was, maar ik zag zijn ogen een ogenblik heen en weer schieten. Het was de angstige blik die je in de ogen van een leugenaar ziet wanneer hij op het punt staat in zijn eigen net verstrikt te raken. Ik ken dat uit eigen ervaring heel goed: mijn leven berust op

leugens. Ik ben alleen veel beter dan hij in het bedekken van naden in het web van mijn leugens op plaatsen waar de waarheid door een scheurtje te zien is. Hij had zo makkelijk kunnen zeggen dat hij een vrouw had gekust; daarna had hij me sarcastisch kunnen aankijken om tijd te winnen, terwijl ik bedacht wat ik hierop moest zeggen. Dan was er een oude klasgenote uit de mouw gekomen of zelfs een oude vriendin die op hem afgekomen was en hem gekust had, en hij had haar toen teruggekust; waarom niet? Of dacht ik soms dat ik het alleenrecht had om hem te kussen? Zo had hij het kunnen aanpakken; zo had ik het gedaan als ik hem was, maar hij deed het niet. Hij slaagde er niet in de paniek die hem overviel, te verbergen. Zelfs als ik daar niet van overtuigd was geweest, had zijn reactie daarna hem verraden: hij deed zo innemend en leuk en hij praatte zo veel dat hij het ook met de helft had afgekund. O, wat was hij opgelucht dat hij met de schrik was vrijgekomen. En hij paste ervoor op dat zijn haar niet bij mijn gezicht in de buurt kwam, de stomme sukkel. Hij was zo doorzichtig en goedkoop dat ik hem erom haatte. Ik wist dat ik hem er niet weer op zou betrappen: de volgende keer zou zijn haar net gewassen zijn en het zou naar shampoo voor mannen ruiken. Had hij me maar dat beetje respect betoond door me de eerste keer dat ik hem op een leugen betrapte, de waarheid te vertellen, dan was het veel, veel eenvoudiger geweest. Ik had eigenlijk het gevoel dat elk afspraakje ons laatste kon zijn. Had hij maar tegen me gezegd: 'Luister, ik wilde het je toch net vertellen, maar ik ben tegen een mooie vrouw aangelopen en ik ben met haar naar bed geweest. Ik ga er niet van uit dat je het snapt of dat je het me vergeeft, maar zo ging het gewoon.' Dan was ik hem aangevlogen, maar uiteindelijk zou het erop uitge- lopen zijn dat we met elkaar naar bed waren gegaan, oprecht en eerlijk. Dat had de laatste keer kunnen zijn, maar het zou zo oneindig veel beter zijn geweest dan dat zwamverhaal dat hij tegen me ophing. Van mij mocht hij tegen alle anderen liegen, maar dat hij tegen mij loog, dat kon ik gewoon niet verdragen. Ik moest het hem betaald zetten op een manier die hard zou aankomen.

Dinsdag

vierenveertig

'Wat wilde u precies weten?'

De priemende blik was het eerste wat Valdimar aan de jongen opviel. Zijn ogen gloeiden alsof hij koorts had: ze doorboorden zijn gesprekspartner met een felheid die niet bij zijn nogal puberale stem paste.

'Alles over jouw relatie met Sunneva.'

'Alles?' zei hij. Zijn stem was bijna schril. Toen lachte hij spottend, alsof hij wilde benadrukken hoe belachelijk dit verzoek was.

Valdimar had hem 's ochtends vroeg op zijn gsm gebeld en had gevraagd of hij op het bureau langs kon komen of dat ze elkaar ergens konden ontmoeten waar ze rustig met elkaar konden praten. Ingi Geir had hem bij hem thuis uitgenodigd, wat geen slecht alternatief was.

Hij was al onrustig, bijna opgefokt, sinds het moment dat hij open had gedaan en Valdimar haastig binnen had gelaten zonder hem te vragen wie hij was. Valdimar was zichzelf onaangenaam bewust van het feit dat de voordeur zicht bood op de woonkamer van Sunneva's ouders. Ingi Geir woonde in zo'n klein appartement in het souterrain van een eengezinswoning waar kinderen van de eigenaren graag een tijdje bleven hangen, voordat ze helemaal uit huis gingen.

'Denken jullie dat ze dood is?' was het eerste wat Ingi Geir had gezegd. Valdimar had geen antwoord gegeven; hij had gezegd dat hij hem gewoon een paar vragen moest stellen. Valdimar stelde voor dat ze in de keuken zouden gaan praten, want hij wilde graag weg van de foto van Sunneva die de sfeer in de woonkamer overheerste. Ze gingen elk aan weerszijden van de keukentafel zitten. Ingi Geir had hem geen koffie aangeboden en Valdimar zou het aanbod ook afgeslagen hebben. Hij had zijn notitieboekje gepakt en had gezegd dat hij alles wilde weten; daarmee bedoelde hij de hele waarheid.

'Wanneer hebben jullie elkaar leren kennen?'

'We zijn hier in deze straat opgegroeid. We kennen elkaar al van jongs af aan. Onze moeders zijn vriendinnen. Ik was sinds mijn tiende stapel op haar. Toen we twaalf waren, kuste ze me voor het eerst. Het raakte aan toen zij veertien was en ik vijftien. En het raakte uit toen we allebei tweeëntwintig waren.'

Ingi Geir ratelde deze opsomming van feiten, die hij kennelijk zo uit zijn mouw kon schudden, snel en zonder te aarzelen op. Valdimar zag voor zich hoe hij het allemaal precies nagerekend en in zijn geheugen opgeslagen had.

'Hoe zou je jullie relatie omschrijven?'

'Het was geweldig, voor het grootste deel van de tijd. Ik heb het later helemaal verkloot.'

'Hoe dat zo?'

'Ach, dat valt moeilijk te ... begrijpen. Ik weet dat ze vond dat ik haar commandeerde en dat ik haar probeerde te controleren. Misschien deed ik dat ook, maar ik merkte gewoon dat ze ... steeds meer afstand van me nam. En ik moest iets doen. Misschien was mijn aanpak stom, misschien zelfs achterlijk, maar ik moest gewoon iets doen. Ik kon niet doen alsof er niets aan de hand was, ik kon niet blijven toekijken

248

hoe ze stukje bij beetje ... de banden doorsneed. Alsof onze relatie niets betekende. Ze ...'

Hij begon te stotteren. Hij keek Valdimar niet meer aan: hij staarde naar zijn handen, maar werd ook rustiger, alsof hij zichzelf in zijn eigen wereld verloor. Toen maakte ineens een bijna woedende verbittering zich van hem meester.

'Ik dacht dat we samen iets hadden wat niemand voor ons kon verwoesten. Ik vond bijna dat we uitverkoren waren. Ik probeerde haar te beschermen tegen dingen die haar ongelukkig konden maken, en ik probeerde haar te beschermen tegen al het kwaad in deze wereld, maar het was alsof zij juist dol was op de dingen waarvoor ik haar wilde behoeden. Ik dacht alleen aan ons, maar zij dacht alleen aan zichzelf. Ze was zo egoïstisch, zo ziekelijk egoïstisch. Iedereen denkt dat ze zo geweldig is en zo volmaakt, maar ze is egoïstisch: niets kan haar wat schelen behalve zijzelf. Ze maakte alles kapot wat heilig was tussen ons, omdat het haar niet interesseerde; ze maakte het met de grond gelijk om zich maar niet te hoeven binden.'

Valdimar zweeg als het graf. Ingi Geir keek op. Zijn ogen schoten vuur, zijn ene mondhoek trilde.

'Toen ze het uitmaakte,' zei hij en hij slikte iets weg, 'toen ze het uitmaakte, was ze zwanger. Ze was al een hele tijd gestrest omdat ze zo lang over tijd was ... ze was twintig dagen over tijd. En ze had bij de apotheek al zo'n zwangerschapstest gehaald en die was zo positief als maar kon. Dus toen ze tegen me zei dat ze geen relatie meer met we wilde, vroeg ik wat er dan met het kind zou gebeuren, en ze zei dat er geen kind zou komen, omdat ze de avond ervoor ongesteld was geworden. En ze zei ook dat ze zich toen gerealiseerd had dat bla, bla, bla ... Maar later kwam Rúna, haar vriendin, naar me toe om ervoor te zorgen dat ik haar met rust zou laten en die liet zich toen ontvallen ... ze wist zeker niet dat ze dat niet aan mij mocht vertellen ... maar ze liet zich dus ontvallen dat Sunneva abortus had laten plegen nadat wij uit elkaar waren gegaan. Ze had me niets gevraagd! Dat had ze me niet eens verteld, dat stomme kutwijf!' Ingi Geir spuwde het woord 'kutwijf' uit. 'Hebt u ooit meegemaakt dat een kind van u geaborteerd werd?'

Valdimar ontmoette zijn blik en zei niets, maar hij schudde zijn hoofd vrijwel onmerkbaar.

'Iedereen denkt dat zoiets jongens niets kan schelen en dat ze alleen blij zijn als die wijven abortus laten plegen, zodat zij niet met de kids komen te zitten. Maar mij kon het wel wat schelen! Dit was net zo goed míjn kind! Het was niet aan haar om het zomaar als een stuk vuilnis weg te laten halen zonder het mij te laten weten!'

'Heb je daar met haar over gepraat?'

'Natuurlijk.'

'Wat zei ze?'

'Eerst ontkende ze het, maar later gaf ze het toe.'

'En?'

'Ze vroeg me of ik het haar wilde vergeven. Ze zei dat ze gewoon echt niet met mij samen een kind had willen hebben. Voor mij een grote troost!'

'Maar dat heeft jouw gevoelens ten aanzien van Sunneva niet veranderd?'

'Ik vond dat ze me verschrikkelijk veel pijn had gedaan', antwoordde Ingi Geir zacht. 'Maar toen vond ik ... want ik hoorde aan haar dat ze er echt spijt van had ... ik voelde ineens dat er nog mogelijkheden voor ons waren. Ik vond dat dit verder zo weinig uitmaakte ... als ze gewoon de tijd had gehad om er rustig over na te denken ...'

Stilte.

'En wat heb je toen gedaan?'

'Ik probeerde haar ervan te overtuigen dat we het nog eens moesten proberen.'

Stilte.

'Hoe nam ze dat op?'

'Niet goed.'

Stilte.

'Zijn jullie ooit ... intiem met elkaar geweest nadat ... jullie relatie voorbij was?'

Ingi Geir keek hem vlug aan; zijn gezicht vertrok, maar hij gaf geen kik.

'Eén keer. Ik had haar overgehaald. Ik dacht dat ze zou begrijpen wat ze had gedaan ... wat ze al had kapotgemaakt, als ze zich zou herinneren hoe goed we bij elkaar pasten ... Dan zou ze misschien ...'

'En wat gebeurde er?'

Ingi Geirs blik werd steeds donkerder.

'Wat gebeurde er?'

Stilte.

'Het was dus min of meer een mislukking?'

Stilte.

'En hoe was jullie verstandhouding daarna?'

'Nu ze een keer met me had willen slapen, vond ik dat ze dat best nog een keer kon doen, als ze dan toch zo'n ... slet ... was ...'

'En hoe reageerde zij daarop?'

'Heel slecht. Uiteindelijk kreeg ze een hysterische aanval: ze dreigde met zelfmoord als ik niet ophield haar lastig te vallen.'

'En ben je toen opgehouden haar lastig te vallen?'

'Ja, zo ongeveer.'

'"Zo ongeveer"?'

'Ja, ik stuurde haar soms een sms en e-mail en zo.'

'Waarom deed je dat?'

'Gewoon, omdat ik hoopte dat ze hier over deze periode heen zou komen. Ik hoopte dat ze genoeg zou krijgen van dat nutteloze neuken met allerlei klootzakken en dat ze het hebben van een vaste vriend zou gaan missen. Ik zou alles voor haar gedaan hebben, maar zij belazerde mij alleen. Ze maakte alles wat ons heilig was, met de grond gelijk.'

'Waarom zeg je "nutteloos neuken met allerlei klootzakken"?'

Stilte.

'Wat bedoelde je daarmee?'

'Ik heb haar weleens uit haar woning zien komen met een of andere klootzak.'

'Zat je haar te bespioneren?'

Stilte.

'Heb je Sunneva aan de Fjólugata bespioneerd? Zeg op!'

'Niet echt bespioneerd. Ik kom daar soms gewoon langs ...'

'Wat had je daar te zoeken? De Fjólugata ligt nou niet bepaald op een doorgaande route.'

'Je kunt iemand toch niet verbieden om door de straten van zijn stad te wandelen, of wel?'

'Wanneer heb jij Sunneva voor het laatst gezien?'

'Dat is al een tijd geleden.'

'Was dat bij haar woning?'

'Ik denk van wel.'

'Wat bedoel je met "een tijd"? Een week? Twee weken? Een maand?'

'Misschien ... misschien een week, tien dagen.'

'En je hebt haar de afgelopen dagen niet gezien?'

'Nee.'

'Weet je dat heel zeker?'

'Heel zeker.'

Hij keek Valdimar recht in de ogen zonder te aarzelen, met de blik van een man die vertrouwd wil worden.

'En die man met wie je haar gezien hebt? Hoelang is dat geleden?'

'Lang', zei hij chagrijnig.

'Jij hebt Sunneva niet toevallig afgelopen vrijdagavond bespioneerd?'

'Nee, toevallig niet.'

'Waar was je vrijdagnacht?'

'Thuis.'

'Je weet misschien niet dat die man, Björn Einarsson, in de nacht van vrijdag op zaterdag een ongeluk heeft gehad en dat hij met zwaar hersenletsel bewusteloos in het ziekenhuis ligt?'

'Nee, dat wist ik niet en het interesseert me geen reet. Net goed; ik hoop dat hij overlijdt.'

'Waarom?'

'Waarom? Omdat hij Sunneva niet met rust kon laten. Ze moet niet met kerels zoals hij omgaan: daar is ze veel te goed voor.'

'Dus jij vindt dat alle mannen die Sunneva leren kennen, dood kunnen vallen?'

'En wat dan nog?'

Valdimar keek hem doordringend aan, maar Ingi Geir keek onbeschaamd terug met zijn priemende blik die ziedde van opgekropte woede en grenzeloze ongelukkigheid.

'Waar was je op vrijdagochtend?' zei Valdimar vriendelijk.

'Hè? Waarom vraagt u dat?'

'Beantwoord de vraag.'

'Thuis, denk ik. Waar had ik anders moeten zijn?'

'Je had bijvoorbeeld bij Sunneva aan het inbreken kunnen zijn. Iemand heeft daar ingebroken.'

Ingi Geirs blik werd duister van kwaadheid.

'Dat was die idioot.'

'Over wie heb je het?'

'Ach, dat is een jongen die haar een paar keer gevolgd is. Ik weet niet wat hij wilde. Volgens mij is het iemand met psychische problemen.'

'Hoe zag hij eruit?'

'Een klein ettertje met donker haar.'

Valdimar moest meteen aan Marteinn denken. Na het gesprek met Ingi Geir pleegde hij één telefoontje om een paar dingetjes te verifiëren die bij hem opgekomen waren.

vijfenveertig

Marteinn was pas vlak voor de ochtend in slaap gevallen, verdoofd en uitgeput van lichaam en geest. Hij werd vroeg wakker toen er nogal ruw werd aangebeld. Een kwaad vermoeden bekroop hem direct. De gedachte om door de achterdeur naar buiten te glippen en te vluchten schoot door zijn hoofd, maar wat had dat voor nut? Waarschijnlijk was alles ontdekt en hij kon toch niet eeuwig vluchten. Nu zou hij de gevolgen van zijn acties moeten dragen. Hij sprong uit bed en rende naar de voordeur teneinde zijn moeder en zus erbuiten te houden. Toen hij opendeed, stond Valdimar van de recherche voor de deur. Hij keek nogal onheilspellend.

'Kleed je aan. Nu meteen.'

Valdimar wachtte op de gang terwijl Marteinn zijn kleren aantrok. Marteinn speelde met de gedachte om zichzelf van kant te maken. Hij moest toch iets uit zijn kamer kunnen gebruiken om zichzelf van kant te maken en zo niet nu, wanneer dan wel, dacht hij terwijl hij om zich heen keek. Hij vond echter niets, behalve de glasplaat over een foto van zijn grootvader, en in de luttele seconden van het zoeken merkte hij heel duidelijk dat hij niet dood wilde gaan. In het één-op-één gevecht met de dood de avond ervoor had een sterke hang naar het leven zich meester van hem gemaakt. Hij had zich er bijna voor geschaamd. Hij was zo blij dat hij leefde en zo dankbaar dat hij zijn lichaam kon bewegen, in tegenstelling tot de knappe vrouw die ze van haar eer hadden beroofd door haar lijk vijftig kilometer mee te slepen en het feitelijk aan een drukke route achter te laten, waar wilde dieren zich misschien aan haar te goed zouden doen voordat ze gevonden werd.

Maar nu had de politie haar ongetwijfeld gevonden, hield hij zichzelf voor, en daarom was die Valdimar gekomen. Maar hoe had de politie het verband tussen hem en Sunneva gelegd? Hij moest iets over het hoofd gezien hebben, hij moest een kinderlijke fout hebben gemaakt ... Het was alleen de vraag of ze ook van Hallgrímur wisten. Toen hij zich dat realiseerde, werd hij strijdlustig en besloot het niet meteen op te geven. Valdimar liet hem naast zich zitten in de auto en tot Marteinns verbazing reed hij niet meteen naar het politiebureau.

'Ik ga je dit maar één keer vragen', zei Valdimar terwijl hij hem strak aankeek. 'Als het antwoord nee is, dan sla ik je hier ter plekke in de boeien en zet je in voorarrest; dan praten we verder tijdens een formeel verhoor, waar je dan de status van verdachte hebt. Denk dus goed na voordat je me iets voorliegt, vriend.'

Marteinn zat naast Valdimar te trillen en te beven. Hij rook zijn angstzweet.

'En nu vraag ik het je: heb jij afgelopen vrijdag bij Sunneva Gunnarsdóttir ingebroken?'

Die vraag bracht Marteinn volledig uit evenwicht. Dus dát was waar het om ging. Hij dacht vlug na. Zo te zien had het geen enkele zin te ontkennen.

'Ja', zei hij en hij merkte wat voor opluchting deze bekentenis voor hem was.

'En waarom heb je dat gedaan?'

'Ach, weet u, Sunneva en pappa ...' zei hij. De rechercheur knikte. Hij wist kennelijk hoe de vork in de steel zat. 'Ik was gewoon nieuwsgierig.'

'Juist. Heb je eerder ingebroken bij mensen naar wie je nieuwsgierig was?'

'Nee, nooit! Ik had nog nooit in mijn leven ergens ingebroken.'

Marteinn voelde hoe Valdimars blik op hem rustte, maar hij keek niet op.

'Je zult waarschijnlijk verantwoording moeten afleggen voor die inbraak, maar gezien de stand van zaken kunnen we het verhoor verdagen. Mocht je het in je hoofd halen om de volgende keer iets heel anders te zeggen, dan vertel ik je bij dezen dat ik ten minste één bewijs heb dat jij het was: je had niet van tevoren moeten opbellen. En nu wil ik je nog een vraag stellen en als je me niet de waarheid vertelt, zul je dat de rest van je leven berouwen. Kijk me aan!'

Machteloos van angst keek Marteinn hem in de ogen. Alle angst van die nacht overspoelde hem, maar heviger dan toen het allemaal gebeurde. Hij voelde hoe zijn schuldgevoel hem van binnen verteerde en hij was bereid om alles te bekennen en hun te wijzen waar ze was. Hij wilde dat ze gevonden werd, hij wilde dat er hier en nu een einde aan dit alles zou komen.

'Sunneva Gunnarsdóttir is dood. Heb jij enig idee wat er gebeurd is?'

'Wat, ik? Nee', zei Marteinn stomverbaasd. 'Maar kijk ...' zei hij toen. Hij haperde. Valdimar werd ongeduldig. 'Ik ...' zei hij, maar hij kreeg zo'n brok in zijn keel dat hij niet uit zijn woorden kwam. Valdimar leunde over hem heen, deed de deur van de auto open en knikte met zijn hoofd.

'Stap maar uit, vriend', zei hij. 'Ik weet hoe je je voelt.'

'Maar ik ...' stamelde Marteinn.

'Ik heb geen tijd om nu te praten; praat later maar met me', zei hij. 'Hier is mijn nummer', voegde hij eraan toe; hij haalde een naamkaartje uit zijn portefeuille en gaf dat aan Marteinn. Verdoofd en afwezig stapte Marteinn uit de auto en deed een laatste poging om zijn geweten te ontlasten. 'Ík heb haar verborgen', bracht hij met moeite uit terwijl de autodeur dichtsloeg en Valdimar de straat uit scheurde.

zesenveertig

Het was een man van in de tachtig die Sunneva die ochtend vroeg bij het wandelen gevonden had. Ze lag onder een boom langs een wandelpad, zo'n vijftig meter van het belangrijkste pad door het park Heidmörk, vlak bij het meer Ellidavatn. Toen de man de politie informeerde over de vondst van het lijk, vroeg hij zelf ook om hulp, want de schok had hem bijna de das omgedaan. Het lijk had blote voeten, hetgeen men merkwaardig vond, en de schoenen stonden ernaast.

Einar, de gemeentelijke lijkschouwer, had diverse zaken te melden na zijn eerste inspectie van het lijk. Hij was een lange man van een jaar of vijftig met een gehavende huid, die op een door acne geplaagde puberteit scheen te duiden.

'Het tijdstip van overlijden ligt tussen vrijdagavond en zaterdagochtend, gok ik', zei hij tegen Haflidi en Valdimar, die ongedurig en zwijgend op de gang hadden staan wachten, totdat Einar klaar was. 'Maar ik zal dat in het rapport nog nader definiëren.'

'Weet je het zeker?' ontviel Valdimar.

'Heel zeker. Hebben jullie dat niet aan haar gezien?'

'Ik heb haar nog niet gezien', mompelde Valdimar, die blij was dat hij nog met Ingi Geir en Marteinn in gesprek was geweest toen het lijk naar het ziekenhuis werd gebracht. Met dode mensen wilde hij zo min mogelijk te maken hebben.

'Ik kan amper geloven dat ze daar al die tijd heeft gelegen zonder dat iemand haar gezien heeft. Ik heb begrepen dat daar elke dag mensen langskomen.'

'Heb je een idee over de doodsoorzaak?' vroeg Haflidi.

'Ja, een idee heb ik wel', zei Einar. 'Het zou mij niet verbazen als ik tot de conclusie ga komen dat ze in haar eigen braaksel is gestikt.'

'Drugs?' vroeg Haflidi.

'Dat weet ik nog niet, maar dat zou me niets verbazen.'

'Tekenen van geweld?'

'Op het eerst gezicht niet, nee.'

'Heb je gezien of ze seks heeft gehad voordat ze stierf?'

'Tja, niet direct', zei Einar aarzelend.

'Wat dan wel?' vroeg Haflidi.

'Ik zag reden om in de endeldarm naar biologische sporen te zoeken.'

'Verdomme!' zei Valdimar. 'Die klootzak! Heb je iets gevonden?' vroeg hij toen.

'Nou ja ...' zei de arts. 'Mijn voorlopige conclusie is dat er geen sprake was van sperma in een dusdanige hoeveelheid dat het wijst op een ... tja, een zaadlozing. Maar ik trof ... tja, een soort glijmiddel in de endeldarm aan, wat erop kan wijzen dat ... Ik heb in elk geval monsters genomen, dus het zou allemaal over niet al te lange tijd boven water moeten komen.'

'Nog iets anders wat je ons wilde meedelen?' vroeg Haflidi terwijl hij Einar onderzoekend aankeek.

'Ja, er was iets vreemds wat ik nog wilde zeggen', zei hij. Hij schraapte zijn keel. 'Ze had haar onderbroek binnenstebuiten aan. Misschien een eenvoudige vergissing,' bracht hij onder hun aandacht, 'maar het kan erop wijzen dat ze er met haar hoofd niet helemaal bij was toen ze hem aantrok.

Hier zijn trouwens haar kleren en andere eigendommen', zei hij terwijl hij hun een verzegelde zak gaf. 'Zeiden jullie niet dat je die zo snel mogelijk wilde hebben?'

'Dat klopt,' zei Haflidi, 'we zullen haar kleren door onze mensen laten onderzoeken.'

'Wat vertelt ons dit?' vroeg Haflidi terwijl ze de gang uit liepen.

'Als zodanig niet veel waar we zeker van kunnen zijn', antwoordde Valdimar. 'We zitten nog steeds met onbeantwoorde vragen. Wat we weten is dat Sunneva vrijdagavond om elf uur in een café was. Om twee uur belt ze Björn op en direct daarna rijdt Björn naar Thingvellir. Dat zou erop kunnen wijzen dat ze daarvandaan belde, maar natuurlijk is het ook mogelijk dat hij haar ergens anders heeft opgehaald en dat ze samen naar Thingvellir zijn gereden. De volgende ochtend ligt hij bewusteloos aan de waterkant en zij ligt waarschijnlijk dood in Heidmörk. Een mogelijkheid is natuurlijk dat hij het lijk daarheen heeft gebracht, maar waarom moest hij dan in hemelsnaam als een gek weer terug naar Thingvellir?'

'Misschien dacht hij dat ze in Thingvellir was, terwijl ze in werkelijkheid stoned in Heidmörk of ergens anders zat, wat tot haar dood heeft geleid.'

'Wat vind jij van dat verhaal met die onderbroek?' vroeg Valdimar. 'Denk je dat dat iets te betekenen heeft?'

'Tja, is dat wat Einar zei, niet de meest waarschijnlijke verklaring?' zei Haflidi. 'Dat ze erg verward was toen ze hem aantrok?'

'Misschien wel,' zei Valdimar nadenkend, 'maar het zou natuurlijk ook zo kunnen zijn dat iemand anders haar haar onderbroek heeft aangetrokken. Misschien was ze naakt en helemaal van de wereld en misschien ook misbruikt, zoals

Einar liet doorschemeren, en toen heeft iemand haar aan-aangekleed en naar Heidmörk gebracht.'

'Of ze was al dood toen ze aangekleed werd', zei Haflidi.

'Is dat nou niet al te onwaarschijnlijk?' zei Valdimar. 'Waarom zou iemand zoiets moeten doen?'

'Om het misbruik te verbergen misschien. Ik wil in elk geval om toestemming vragen dat er biologische monsters van Björn worden genomen, zodat we kunnen kijken of dat overeenkomt met dat wat Einar kan vinden.'

'Prima', zei Valdimar. Ze stapten in de auto. 'Zeg, Haflidi', zei Valdimar toen. Haflidi keek hem aan; hij had al min of meer verwacht dat Valdimar zou proberen te ontkomen aan dat wat hij het moeilijkst vond.

'Ik doe het wel', zei hij. 'Ga jij maar met de media praten.'

zevenenveertig

Haflidi had niets hoeven zeggen. Zo ging het altijd: mensen zagen het meteen. De reactie van Hildigunnur verbaasde hem niet; hij was erop voorbereid en pakte haar vast toen ze in de voorkamer van haar stokje ging. Ze zag lijkbleek. Hij ondersteunde haar naar haar stoel. Ze sloeg haar handen voor haar gezicht. Haar lichaam schokte terwijl ze zat te snikken.

Gunnar daarentegen reageerde verrassend.

'Wat is er gebeurd?' bulderde hij. Zijn gezicht was donkerrood aangelopen en zijn stem was gebroken en hees. Hij sprak met dubbele tong. Hij stond in de deuropening van de keuken en stond zo te zien niet al te stevig op zijn benen. Haflidi volgde zijn vaste formule.

'Ik heb helaas erg slecht nieuws voor u. Uw dochter is overleden.'

'Verdomme! Ik vermoord hem!' schreeuwde Gunnar. 'Ik vermoord die klootzak!'

'Houd op!' gilde Hildigunnur. Haar gezicht was een en al verdriet. 'Houd op! Houd op! Houd op!'

Haflidi staarde het echtpaar verbaasd aan.

'Hebt u soms informatie over ...?'

'Het waren Japanse criminelen die haar ontvoerd hadden! Het is allemaal mijn schuld! Ik heb mijn eigen dochter verkocht om die zak van een Björn terug te pakken!'

Hildigunnur hield haar oren dicht en huilde. Dit was veel erger dan Haflidi zich had kunnen voorstellen. Hij wist helemaal niet wat hier gaande was.

'Dit is allemaal mijn schuld, maar Björn ...' snikte Gunnar, '... Björn is verantwoordelijk! Ik ga hem vermoorden; probeer me maar eens tegen te houden! Ik had hem direct moeten vermoorden toen ik hoorde wat hij met zijn smerige poten aan het doen was!'

'Dus u wist van de verhouding van Sunneva en Björn?' vroeg Haflidi om een beetje duidelijkheid uit dit gewauwel te halen.

'Die Japanner! Hij mag het land niet uit!' riep Gunnar.

'Een verhouding van Sunneva en Björn? Dus dat is waar? En jij wist dat?' gilde Hildigunnur. Ze veerde op, sprong op Gunnar af en ramde haar vuist tegen zijn borst alsof ze op een dichte deur bonsde. 'Waarom heb je daar niets aan gedaan? Waarom heb je míj dat niet verteld? En als je nu niet ophoudt over die Japanner, wil ik nooit meer met je praten, dat zweer ik!'

Gunnar probeerde de klap af te weren, maar Haflidi wist niet zeker of hij Hildigunnurs dreigement wel had gehoord.

'Hij zei dat het niet in zijn macht stond om haar vrij te laten. Ze hadden haar dus al vermoord', ging hij verder. Hij haalde een paar keer diep adem. Er ging een rilling door hem heen. 'Wanneer is ze overleden?' vroeg hij. Hildigunnur liet zich weer op haar stoel vallen en bedekte haar gezicht met haar handen.

'Het tijdstip van overlijden zal ergens tussen vrijdagavond en zaterdagochtend geweest zijn', antwoordde Haflidi.

'Dan was ze al dood toen ik met hem sprak', zei Gunnar. De ergste opwinding gleed van hem af en maakte plaats voor een starheid die Haflidi herkende. Hij wist uit ervaring dat het weinig zin had te praten met mensen die er zo aan toe waren; toch probeerde hij erdoorheen te breken voordat het te laat was.

'Hoe kwam u erachter dat Sunneva en Björn een verhouding hadden?' vroeg hij.

'Ik hoorde het aan haar', zei hij afwezig. 'Ze werd helemaal week als ze het over hem had. Ik wilde het haar vragen, maar ik kreeg het niet over mijn hart, dus toen heb ik hem ernaar gevraagd. Hij probeerde eerst tegen me te liegen, maar daar ken ik hem te goed voor. Hij bevestigde dat ze iets met elkaar hadden, maar hij zei dat het niets te betekenen had. Ik zei tegen hem dat het voor mij heel veel te betekenen had. Ik dreigde dat ik hem zou vermoorden. Hij zei dat het niets voorstelde, dat het maar een beetje geflirt was, en hij beloofde dat het ook niet meer dan dat zou worden. Die klootzak heeft dus gelogen. De schoft! Ik ga hem vermoorden.'

'Kalm aan,' zei Haflidi, 'hopelijk krijgt u de gelegenheid om dat op een andere manier op te lossen, maar over wat voor Japanner hebt u het steeds, meneer Grétarson?'

'Ik haat die lul. Eerst gooide hij me uit het bedrijf. Toen blaatte hij in het rond dat ik een zielige alcoholist was. De mensen vertrouwden me niet meer', zei Gunnar verbitterd; zijn kwaadheid was zo te horen weer terug. 'En toen nam hij mijn dochter te grazen. En ik was zo stom dat ik die vent vertrouwde. Toen ik bij de firma weg was, had ik haar moeten vragen een ander zomerbaantje te zoeken. Maar wie had ooit kunnen vermoeden dat hij zo'n onmens was? Ik krijg een smerige smaak in mijn mond als ik aan die griezel denk. Ik hoop dat hij beestachtig aan zijn einde komt.'

'Dat met die Japanner zou u nog nader uitleggen', zei Haflidi, die genoeg van Gunnars woede had. Hildigunnur zat zachtjes op haar stoel te huilen en bemoeide zich niet met dit verhaal.

'Ik was in het buitenland wat indiscreet over de offerte voor het nieuwe sportcentrum waar ze aan werkten', zei Gunnar ziedend van woede met een zijdelingse blik op Hildigunnur. Die zei niets. 'En dat kwam uitgerekend de Japanse partij die een offerte had uitgebracht, ter ore. Dat zijn criminelen! Toen Sunneva verdween, had ik meteen het gevoel dat zij haar ontvoerd hadden. En nu hebben ze haar vermoord.'

'Hebt u reden om te denken dat er iemand in opdracht van die Japanse criminelen hier in het land is?' vroeg Haflidi. Hij kon de scepsis in zijn stem niet helemaal verhullen.

'Ja, dat zeg ik immers!' zei Gunnar kwaad.

'Houd in hemelsnaam je mond!' zei Hildigunnur. 'Hij is soms zo egocentrisch en kinderachtig, die man,' zei ze tegen Haflidi, 'zo'n ongelofelijke idioot.'

'U mag geloven wat u wilt,' zei Gunnar, 'ik vertel alleen wat ik weet. Hun afgezant kwam om met me te praten.'

'O ja?' zei Haflidi. 'Hoe heette hij?'

'Hij heeft zich niet voorgesteld', gromde Gunnar. 'Hij kwam me hier met een huurauto ophalen en heeft me daarna weer hier afgezet.'

'En zei hij iets over Sunneva?'

'Hij zei dat ze het risico liep dat ze haar vader kwijt zou raken. Het zou beter zijn geweest als dat waar was geweest.'

'Hoe zag hij eruit? Weet u iets meer over hem?'

'Ik weet niets over hem behalve dat het een enorme Japanner is met een paardenstaart en dat hij een Toyotajeep van een of ander autoverhuurbedrijf heeft.'

'Sukkel!' zei Hildigunnur.

'Dat zou voldoende moeten zijn om hem op te sporen, mocht dat nodig zijn', zei Haflidi nadenkend.

266

achtenveertig

'Waarom bel je me? Zijn er onverwachte problemen? Heb je hem nog niet afgehandeld?' ratelde een man in het Japans aan één stuk door.

'Ik heb een andere route genomen.'

'Waar heb je het over? Een andere route?'

'Hij had een dochter.'

'Nou en?'

'Nu heeft hij geen dochter meer.'

'Wil je soms zeggen ...'

'De politie heeft haar lijk vanochtend gevonden.'

'Aha. Waarom ben je van onze afspraak afgeweken?'

'Het was een plotselinge ingeving. Het was nou niet bepaald een leuke taak: ik moest hier dagenlang rondhangen en wachten totdat die vent uit het buitenland terug zou komen. Waarschijnlijk was hij nog steeds niet gekomen als ik mezelf geen tijd had bespaard met die dochter van hem.'

'Ik had jou nooit moeten inhuren: jij weet nooit wanneer je moet ophouden. Hebben we het in verband met deze zaak ooit over zijn dochter gehad?'

'Maakt dat zo veel uit? Is dit geen prima oplossing?'

'Verdomme, dat weet ik niet. Het is helemaal niet de uitkomst die we wilden. We zijn in het algemeen ontevreden over deze zaak; je hebt heel wat uit te leggen als je terugkomt. Wat als hij de politie op je af stuurt?'

'Die zal geen bewijzen tegen mij vinden.'

'Weet je eigenlijk wel wat je doet?'

'Ik weet altijd wat ik doe.'

Hananda Nau verbrak de verbinding en ging met zijn benen over elkaar tegen de muur van zijn hotelkamer zitten. De grijze hemel buiten riep sombere gedachten in hem op. Het zag ernaar uit dat het gauw zou gaan regenen. Hij had een vlucht voor die avond geboekt en hoopte dat niets hem zou verhinderen zijn vliegtuig te halen.

negenenveertig

Hallgrímur kreeg een scheut in zijn mond; bijna had hij benzine in zijn longen gekregen. Hij voelde zich misselijk, maar herinnerde zich die lachwekkende zondag toen hij elf was en een poging had gedaan om zich met een paar vriendjes van dezelfde leeftijd te bezuipen door middel van benzine. Een van hen, een jongen met engelachtig wit krulhaar die Freyr heette, had gehoord dat je op deze manier echt high kon worden. Eerst hadden ze in een verhouding van één op tien benzine met limonade vermengd, maar zelfs toen hadden ze nog moeite gehad met doorslikken. Uiteindelijk hadden ze niet veel binnengekregen, maar een paar slokjes in elk geval. Hallgrímur herinnerde zich niet dat hij zich van dit vreselijke mengsel dronken had gevoeld. In plaats daarvan was de unanieme conclusie van de vrienden geweest dat degene die Freyr eerder had overtuigd, een idioot of een leugenaar was en ze achtten het bewezen dat dit hopeloos was.

Er was geen reden om de hele tank leeg te laten lopen, maar toch liet Hallgrímur het merendeel eruit lopen in een grote emmer die hij naast de auto had neergezet. Hij had de emmer al een keer gevuld en hem door een trechter leeggegoten in een van de twee jerrycans die hij van tevoren had gekocht. De jerrycan die hij al met benzine gevuld had, stond in de kofferbak.

Hij had erop gerekend dat zijn moeder zich ermee zou

gaan bemoeien en hij had zich niet vergist: opeens stond ze achter hem.

'Wat ben je eigenlijk aan het doen?'

'Ik moet morgen met de auto naar de garage en ze zeiden dat het beter was als er zo min mogelijk benzine in de tank zat.'

'Je laat het uit je hoofd om die jerrycans mee naar binnen te nemen: het hele huis gaat ernaar stinken.'

'Groot gelijk: ik laat het uit mijn hoofd.'

Zijn gsm ging. Hij keek op het scherm voordat hij opnam; er stond 'Marteinn' op.

'Alles oké?'

'Ja, ik denk van wel. De politie heeft met me gepraat.'

'En?'

'Dat is een beetje een lang verhaal. Kan ik niet even langskomen?'

'Ja, ja. Wanneer?'

'Nu?'

'Oké, tot zo.'

vijftig

Gunnar zat alleen thuis, eenzamer dan hij ooit in welk huis dan ook was geweest, toen de telefoon ging.

'Ik zag dat de politie bij jullie was. Is er nieuws?'

'Ze is dood, Ingi. Ze hebben haar vermoord, begrijp je? Het is allemaal voorbij.'

Gunnar was verbaasd over het feit dat zijn verdriet niet zwaarder was; het knaagde aan zijn geweten, maar hij nam aan dat de echte rouw later zou komen. Als hij geen schuld aan haar dood zou hebben gehad, had hij in alle hevigheid om haar kunnen rouwen, dacht hij. Hildigunnur had hem niet mee willen hebben toen ze het lijk moest gaan identificeren. Hij kon Sunneva later zien, had ze gezegd, wanneer hij weer nuchter was, en hij had daarmee ingestemd.

Ingi Geir slaakte een hartverscheurende kreet, die na enkele seconden in dito geschreeuw overging.

'De klootzak! Ik vermoord hem!'

'Goed idee', mompelde Gunnar, die ineens in de mist van zijn gedachten een glimpje licht zag opdoemen. 'We moeten elkaar helpen. Laten we die vent doodschieten; ik heb een geweer.'

'Wie wil je doodschieten?' vroeg Ingi Geir.

'Die Japanner. Ik moet hem alleen zien te vinden.'

'Die Japanner, hoezo? Waar heb je het eigenlijk over? Het was helemaal geen stomme Japanner! Ik heb de vent die haar vermoord heeft, gezien en ik weet hoe ik hem te pakken moet krijgen. Houd toch op aan Japanners te denken: die bestaan alleen in jouw hoofd!'

Toen hing hij op.

Gunnar werd door een dusdanig overweldigend schuldgevoel overmand dat hij amper de woonkamer in kon wankelen om zichzelf een glas in te schenken.

eenenvijftig

'Wat heeft het in vredesnaam te betekenen dat jij met drei-
gementen en grove taal bij een oude vriend van ons komt
binnenvallen? Agentje zijn is zeker nog niet genoeg voor je,
dus ben je ook maar fascist geworden?'

Zijn vader was midden op de dag met een knalrode kop
zijn afdeling binnengestormd. Valdimar had niet geweten
hoe hij zijn eis om een gesprek onder vier ogen moest
opvatten, maar uiteindelijk sloot hij zichzelf met zijn vader
in een verhoorkamer in. Ze zaten elk aan weerszijden van de
tafel. Eggert was voor hem naar binnen gemarcheerd en was
gaan zitten aan de kant waar de politie altijd zat, waardoor
Valdimar op de plek van de verdachte plaats had moeten
nemen.

'Bedoel je Elvar? Heeft die gek bij jou over mij zitten klagen?'

'Dat zou beter zijn geweest, maar nee: je zus heeft dit aan
hem ontfutseld.'

'In plaats van je zo op te winden zou je me liever moeten
bedanken voor het feit dat ik je kleinzoon uit de klauwen van
een kinderverkrachter heb gered.'

'O, dus Elvar is een kinderverkrachter? Hij is net zomin
een kinderverkrachter als jij, verdomde fascist die je bent!'

'Jij noemt iedereen die geen wiet rookt, een fascist! En ik
zou als geen ander moeten weten of jouw vriendje Elvar een

kinderverkrachter is of niet, want hij zat na mamma's overlijden achter mij aan.'

'Soms denk ik dat er tussen jouw oren niets anders zit dan loze clichés, mensenhaat en vooroordelen.'

'Waar heb je het over? Denk je dat ik me dit niet herinner? Denk je dat ik me niet herinner hoe hij mijn slaapkamer binnenkwam en me over mijn wangen en schouders aaide met die weerzinwekkende zachte handen van hem die naar een of andere homoachtige lotion roken? Ik lag 's nachts wakker van angst dat hij me zou komen verkrachten.'

'Je moet jezelf eens horen, mispunt! Je lag gewoon wakker van je eigen kleinzieligheid! Dat uitgerekend ik zo'n bekrompen ettertje heb voortgebracht dat niet verder kan kijken dan zijn neus lang is, omdat hij zichzelf in de kont kruipt! O meneer Valdimar, kom eens naar buiten en kijk eens om u heen! De wereld bestaat uit veel meer dan alleen de kronkels in uw endeldarm!'

'Waar was jij toen Elvar met zijn homogeurtje langskwam om mij overal te betasten?'

'Ik zat mezelf buiten bewusteloos te drinken en te roken, zoals je zelf verdomd goed weet! Ik dronk mijn zorgen van me af omdat mijn vrouw het had opgegeven en zelfmoord had gepleegd.'

'Jij hield allang niet meer van haar!'

'Waag het niet mij te vertellen welke gevoelens ik voor je moeder had! Jij hebt gewoon geen idee waar je het over hebt.'

'Jij dronk en rookte om je beter te voelen. En ik dan? Ik kreeg alleen een homo over me heen die me in mijn kont wilde neuken!'

'Elvar probeerde voor je te zorgen omdat ik hem daarom had gevraagd. Hij is de aardigste vent die je je kunt voorstellen. Alle andere kinderen zijn gek op hem en hij zou zichzelf liever zijn rechterhand afhakken dan dat hij een kind iets zou aandoen! Ik had nooit gedacht dat iemand zo stom zou zijn dat hij dat niet zou zien. Je moeder vertrouwde hem van al onze vrienden het meest, want hij deed nooit stomme dingen. Het was met name vanwege je moeder dat ik Elvar vroeg of hij wilde proberen contact met je te krijgen en door die schulp die jij om jezelf aan het optrekken was, heen te breken. Deze krankzinnige beschuldigingen zijn niets anders dan jouw eigen bekrompen fantasieën. Jij vindt mij niet goed genoeg omdat ik niet precies ben zoals andere vaders, dat weet ik, maar ik dacht dat zelfs jij je niet in Elvar zou vergissen. Hij is zo'n ongelofelijk goed mens dat hij bijna een zacht ei is, maar jij ziet in hem een monster, omdat je rondloopt met een bril die jou gevoelloos maakt en waar je vooroordelen en je mensenhaat als een dikke laag vuil op zitten. Wat zou je moeder zich voor jou schamen als ze je kon horen!'

Valdimar was met stomheid geslagen: hij staarde zijn vader aan en zocht in zijn hoofd wanhopig naar steekhoudende argumenten. Hij kon zich niet herinneren dat hij zijn vader ooit zo kwaad had gezien.

'Ze pleegde zelfmoord vanwege jou, omdat jij haar altijd aan het belazeren was,' zei hij toen, 'dus het was jouw schuld.'

Zelfs in zijn oren klonk deze beschuldiging vreemd. Het was uitgerekend dat wat hij nog nooit had hoeven zeggen en wat hij zijn hele leven lang nooit had willen zeggen.

'Dus dát denk jij!' zei zijn vader. 'Godallemachtig, jij arme imbeciel!'

Toen stond hij moeizaam op en liep weg zonder er nog een woord aan toe te voegen.

tweeënvijftig

'Wat is de doodsoorzaak dan wel?' vroeg Haflidi vermoeid. Valdimar kwam binnen en keek hem scherp aan.

'Verstikking, zoals ik direct al vermoedde,' zei de lijkschouwer door de telefoon, 'maar ik denk dat we in dit geval van doodslag zonder voorbedachten rade kunnen spreken. Ze is met ghb gedrogeerd en het ziet ernaar uit dat iemand haar later nog een dosis ghb heeft toegediend. Waarschijnlijk heeft die tweede dosis ervoor gezorgd dat ze heeft overgegeven terwijl ze op haar rug lag, en bij haar geringe mate van bewustzijn is ze toen in haar eigen braaksel gestikt. Dat is mijn conclusie.'

'En hoe zit het met die mogelijke biologische sporen waar je naar zou kijken?'

'Die waren niet aanwezig. Zoals ik al zei zat er glijmiddel in de endeldarm, maar verder niets.'

'En is ze verkracht of niet?'

'Daar kan ik helaas geen nadere uitspraken over doen: daar zijn geen afdoende tekenen van, maar aan de andere kant moet je erbij stilstaan dat bij een geringe mate van bewustzijn alle spieren slapper zijn dan wanneer je volledig bij bewustzijn bent.'

'Daar worden we weinig wijzer van', zei Valdimar toen zijn collega hem van de details van het telefoongesprek op de hoogte had gesteld.

'Het belangrijkste weten we nu in elk geval: Sunneva was gedrogeerd met een verdovend middel, hetgeen tot haar dood heeft geleid', protesteerde Haflidi.

'Ja, maar afgezien daarvan weten we niet wat er gebeurd is of wie erbij betrokken was.'

'Nee, dat klopt', gaf Haflidi toe.

'Het past niet echt bij Björn om ghb te gebruiken, wat jij?'

'Tja, waarom niet?'

'Ze hadden een verhouding: hij had geen drugs nodig om haar in bed te krijgen.'

'Tenzij zij het uitmaakte en hij dat niet kon verdragen.'

'Is het echt iemands eerste reactie om een jonge vrouw te drogeren en te verkrachten wanneer zij het uitmaakt? We mogen ook niet vergeten dat ze hem die avond heeft opgebeld. Moeten we ervan uitgaan dat ze hem vanuit dat café heeft opgebeld om hem te vragen of hij wilde komen? En dat hij ghb meenam – dat hij toevallig bij de hand had voor het geval hij iemand wilde verkrachten – en het stiekem in haar bier deed, haar op een onbekende plek verkrachtte, haar vervolgens naar Heidmörk bracht en toen naar Thingvellir is gereden om daar bij een val op zijn hoofd gewond te raken? Is dat niet een beetje te veel van het goede op één avond?'

'Ja, als je het zo stelt, klinkt het niet erg aannemelijk. We moeten er dus op rekenen dat er ten minste één onbekende partij in het verhaal voorkomt.'

'Dat lijkt me duidelijk', zei Valdimar. Hij keek ernstig. 'Hoe zit het met die Japanner van Gunnar?'

'Toevallig is er een Japanner die aan Gunnars beschrijving

voldoet en tot ons grote genoegen stond hij eergisteren toevallig op de voorpagina van het *Nieuwsblad.*'

'Bedoel je de man die dat kind heeft gered?'

'Die, ja. Ik heb al contact met zijn hotel opgenomen. Naar verluidt verlaat hij vanavond het land, tenzij wij hem tegenhouden en hem arresteren op verdenking van een ontvoering of een moord die vrijdagavond plaatsgevonden heeft, wat trouwens ook de dag was waarop hij dat kind heeft gered.'

'Godallemachtig.'

'Precies', zei Haflidi.

'Heb je verder nog nieuws?'

'We hebben een overzicht van Björns en Sunneva's telefoongebruik van de afgelopen week binnengekregen, zowel van hun vaste nummers als van hun gsm-nummers. Daarnaast hebben we de resultaten van het onderzoek naar hun kleren gekregen.'

'Zat er iets interessants bij?'

'Die telefoonnummers moeten we nauwkeurig nalopen, met name die van haar. Het meest interessante is een sms-bericht van hem op zaterdag. Kijk zelf maar', zei hij terwijl hij Valdimar een stapel papieren toewierp. Hij floot. '"Wil je om 11 uur vanavond in Grand Rokk zien. P.S. niet antwoorden of bellen." Daar hebben we het. Moeten we er niet van uitgaan dat hij naar een door hemzelf geregeld afspraakje is gegaan?'

'Dat is de vraag. Eva zegt dat hij tot laat in de avond op zijn werk zat, dus hij had in elk geval de gelegenheid om bij Grand Rokk langs te gaan.'

Valdimar stond een tijdje naar het nummeroverzicht te kijken.

'Vanaf welke gsm is Björn 's nachts een paar keer gebeld?'

'Dat was Eva.'

'Ja, zij is begonnen vanaf hun huistelefoon te bellen en heeft hem daarna vanaf haar gsm gebeld.'

'Dat komt overeen met wat ze zelf zegt. Ze zei dat ze wakker had gelegen en haar man met regelmatige tussenpozen heeft opgebeld.'

'Precies, maar hij nam niet op, zoals hier te zien valt', zei Valdimar. Hij zuchtte. Toen begon hij het rapport van de technische recherche door te nemen. Een paar minuten later veerde hij op en zwaaide met een uitgeprinte foto. 'Haar trui!'

'Wat is daarmee?'

'Ik heb die trui eergisteren in Björns zomerhuisje gezien.' Haflidi keek hem aan.

'Weet je dat zeker?'

'Deze trui lijkt er in elk geval erg op.'

'Hoe groot is de kans dat het dezelfde is?'

'Niet erg. Hebben jullie daar foto's genomen?'

'Nee, daar zag ik geen reden toe.'

'Als dit dezelfde trui is ...' zei Haflidi nadenkend.

'Dan is het lijk ergens bij dat huisje geweest!' zei Valdimar. 'Die misselijke etterbak! Hij heeft Sunneva haar trui aangetrokken en haar weggebracht! En ik had nog wel medelijden met hem! Hij was degene die bij haar heeft ingebroken. Dat heeft hij tegenover mij bekend; dat moest ik je nog vertellen!'

'De lul! Daarvoor kunnen we hem in elk geval arresteren.'

'Die verdomde klootzak! Kom, we zullen eens gaan kijken of hij thuis is!'

drieënvijftig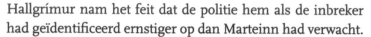

Hallgrímur nam het feit dat de politie hem als de inbreker had geïdentificeerd ernstiger op dan Marteinn had verwacht.

'Ik hoor al dat jij helemaal niet doorhebt wat voor geweldige puinzooi dit is! Ze kunnen het jou allemaal zo in de schoenen schuiven, dat is duidelijk: jij breekt op een dag bij haar in en daarna vermoord je haar. Bekijk het eens vanuit hun gezichtspunt. En nu hebben ze haar gevonden. Wat ga je hun vertellen?'

Alsof er een teken gegeven werd, ging de gsm in Marteinns zak. De vrienden keken elkaar even aan voordat Marteinn opnam.

'Hallo.'

'Hallo, Marteinn, met Valdimar Eggertsson.'

Er klonk een bepaald soort vriendelijkheid en voorzichtigheid in zijn stem die er bij hun laatste gesprek niet was geweest, een vreemd soort sinistere hoop dat hij hem niet zou afschrikken.

'Waar ben je?'

'Thuis', loog Marteinn. Hij had nihil komma nul zin om met deze man te praten.

'Ik moet eigenlijk met je praten', zei Valdimar veel te beleefd.

'Geen probleem', zei Marteinn gespannen.

'Onder vier ogen.'

'We hebben toch pas nog met elkaar gepraat?' vroeg Marteinn.

'Ik moet je nog een paar dingen vragen', zei Valdimar. Er lag een scherpe ondertoon in zijn stem.

'Kunt u die niet gewoon over de telefoon stellen?'

'Vertel me nou maar waar je bent, dan kom ik naar je toe.'

'Ik zei toch net dat ik thuis was?'

Valdimar gaf hier geen antwoord op; na een korte stilte zei hij: 'De situatie is als volgt: voor jou is het de moeite waard dat je geen onzin uithaalt. Je weet dat ik je hoe dan ook vind, Marteinn, en het is des te beter als ik je niet hoef op te sporen. Ik sta aan jouw kant en daar zou je je voordeel mee moeten proberen te doen, voordat het te laat is.'

'Waar hebt u het eigenlijk over?'

'De trui, Marteinn. Die had je in het zomerhuisje moeten laten liggen.'

'Ik moet nu ophangen', zei Marteinn; hij hoorde hoe zijn stem trilde van de zenuwen. Hij hing op voordat de rechercheur kon reageren.

vierenvijftig

Ingi Geir had in zijn vuistje gelachen toen de politie hem het adres had gegeven. Het melden van een botsing met een stationaire auto en het noemen van een getuige die het vanuit zijn raam had gezien en het kenteken had genoteerd, was voldoende geweest. Men had veel begrip voor dit verhaal gehad, maar helaas kon hij met deze premissen geen aanklacht indienen, zeiden ze; het enige wat hij kon doen, was zelf zijn recht proberen te halen. En dat was hij nou net van plan.

De auto, een Nissan Sunny, stond voor de deur. Hij herkende de auto van toen hij die lul Sunneva had zien wegbrengen op de avond van haar verdwijning. Hij belde aan zonder het hagelgeweer van zijn vader uit zijn tas te halen. De vrouw die opendeed, had een forse mond, maar dunne lippen; het vel boven en onder haar mond viel in loodrechte plooien toen ze haar lippen tuitte, terwijl ze hem bekeek. Vanuit het huis kwam het oorverdovende lawaai van de televisie. Hij glimlachte kruiperig tegen haar terwijl hij de sporttas met daarin het geladen geweer openritste. Hij probeerde deze beweging niet te laten opvallen, maar terwijl hij de tas openritste, staarde ze naar zijn hand alsof ze dacht dat hij een onverwachte prijs van een of andere loterij tevoorschijn wilde halen.

'Is Hallgrímur thuis?' vroeg hij terwijl hij bleef glimlachen. Hij hoefde zijn glimlach op zich niet te veinzen; hij hoefde alleen zijn triomfantelijke wraakzucht en gewelddadigheid te maskeren, die anders naast zijn gedachten ongetwijfeld ook zijn gelaatsuitdrukking hadden overheerst. Even schoot de belachelijke gedachte door zijn hoofd dat hij blij was dat Sunneva dood was. Hij zou haar hoe dan ook zijn kwijtgeraakt en nu kon hij haar wreken en zijn eigen leven omwille van haar in de waagschaal stellen. Hij maakte zich geen illusies over de vraag of hij de misdaad die hij op het punt stond te begaan, ongestraft kon plegen.

'Ze zitten boven', zei de vrouw. Op haar gezicht tekende zich teleurstelling af, alsof ze gehoopt had dat hij voor haar was gekomen. Ze knikte met haar hoofd in de richting van de trap links naast de voorkamer en liep wiegend met haar stevige heupen in haar strakke spijkerbroek de woonkamer in. Ingi Geir liep de trap een paar passen op en haalde toen het geweer uit zijn tas.

Hij wist dat Hallgrímur niet alleen was, maar het kwam echt als een verrassing dat zijn gast die lul van een jongen was die eerder bij Sunneva rondhing. Ze zaten als meiden op een pyjamafeestje tegenover elkaar op de vloer; zo te zien waren ze in gesprek verzonken en ze keken behoorlijk zielig toen hij met zijn geweer binnenstormde en de veiligheidspal eraf haalde.

'*End of private party*', zei Ingi Geir; deze zin kwam uit een of andere bioscoopfilm en hij sprak hem met een licht Schwarzenegger-accent uit. Hij had meteen spijt van zijn aanpak, want misschien namen ze hem nu niet serieus.

'Wat ...' zei Hallgrímur terwijl hij hem stomverbaasd aanstaarde. Ingi Geir genoot van het moment en wachtte een flinke tijd voordat hij reageerde. Hij moest zichzelf eraan herinneren waarom hij daar was: hij moest de herinnering

283

aan Sunneva, die deze creep naar haar dood had gereden, in zichzelf hooghouden. Hij liep op hem af, duwde de loop van het geweer onder zijn kin en dwong hem omhoog te kijken. Het was bijna te mooi om waar te zijn.

'Haal het niet in je hoofd om iets te proberen', zei hij tegen de andere jongen, een zielige gluurder met donker haar die eruitzag als een buitenlander. Hij knikte; zo te zien was hij buiten zinnen van angst. Ingi Geir lachte en deed een paar passen achteruit, zodat hij hen beiden in het vizier had. Hij zwaaide de loop heen en weer en richtte hem om beurten op de een of de ander.

'Zit jij niet in het verkeerde huis, man?' stamelde Hallgrímur. Ingi Geir grijnsde macho.

'In het verkeerde huis? Je moet zelf maar bepalen of dit huis verkeerd is, maar als je vraagt of ik hier verkeerd ben: nee, ik ben hier aan het juiste adres. En ik ben ook erg blij dat ik je handlangertje hier bij je aantref. Ik ben een vriend van Sunneva, de vrouw die jullie vermoord hebben, stelletje klootzakken.'

'Wij hebben haar helemaal niet vermoord', zei Marteinn bang, maar beslist.

'Dat zal wel, kutjong. Waarom hing jij steeds bij haar rond? Waarom achtervolgde je haar als een seriemoordenaar door de stad? Ja, ik heb je gezien! En toen heb je je vriend in de arm genomen. Ja, jij,' zei hij tegen Hallgrímur, die zijn handen omhoogdeed, 'ik heb je gezien toen je haar oppikte en nu ga ik jullie door jullie kop schieten, stelletje schoften.' Om zijn woorden kracht bij te zetten schoot hij eerst op de kroonluchter die boven de hoofden van de jongens hing. Hij spatte in stukken uiteen, die op hun hoofden vielen. De knal was enorm; ze gilden allebei om het hardst, een lust voor Ingi Geirs oor. Hij had nog vier schoten over en hij was van plan ze allemaal te gebruiken: eerst nog één om hen bang te maken, dan één schot per persoon door het hoofd en de laatste voor de zekerheid. Hij ging ervan uit dat Hallgrímurs moeder de politie aan het bellen was, maar was er niet bang voor dat hij niet genoeg tijd zou hebben, want iemand vermoorden kostte niet veel tijd. Misschien kon hij hen beter in hun maag schieten, want in films werd vaak gezegd dat dat de pijnlijkste manier was om aan je einde te komen, maar dan moest niemand zich met hen bemoeien totdat ze dood waren ... Nee, het was veiliger om hen door hun hoofd of in de borst te schieten. Hij wilde niet veroordeeld worden voor een mislukte moord: de mensen zouden hem toch maar uitlachen.

'Tja jongens, nu is het niet zo leuk meer om moordenaar te zijn, of wel soms?' zei Ingi Geir. Hij wilde hun paniek langer laten duren en hoopte dat ze het in hun broek zouden doen van angst. Hij vroeg zich af hoe hij hen kon vernederen, maar hij wist zo gauw niets snedigs te zeggen. Moest hij hen dan maar laten smeken om hen te sparen, voordat hij hen neerschoot?

Hij hoorde het oude mens schreeuwend van kwaadheid de trap op komen. Mensen konden soms zo stom zijn. Dacht ze soms dat dit niet serieus was? Hij was er niet in geïnteresseerd haar iets aan te doen: het gaf weinig kick om een potig mens van middelbare leeftijd neer te schieten. Hij nam het geweer in zijn andere hand en hield het met zijn linkerhand zo vast dat hij door ermee te zwaaien de vrouw angst kon aanjagen, zodat ze zou begrijpen dat hij hier de lakens uitdeelde, en zou oprotten; anders moest hij een schot opofferen door haar in de benen te schieten.

Maar hij had de situatie verkeerd ingeschat. Toen de vrouw de kamer in kwam rennen en hij naar haar keek om oogcontact te krijgen, terwijl hij het geweer in de lucht hield, gooide ze hem een volle emmer smerig schoonmaakwater met Ajax erdoor in zijn gezicht.

'Wilde jij mijn kind vermoorden, etterbak?' gilde de vrouw.

Ingi Geir hapte naar adem toen het koude water hem raakte. Door het schoonmaakmiddel in zijn ogen zag hij niets meer, hij loste onwillekeurig een schot en hij voelde dat iemand de emmer tegen zijn wang sloeg. Door de terugslag liet hij het geweer vallen en hij voelde een brandende pijn in de duim van zijn linkerhand. Vervolgens werd hij van achteren bij zijn nek gegrepen en iemand – waarschijnlijk het monster met de emmer – beet hem in zijn hand. Halfblind zocht hij zijn weg naar de trap. Het werd hem hier te gevaarlijk: hij was bang dat ze hem zouden vermoorden. Er werd hard tegen zijn kont getrapt, waardoor hij de leuning moest vastpakken om niet van de trap naar beneden te vallen. Vanuit de woonkamer dreunden belachelijke hoge bastonen in snelle en strakke muziek bij het hartstochtelijk rappen van zwarte rappers.

'Maak dat je hier wegkomt, vuile drugsrunner!' gilde het monster. 'En als je terugkomt, dan ... dan krijg je met mij te doen!'

Hij liet zich dat geen tweemaal zeggen en rende naar de deur, gooide hem open en holde naar buiten.

vijfenvijftig

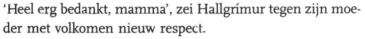

'Heel erg bedankt, mamma', zei Hallgrímur tegen zijn moeder met volkomen nieuw respect.

'Een mens moet zijn gezin niet laten molesteren door zo'n gek', zei zijn moeder triomfantelijk. 'Ik ga nu de politie bellen, zodat hij niet ontkomt.'

'Ach, mamma, zou je dat alsjeblieft niet willen doen?'

Ze keek hem vragend aan.

'Had ik dat nou goed begrepen?'

'Wat?'

'Dat het iemand was die geld voor drugs kwam ophalen?' vroeg ze. Hallgrímur knikte. 'Wat heb ik altijd tegen je gezegd over drugs?' zei ze terwijl ze hem streng aankeek.

'We zijn ermee gestopt', zei hij vlug. 'Dit was geweldig, mamma. Je mag mijn auto de hele week lenen.'

'Probeer je je moeder om te kopen, zodat ze haar mond houdt?'

'Helemaal niet: ik wil echt alleen mijn dankbaarheid tonen. Wacht nog even, Marteinn', zei hij tegen zijn vriend, die aanstalten maakte om stilletjes weg te gaan. 'Wij moeten nog even met elkaar praten, mamma.'

Ze wierp hem een nieuwsgierige blik toe en liep toen de trap af.

'Kende jij die vent?' vroeg Marteinn.

'Nog nooit gezien. Een ex van Sunneva, neem ik aan. Wat

een gek; in de toekomst moeten we zeker voor hem oppassen.'

Marteinn verkeerde nog half in shock, maar ergens in de nevel van zijn gedachten begonnen wat dingetjes te dagen. 'Waar had hij het over? Wanneer heb jij haar opgepikt?'

'Dat wilde ik je net uitleggen. Wacht even, ik haal even een biertje: vaak een behoefte, maar nu bittere noodzaak. Ik neem er ook eentje voor jou mee.'

Hallgrímur liep de trap af en kwam even later met twee grote glazen bier terug. Hij leegde het zijne in drie teugen en ook Marteinn nam een flinke slok.

'Wat is er aan de hand, Hallgrímur?' vroeg hij met gefronste wenkbrauwen. Ineens laaide het wantrouwen jegens zijn vriend op: Hallgrímur had hem zo te zien niet de hele waarheid verteld. 'Ik denk dat ik maar ga', zei hij en hij stond op.

'Even geduld, Marteinn. Het klopt dat ik haar heb opgepikt, maar ik kan je uitleggen waarom: ik probeerde jou te helpen.'

'Mij te helpen? Waar heb je het eigenlijk over?' vroeg Marteinn terwijl in zijn hoofd angst en kwaadheid om de macht streden.

'Had jij het er niet over dat je van Sunneva af wilde?'

'Niet door haar te vermoorden.'

'Ik heb haar helemaal niet vermoord. Wat heb jij toch? Ben je gek geworden?'

'Wat heb je dan gedaan?'

'Ik ben met haar naar jullie zomerhuisje gereden. Om haar te neuken.'

'Ik ga.'

'Wacht nou even. Luister naar me, dan mag je weg.'

'Waarom ging jij in godsnaam met haar naar ons zomerhuisje?'

'Om pornofoto's van haar te maken en die aan je vader te sturen of ze op het internet te zetten, zodat hij het zou uitmaken.'

'En zij moest jou gewoon toestemming geven om foto's van haar te nemen?'

'Nou ja, ik gaf haar wat ghb, want dan merken ze er haast niets van.'

'Ik ben weg.'

'Wacht, ik deed het voor jou.'

'En wat gebeurde er toen? Waarom ging mijn vader daarheen en hoe is hij gewond geraakt en waarom is zij dood?'

'Dat weet ik niet, man. Ik heb haar daar gewoon achtergelaten. Ze moet je vader hebben opgebeld, zodat hij haar zou komen ophalen, en daarna is er zeker iets uit de hand gelopen. Hij zal wel kwaad zijn geworden en wat gedaan hebben. Hij moet zich maar verantwoorden wanneer hij weer bij bewustzijn is.'

'Als jij denkt dat ik pappa laat opdraaien voor een misdaad die jij hebt gepleegd, dan ben je knettergek.'

'Jouw vader is helemaal niet zo onschuldig als jij denkt.'

'Wat bedoel je daarmee?'

'Gewoon. Wil je dit niet gewoon op zijn beloop laten? Als je vader weer bij bewustzijn komt, ga ik naar de politie om hun mijn kant van het verhaal te vertellen, want anders komen ze er nooit achter.'

'Natuurlijk komen ze er wel achter! Er is een getuige die gezien heeft dat jij haar oppikte! En daar kan ik mijn mond echt niet over houden!'

'Ik heb mijn mond gehouden toen jij me vroeg of ik je wilde helpen met dat lijk.'

'Dat was heel iets anders ...' zei Marteinn. Hij begon duizelig te worden.

'Ja, natuurlijk', zei Hallgrímur sarcastisch. 'Wanneer jij mij vraagt om een lijk met je te verplaatsen, dan is dat volkomen vanzelfsprekend, maar als ik jou vraag je mond te houden over een kleine misstap die ik heb begaan en die mijn leven zou kunnen verkloten, dan is dat jammer genoeg niet mogelijk, ook al deed ik jou er een plezier mee.'

'Je bent niet goed snik.'

'Dus je wilt met de politie praten?'

'Ik kan niet anders.'

'Ik wist het. Klootzak!'

Marteinn wilde opstaan, maar hij was zo duizelig dat hij amper op zijn benen kon staan en alles onscherp zag.

'Moet ik je helpen?' zei een stem vanuit de mist en een sterke hand trok hem uit zijn stoel omhoog.

zesenvijftig

Haflidi en Valdimar zaten zwijgend voor Marteinns huis te wachten totdat hij thuis zou komen. Hij moest uiteindelijk een keer thuiskomen en Valdimar hoopte voor de jongen dat dat liever vroeger dan later zou zijn. Nu viel alles in zijn hoofd op zijn plaats. Aangezien de trui in het zomerhuisje was geweest, was het lichaam van Sunneva daar ongetwijfeld ook in de buurt geweest. Die sukkel van een jongen had het lijk naar een neutralere plek gebracht om zijn vader te redden uit de netelige situatie waarin hij zonder meer beland zou zijn, als het lijk met hem in verband zou zijn gebracht. Valdimar was buiten zinnen van verachting. Normaal gesproken zouden zijn vingers jeuken om Marteinn net zo lang door elkaar te schudden totdat hij bekende. En hij sukkel was nog wel van plan geweest om Marteinn onder die inbraak uit te laten komen! Na het gesprek met zijn vader was Valdimar echter niet in de stemming om iemand in elkaar te slaan. De drijfveer in de hele zaak was, zoals hij vanaf het begin al had gedacht, de wanhoop van een oude bok die zijn sappige, groene blaadje kwijtraakte en daarna de ruïnes van zijn eigen huwelijk en zijn gezin onder ogen moest zien. Maar ghb? Wat had die vent wel niet gedacht?

De gsm in Haflidi's jaszak rinkelde.

'Met Haflidi. Hè? Ene Ingi Geir?' zei hij terwijl hij Valdimar aankeek.

'Aha, dus u bent gekomen', zei de vrouw. Haar mond vertrok toen ze zich voorstelden. 'Ik weet niet of ze met drugs rotzooien, die jongens, maar ik wil benadrukken dat ikzelf mij niet met zulke dingen bezighoud.'

Valdimar en Haflidi keken de vrouw verbaasd aan. Haflidi was degene die vroeg wat ze allebei dachten: 'Pardon, maar waar hebt u het over?'

'Bent u niet gekomen vanwege die vent met dat geweer? Ik zat gewoon rustig naar een dvd te kijken en toen kwam er een jongeman aan de deur met een geweer in zijn tas; dat zag ik natuurlijk niet, dus ik liet hem binnen en wees hem de weg naar boven, naar de jongens – Hallgrímurs vriend Marteinn zat bij hem – en na een paar minuten hoorde ik een dreunende knal daarboven. Er zit nu een enorm gat in de betimmering, maar gelukkig schijnt het schot niet door het dak te zijn gegaan. Ik schrok me natuurlijk dood, maar ik ben naar boven gegaan en heb die vent laten afkoelen met een emmer sop die ik godzijdank vergeten had in de gootsteen leeg te gooien.'

'Is Marteinn hier?' vroeg Valdimar gehaast.

'Waarvoor bent u eigenlijk gekomen?' vroeg de vrouw wantrouwig.

'Wij kregen een tip dat Hallgrímur betrokken is bij een zaak die we momenteel in onderzoek hebben,' zei Haflidi, 'een zaak die ook Marteinn betreft. Zitten ze boven?'

'Nee,' zei de vrouw, 'Marteinn was na die schietpartij helemaal ondersteboven en Hallgrímur wilde hem naar huis brengen.'

'Mogen we even boven kijken?' zei Valdimar.

'Ja, ik denk het wel', zei de vrouw. 'Maar moeten jullie geen huiszoekingsbevel of zoiets hebben?' wierp ze tegen.

'Niet als u ons toestemming geeft rond te kijken. Moeten

we dat met dat schot niet onderzoeken?' vroeg Haflidi.

'Ja, misschien is dat wel zo goed, nu u hier toch bent', gaf ze toe.

De bovenverdieping bestond uit één ruimte met een schuin aflopend plafond. In een hoek zag Valdimar een computerscherm flikkeren. Hij liep ernaartoe. De beeldschermbeveiliging was aan en over het beeldscherm cirkelde de mededeling 'Fikken af!' Uit een mengeling van pure koppigheid en nieuwsgierigheid gaf Valdimar geen gehoor aan dit bevel: hij bewoog de muis, zodat het scherm in beeld kwam. Door een oude gewoonte uit de tijd dat hij de computers van tig criminelen onderzocht, die zo veel meer over hen zeiden dan zijzelf deden, bewoog hij de cursor naar de hoek linksonder en toen het keuzemenu tevoorschijn kwam, koos hij 'onlangs geopende documenten'. Hij zag meteen een naam van een document die zijn onverdeelde belangstelling wekte.

'Er zit hier inderdaad een enorm gat in het plafond', zei Haflidi. 'Wat doe je?' vroeg hij toen hij geen reactie kreeg.

Valdimar had ontdekt dat het betreffende document gewist was. Hij verwachtte dat de jongens van de computerafdeling geen problemen zouden hebben om het indien nodig boven water te krijgen. Hij wist ook dat hij beslag op deze computer moest laten leggen om te zien wat er op deze foto stond die iemand – waarschijnlijk Hallgrímur – had willen wissen, maar tegelijkertijd wilde hij die foto nu zien om er zeker van te zijn of die enige betekenis had en of dat ergens toe zou leiden. Zodoende keek hij in de prullenbak op het bureaublad om te zien of die misschien nog niet was leeggemaakt. Nee, er leken nog honderden documenten in te zitten.

'Hij wil helemaal niet dat er met zijn computer wordt

geknoeid', klonk een schrille stem vanuit het trapgat. 'Hebben jullie geen toestemming nodig om in onze spullen rond te neuzen? Dit is wel heel typisch: eerst komt een crimineel je lastigvallen en vervolgens komt de politie in je spullen neuzen!'

Inmiddels had Valdimar het document gevonden. Hij opende het. Hapte naar adem. De vrouw keek over zijn schouder en slaakte een gil.

zevenenvijftig

De geur was het eerste wat Marteinn weer met de realiteit verbond. De geur kwam hem bekend voor: die hoorde bij het gezinsleven en deed hem denken aan lange zomerdagen, ontdekkingstochten en de heide. Het was de oude, vertrouwde, muffe geur van het zomerhuisje, maar iets was niet zoals het zou moeten zijn. Bijna alles, eigenlijk. Hij was misselijk, het was donker en hij kon zich niet bewegen. Ja, hij kon zijn voeten een beetje bewegen, maar het leek alsof zijn handen vastgebonden waren. Ze wáren ook vastgebonden, met plakband. Hij had het ijskoud. Hij lag op het bed in de slaapkamer in het zomerhuisje. De deur stond open. Iemand zat in de woonkamer te roken. Mentholsigaretten. Hallgrímur. Ineens schoot hem te binnen dat Hallgrímur tegen hem had gelogen. Hij probeerde zich te herinneren wat hij gezegd had.

'Wat is hier eigenlijk aan de hand?' probeerde hij te zeggen, maar de woorden verwerden tot een onduidelijke massa die hij eruit gooide als een vloek in een vreemde taal; niemand zou er iets van hebben kunnen maken behalve hijzelf. Toen verliet hij de planeet aarde weer.

'Ach, Marteinn, ik weet helemaal niet wat ik met je aan moet', fluisterde Hallgrímur kort daarna of juist lange tijd later zacht in zijn oor. Marteinn sperde zijn ogen wijd open en kon vaag het gezicht van zijn vriend onderscheiden.

'Verkrachter,' zei hij, 'jij hebt Sunneva verkracht.'

'Je hebt het maar voor de helft goed. Ja, ik heb een paar meisjes verkracht. Technisch gezien. In feite waren het allemaal meisjes die zich sowieso door mij zouden hebben laten neuken. Ik ben gewoon niet zo'n fan van het volgende-daggevoel. In zekere zin is het ook voor hen beter als ze er niet al te veel van meekrijgen. Maar nee, Sunneva is niet een van de meiden die ik heb verkracht. Dat is maar goed ook, want ik weet niet hoeveel zin ik zou hebben gehad om rond te zeulen met het lijk van een vrouw die ik kort daarvoor nog had geneukt.'

'Ik geloof je niet, ik geloof niets meer van wat je tegen mij zegt: jij zegt toch gewoon wat je mij wilt laten geloven.'

'Je bent onredelijk, maar goed, je mag onredelijk zijn. Daar heb je het volste recht toe.'

'Waarom heb je me hierheen gebracht?'

'Ik wilde je uitnodigen voor een vreugdevuur. Ik denk dat deze hut goed zou moeten fikken: hij is oud en verrot, maar hij is niet al te vochtig. Het ziet ernaar uit dat je vader hem redelijk goed onderhouden heeft', zei Hallgrímur gemaakt vrolijk.

'Wil je het huisje in brand steken? Je bent gek! En je wilt mij erin laten verbranden? Lig ik hier daarom vastgebonden?'

Hallgrímur stond een tijdje in het donker te zwijgen. Toen hij weer begon te praten, verried zijn stem dat hij bijna huilde.

'Het is allemaal je eigen schuld. Hoe denk je dat het er voor mij uitziet als jij alles gaat rondbazuinen? Dan komt het uit dat ik degene was die haar hier levend naartoe heeft gebracht en die jou geholpen heeft om haar weg te brengen toen ze dood was. Maakt het dan nog uit wat ík zeg? Als ze al

296

met iemand medelijden krijgen, dan is het met jou, die arme jongen wiens vader zo zwaar gewond is geraakt en die alleen probeerde te voorkomen dat zijn vader wegens moord werd aangeklaagd. Ik zie al voor me hoe de jury dat soort onzin gaat slikken.'

'Er is geen jury in de IJslandse rechtspraak; je kijkt te veel naar Amerikaanse films.'

'Dat zal wel, zeker? Misschien ben ik niet zo cultureel als jij en je familie. Ja, ik kijk graag naar Amerikaanse films en wat dan nog?' vroeg hij verbitterd.

Hij stak nog een mentholsigaret op. De vlam van zijn aansteker wierp heel even licht op zijn betraande wangen. Van de rook begon Marteinn te hoesten. De kilte van de avond had geen goede uitwerking op zijn astma. Hallgrímur zat naast hem te huilen.

'Wat is er?' vroeg Marteinn. Om een of andere reden was hij banger voor Hallgrímurs tranen dan voor zijn kwaadheid en verbittering.

'Vergeef het me!' snikte Hallgrímur.

'Wat moet ik je vergeven?' vroeg Marteinn zacht.

'Ik moet aan mezelf denken,' zei hij, 'niemand anders doet dat. Net zoals jij alleen aan jezelf en je familie dacht, maar niet aan wat in mijn belang was. Je hebt mij gebruikt. Ik pik het niet om maar eindeloos misbruik van me te laten maken. Jij hebt me gebruikt. Je bent net zoals je vader: je hebt altijd een manier gevonden om je zin te krijgen. Dat met dat lijk bijvoorbeeld: ik wilde dat helemaal niet en als we het niet hadden verplaatst, dan zat ik nu in een heel andere situatie, een volkomen andere situatie. Als jij alles gewoon zijn beloop had laten hebben, maar nee hoor: jij moest zo nodig weer zo'n kutoplossing bedenken. Je hebt je eigen graf gegraven en zoals gewoonlijk krijg ik de grootste problemen op mijn bord! Denk je soms dat dit iets normaals is? Denk je dat de situatie waarin jullie, jij en je vader met zijn vervloekte minnares, mij hebben gebracht, normaal is? Nu is het alleen een vraag van ik of jij. En mijn antwoord is jij, omdat de schuld meer bij jou en je vader ligt dan hij ooit bij mij heeft gelegen.'

'Waar heb je het over? Hoe kun je ons de schuld van jouw daden geven? Ík heb jou nooit gevraagd om Sunneva te verkrachten, laat staan mijn vader!'

'O god!' steunde Hallgrímur terwijl hij opstond. Hij liet zijn half opgerookte sigaret op de vloer vallen en trapte hem uit. 'Het heeft helemaal geen zin om hierover te praten. Je zou het toch nooit begrijpen.'

'Wat zou ik nooit begrijpen?'

Hallgrímur verdween in de duisternis en bleef bij de deur staan. Marteinn hoorde het klokken van een vloeistof en tot zijn grote paniek rook hij benzine.

'Wat zou ik toch nooit begrijpen?' gilde hij tegen zijn vriend alsof zijn leven van het antwoord afhing. Hallgrímur liep door de woonkamer en goot overal benzine. Toen liep hij terug naar Marteinn.

'Ik weet dat ik je niet om vergeving kan vragen', zei hij met trillende stem. Marteinn wenste dat hij Hallgrímurs gezicht beter kon zien. Kon hij hem maar in de ogen kijken of hem overhalen om met dit krankzinnige gedoe op te houden, maar hij kreeg amper adem. Hij kon slecht tegen de geur van benzine en kreeg een hoestbui. Hij hoorde nauwelijks wat Hallgrímur zei, maar die scheen dat niet te merken. Het leek alsof hij eerder tegen zichzelf praatte dan tegen Marteinn. 'Begrijp je dat niet? Wat moet ik doen? Ik moet dit huisje met inhoud en al laten verdwijnen. Wanneer ze hier de boel gaan onderzoeken, ben ik er geweest. Moet een mens niet proberen zijn eigen hachje te redden? En jij dreigde dat je de politie alles zou gaan vertellen, weet je nog? Ik wist dat je dat zou gaan doen. Dit is voor jou zo voorbij met die astma van je: er zou zich flink wat rook moeten ontwikkelen, voordat het heet wordt. Haal maar diep adem, dan merk je er niets van.'

'Geef me antwoord, sukkel! Wát durf jij niet te bekennen?' bracht Marteinn uiteindelijk hoestend uit. 'Wát zou ik toch nooit begrijpen?'

Hallgrímur ging naast hem zitten op de rand van het bed.

'Denk je dat dit voor mij iets normaals is? Als ik mezelf van kant zou kunnen maken, zou ik dat nog liever doen.'

Marteinn hoestte slijm op en spuugde het bijna automatisch in Hallgrímurs gezicht terwijl hij hem in zijn rug probeerde te trappen.

'Loser! Klootzak! Verrader!' zei hij toen huilend van ellende en angst.

Hallgrímurs gezicht zweefde nu ergens in het donker; in de genadeloze duisternis was alleen de omtrek nog te zien. Marteinn voelde de boosheid in Hallgrímurs zwijgen, want zijn stem was scherper en bitterder toen hij zei: 'Ik had je zo vast moeten binden dat je je helemaal niet kon bewegen. Dat wat jij toch nooit zou begrijpen, is dat ik verliefd was op je vader!'

Toen liep hij het huisje uit. Eén ogenblik later lichtte een rode gloed de woonkamer op.

achtenvijftig

*Ik had nog nooit een minnaar gehad, maar hij wel. Ik was na-
tuurlijk niet de eerste, maar hij zei een keer tegen me dat ik de
eerste was met wie hij in twintig jaar had geslapen. Daarom was
er zo veel druk opgebouwd, voegde hij eraan toe en hij glimlachte
uitdagend. Ergens vond ik het prettig om dit te horen, want het
betekende dat hij geen vriend had gehad sinds hij zo oud was als
ik, dacht ik. Ik herinner me dat ik me begon af te vragen hoe ik het
zou hebben gevonden een relatie met een jongere versie van hem te
hebben. Het duurde natuurlijk niet lang voordat ik aan Marteinn
moest denken, maar eerlijk gezegd had ik nog nooit aan hem
gedacht: ik was nooit van mijn leven verliefd op hem geweest. Ik
worstelde natuurlijk met de gedachte of ik homo was of zo, maar
ergens kon me dat geen reet schelen. Wat ik wel wist was dat ik er
altijd voor had opgepast me niet te erg te binden aan meisjes met
wie ik iets had; ik weet nog dat ik het in feite erger vond als het te
leuk was, als we lachten en lol hadden. Een soort aarzeling
weerhield me daarvan, maar ik interpreteerde die aarzeling gewoon als een teken van bindingsangst. Ik dacht alleen dat ik tot op
hoge leeftijd een vrouwenjager wilde zijn en het met zo veel
mogelijk vrouwen wilde doen. Toen ik iets met Björn begon, voelde
dat bijna als een grap. Ik bedoel: hij was de vader van mijn beste
vriend. Er zat iets grappig pervers en betrouwbaars aan dat idee
en ik voelde niet het soort claustrofobie dat ik altijd bij meisjes had
gevoeld. Ik was dus niet op mijn hoede; ik dacht dat ik een*

bepaald terrein in mezelf aan het verkennen was, waarvan ik daarna kon besluiten of ik het wilde cultiveren of niet, en deze verkenningstocht verliep met de volste garantie van een algeheel gebrek aan toekomst. En ik herinner me de eerste keer dat ik hem vertelde dat ik van hem hield. Het was alsof er een knoop in mijn hart ontward werd. Ik voelde me een nieuw, beter mens en ik voelde dat ik op een of andere manier normaal was geworden, hoewel het belachelijk is dat te zeggen, maar ik had dit nog nooit tegen iemand gezegd en ik vond dat ik zoals de anderen was geworden. Het was zo'n opluchting om jezelf te kunnen geven, om je grip los te laten en om je gewoon te laten meevoeren in een stroom gevoelens waar je geen enkele controle over hebt.

Ik had misschien over deze ontwikkeling in mij moeten praten, maar in mijn blindheid dacht ik dat we gelijk opgingen, dat ik – zijn eerste minnaar in twintig jaar – in hem slapende krachten had wakker gemaakt die hem met zich meesleepten in dezelfde richting als ik. Dat was natuurlijk een misverstand, zoals ik al gauw ontdekte. Het was grappig dat het uitgerekend Marteinn was die me vertelde dat zijn vader iets met een meisje was begonnen. Toen begon ik te merken hoe afstandelijk Björn tegen mij deed, nog afgezien van dat damesparfum dat ik een keer aan hem had geroken. Hij had zelden tijd om met me af te spreken, hij moest constant op zijn werk zijn – bij haar, zoals later bleek – en de enkele keer dat we elkaar zagen kwam ik niet aan mijn trekken of het was maar met een fractie van het verlangen dat mij in zijn greep hield. Hij had vaak laten doorschemeren dat we niet eeuwig bij elkaar zouden zijn; die gedachte drukte op me als een nachtmerrie en maakte onze afspraakjes nog beladener en intenser. Ik wist heel goed dat elke keer de laatste kon zijn, dus er was niets zorgeloos of ontspannends aan de seks die we met elkaar hadden, maar toen ik van Sunneva hoorde, wist ik dat hij het in gedachten met mij allang had uitgemaakt en dat hij me gewoon als een hoer gebruikte en me verneukte in de ergste zin van het woord. En dat terwijl ik zo verliefd op hem was dat ik eraan onderdoor ging. Was hij maar gewoon eerlijk tegen me geweest, dan was alles zo veel helderder geweest en dan had deze zwarte, slopende woede zich niet meester gemaakt van mijn ziel.

Ik hoorde aan Marteinns beschrijving meteen dat Sunneva die roodharige meid was met wie ik Björn een keer in de stad was tegengekomen. Ze was een collega van hem, zei hij tegen me toen we de eerstvolgende keer met elkaar sliepen. Dat was nog voordat ik iets begon te vermoeden, maar toch had ik de onechte toon in zijn woorden, die ik later pas begreep, moeten horen.

Misschien was ik er langzaam overheen gekomen of misschien had ik hem gewoon voor zijn bek geslagen en alles vergeten, als die ene bijzondere gelegenheid zich niet had voorgedaan op de dag waarop Marteinn me zijn inbraakverhaal vertelde. Ik ging vlak voor het eten bij Marteinn thuis langs en na een tijdje moest hij naar de wc. Björn was natuurlijk niet thuis, maar opeens zag ik zijn gsm op de koffietafel liggen. Toen hij naar zijn werk ging, had hij hem in de lader vergeten en het ding stond aan. En ik begon ermee te spelen. Eerst vond ik mezelf; hij had genoeg lef gehad om mijn nummer onder de initialen 'HE' op te slaan. Toen zocht ik deze Sunneva op en ineens had ik de ingeving om onder zijn naam met haar af te spreken en ervoor te zorgen dat hij haar zou treffen. Ik zou dan achter de bar staan en bier voor hen tappen en ik zou ervan genieten om zijn reactie te zien. Ik verstuurde vlug een sms-bericht en was gaan zitten met een kopje koffie toen Marteinn van de wc terugkwam. Maar toen begon ik alles nog eens te overdenken: natuurlijk wist Björn heel goed dat ik in Grand Rokk werkte, dus het was niet erg waarschijnlijk dat hij zich daar zou vertonen als hij wist dat Sunneva daar op hem zat te wachten. Het beste was als ik ook haar gsm te pakken kon krijgen om Björn daarmee een berichtje te sturen. Ik zag dat mijn aanvankelijke plan een zootje was, maar toen kreeg ik het idee om nog een stapje verder te gaan.

Voordat Björn en ik iets met elkaar begonnen, kwam het voor dat ik, als ik een neukbare vrouw in haar eentje in het café zag zitten, mijn collega Siddi opbelde. Siddi was me nog het een en ander schuldig en als hij me de rest van de avond kon aflossen, mengde ik ghb door een biertje of een drankje, bracht het aan de vrouw in kwestie en zei dat het van een anonieme bewonderaar was. Als ze stom genoeg waren om een drankje van iemand die niet eens zijn gezicht liet zien, te accepteren, vond ik dat ze verdiend hadden wat ik voor hen in petto had. De ervaring had me geleerd hen naar buiten te krijgen terwijl ze nog redelijk op hun benen konden staan; ik deed alsof ik hen naar huis wilde brengen, maar nam ze in plaats daarvan mee naar mijn huis. Het was iets waarmee ik een tijdje had geëxperimenteerd, en ik was er niet al te kapot van, want het is op de lange duur niet bepaald opwindend om het met wazige of half bewusteloze wijven te doen. Na afloop gaf ik hun gewoonlijk nog een beetje en zette hen dan bij hen thuis af. Ik keek op hun identiteitsbewijzen om te zien waar ze woonden. Meestal nam ik gewoon het risico om hen tot aan de voordeur van hun huis te ondersteunen en aan te bellen, totdat een vriendje een keer mijn identiteitsbewijs verlangde, zodat de politie contact met mij kon opnemen als getuige. Er kwam verder niets van, maar toch ben ik er toen mee opgehouden. Nadat ik Björn had leren kennen en een nieuw, beter mens was geworden, dacht ik soms met schrik terug aan wat ik die arme meisjes had aangedaan, maar nu was mijn oude, slechte ik weer terug. Ik had nog niet besloten of ik haar zou verkrachten of niet: ik zou wel zien of ik er zin in had.

Ik gaf Sunneva niet de gelegenheid om een biertje af te slaan. Ik had glazen met allerlei soorten bier bij de hand met een dosis ghb op de bodem en toen ze kwam, haastte ik me om er zo snel mogelijk eentje in haar te krijgen. Ze ging aan een van de tafels bij de toiletten zitten; na een tijdje ging ik de lege glazen ophalen en zag dat ze haar biertje pas voor de helft op had. Vlak daarna kwam Siddi om me af te lossen. Ik had haar de hele tijd al in de gaten gehouden en zag dat ze inmiddels behoorlijk sloom was. Ze had haar trui uitgetrokken.

Ik liep naar tafel toe.

'Neem me niet kwalijk, maar gaat het wel goed met je?' vroeg ik.

'Nee,' zei ze, 'is dat zo goed te zien? Ik ben duizelig en ik heb het zo warm.'

Ik glimlachte vriendelijk.

'Moet ik een taxi voor je bellen?'

'Ja, graag', zei ze met een wazige blik in haar ogen, maar ze was nog steeds te levendig, vond ik. 'Het ziet ernaar uit dat degene die ik hier zou ontmoeten, niet is komen opdagen.'

'Dat krijg je als je met getrouwde mannen uitgaat', zei ik terwijl ik tegen haar knipoogde. Ze barstte in lachen uit, omdat ze dacht dat ik de spijker toevallig op zijn kop had geslagen. Ik liet vijf minuten voorbijgaan totdat ik naar haar tafel liep om te zeggen dat de taxi gearriveerd was.

'Oké', zei ze. Ze sprak al aardig met dubbele tong en ik onder- steunde haar naar buiten. Ik had bijna haar trui op de stoel laten liggen en toen ik hem pakte, bleek haar handtas eronder te hangen. Wat een mazzel dat je dat gezien hebt, dacht ik. Mijn auto stond aan de overkant van de straat en ze maakte er geen opmerkingen over, hoewel ze bij een onbekende man in de auto terecht was gekomen die in het donker ergens naartoe reed, in plaats van dat ze in een taxi naar huis zat. Ik had een beetje medelijden met haar, maar ik wilde haar geen kwaad doen. Ze was maar een pion in mijn spel en ze zou er nooit achter hoeven te komen.

Ze was allang in slaap gevallen toen ik Mosfellssveit bereikte.

In de tussentijd had ik bedacht dat de enige juiste plek waar wij drieën elkaar konden ontmoeten, natuurlijk het zomerhuisje was, waar Björn het in dezelfde periode met ons beiden had gedaan. Misschien was dat kinderachtig, maar dat zomerhuisje betekende heel veel voor me: dat was ons plekje, waar ik in zekere zin mezelf had gevonden, en ik vond het ondraaglijk dat hij het daar ook met haar had gedaan.

Het was niet zo eenvoudig om haar de trap naar het zomerhuisje af te slepen, maar mijn besluit stond vast en ik zwaaide haar over mijn schouder en holde bijna met haar de trap af. Voordat ik bij het huisje was, moest ik vaart minderen. Ik had de deur al opengedaan voordat ik met haar over mijn schouders de trap af kwam.

Ik strompelde met haar naar binnen en legde haar op het bed in de slaapkamer. Ze dreef van het zweet, dus het was niet eenvoudig om haar uit haar kleren te krijgen. Ze mompelde iets en ik besloot haar nog meer ghb toe te dienen terwijl ze daar lag; ik wist niet zeker hoelang het middel werkte en ik wilde niet het risico lopen dat ze door het lint zou gaan.

Ze droeg een strakke, blauwe spijkerbroek en op haar witte T-shirt stond in rode letters FUCK ME WHILE I'M YOUNG. Wat voor boodschap was dat eigenlijk, dacht ik. Massa's huppelkutjes droegen PornStar T-shirts en als ze dan over de twintig waren, kon je daar zelfs gif op innemen, maar toch waren ze dan heel verbaasd dat iemand hen op hun woord geloofde.

Ik moest op verhaal komen en nam een sigaret. Het was nog voor enen en ik liep een beetje voor op schema, dus zat ik wat met mijn gsm te spelen, terwijl ik enerzijds aan Björn dacht en aan hoe hij zou reageren en me anderzijds afvroeg of ik enig idee had van wat ik aan het doen was. Sunneva lag op haar zij en haar benen hingen onder de sprei uit. Ik kreeg er geen erectie van om naar haar te kijken; ik werd eerder door een soort seksuele weerzin en afkeer van mezelf overmand. Ik spreidde het dekbed over haar heen om niet naar haar te hoeven kijken.

Toen ik min of meer zeker wist dat Björn bij zijn vrouw in bed lag, ging ik op de rand van het bed zitten, trok het dekbed van Sunneva af en rolde haar op haar buik met haar knieën op de vloer, zodat haar kont omhoogstak. Toen toetste ik op haar gsm zijn nummer thuis in, omdat ik wist dat de telefoon in hun slaapkamer over zou gaan. Als Eva opnam, zou ik ophangen en hem op zijn gsm bellen, maar hij nam op en ik hoorde direct aan zijn stem dat hij op het display had gekeken om te zien wie er zo laat belde.

'Hallo', zei hij zacht en vragend.

'Lover!' zei ik met een zwoele stem. Björn gaf geen kik, dus ik ging gewoon verder: 'Hallo schat, ik ga hetzelfde met jouw vriendinnetje doen als jij hier laatst met mij in "ons" bed hebt gedaan', zei ik. 'Luister,' zei ik terwijl ik haar op haar kont sloeg, 'vindt ze het lekker om op haar kont geslagen te worden, zodat de bloedsomloop goed op gang komt?'

'Ben je gek geworden?'

'O ... nee, eigenlijk niet,' zei ik sarcastisch, 'ik ben alleen gestoord. Luister eens', zei ik terwijl ik haar nog harder op haar kont sloeg en de telefoon bij haar mond hield. Ze kreunde van de pijn. 'O, is dit niet lekker, Björn? Vind je het niet heerlijk als ze zo kreunt? Ken je dat geluid van haar?' vroeg ik. Ik stak mijn tong uit en kreunde wellustig. 'Ik hoef het zaakje alleen nog soepel te maken met wat glijmiddel dat ik vandaag heb gekocht', zei ik en ik kneep een beetje uit de tube tussen haar billen. 'Kijk, dat zou genoeg moeten zijn om door de achterdeur naar binnen te komen. Ik heb een enorm stijve', loog ik. Op dat moment had ik graag gewild dat dat waar was. Er was een duiveltje in me ontwaakt dat er genoegen aan beleefde anderen pijn te doen: het interesseerde me geen reet meer of dit meisje er zonder kleerscheuren van afkwam, als ik Björn maar zo veel mogelijk pijn kon doen.

'Ben je haar aan het verkrachten? Ik bel de politie!' zei hij. 'Jij vuile schoft! Als je haar ook maar een haar krenkt, vermoord ik je, klootzak!'

'O, wordt pappa beer nu boos? Bel maar lekker met de politie, dan zal ik ze uitgebreid verslag doen over hoe het allemaal zo ver gekomen is.'

'Laat me even met haar praten.'

'Weet je dat ze niet helemaal in staat is om met je te praten? Ze is een beetje slaperig, de kleine meid.'

'Schoft! Ik vermoord je; dat zweer ik!'

'Waarom kom je niet gewoon hierheen om je kleine droom-prinsesje van deze boze kerel te redden in plaats van dit gejammer? Ben je soms geen echte vent? Is het niet jouw taak om de prinses van de draak te redden, zodat jullie nog lang en gelukkig kunnen leven?'

Ik hing op voordat ik begon te huilen. Ik was helemaal kapot. Even dacht ik eraan hem te smeren en hem daarheen te laten komen om haar helemaal van de wereld en – naar hij dacht – misbruikt aan te treffen, maar toen vond ik dat zwak. Ik stond voor wat ik gedaan had en ik wilde hen samen zien, naar hem kijken als hij bij haar was. Het zou het beste zijn als ze wakker werd op het moment dat hij binnenkwam, maar dat kon ik niet regelen, want zo veel verstand had ik niet van dat ghb-spul. Ik legde haar weer op haar rug op bed en spreidde het dekbed over haar uit tot aan haar hals. De ergste opwinding was van me af gegleden; ik begon weer medelijden met haar te krijgen.

Toen hij zei dat hij me zou vermoorden, kwam het geen moment in me op dat ik hem serieus moest nemen, maar hij meende het echt. Toen ik zijn auto hoorde, ging ik naar buiten en liep hem tegemoet; ik bleef onder aan de trap staan wachten. Ik kreeg een erectie; ik weet niet wat ik me ervan voorstelde en of ik dacht dat we elkaar in de armen zouden vallen en elkaar om vergeving zouden smeken. Ik had eigenlijk het gevoel dat we nu quitte stonden. Hij had al betaald voor zijn verraad en geen van ons beiden was de ander nog iets schuldig, maar hij had kennelijk heel andere ideeën: dat zag ik aan de uitdrukking op zijn gezicht toen hij de trap af kwam rennen. Hij keek zo verschrikkelijk dat ik me uit de voeten maakte naar het meer toe. Hij had de blik van een moordenaar; zijn zwarte, halflange haar, dat ik zo vaak geaaid had en waar ik de paar grijze haren die erdoorheen kwamen, uit getrokken had, fladderde nu woest in zijn ogen en maakte hem nog spookachtiger dat de duivel. Zijn zwarte motorlaarzen kwamen ratelend als een machinegeweer de trap af. Ik voelde duidelijk dat hij me echt wilde vermoorden. Hij kende elk hoekje en gaatje daar en sprong voor me, zodat ik niet zoals gepland via de trap langs het meer kon komen; niet dat ik ver zou zijn gekomen, maar ik sloeg linksaf en struikelde. Ik viel langs de steile helling naar beneden op het strand. Het had niet veel gescheeld of ik was degene geweest die op zijn hoofd was gevallen: ik kon nog net mijn handen voor mijn hoofd houden. En vrijwel op hetzelfde moment kwam hij eraan en schopte met zijn puntige laars tegen mijn heup. De pijn was zo hevig dat ik dacht dat ik van mijn stokje zou gaan. Ik deed wat ieder ander in mijn situatie gedaan zou hebben: ik schopte hem van onderen tegen zijn benen, waardoor hij zijn evenwicht verloor en achteroverviel.

Hij had geen enkel woord tegen me gezegd. Ik liep de ruzie van mijn leven mis, de ruzie waarop ik me had voorbereid sinds ik het vermoeden kreeg dat hij me belazerde. Ik had gezien dat hij zich niet schaamde en daarom had ik gestunteld met mijn geweldige drugstruc, die volkomen uit de hand was gelopen.

Er klonk een akelig geluid toen hij met zijn hoofd tegen de rotsen knalde, maar ik prees mezelf gelukkig dat hij uitgeschakeld was. Ik was als de dood dat hij zou bijkomen, dus ik maakte dat ik wegkwam. De tortelduifjes mochten zelf wakker worden en naar de stad terugrijden; een goede afloop van de zaak voor iedereen behalve voor mij, dacht ik.

Het was zijn schuld. Het was allemaal van het begin tot het eind zijn schuld. Ik had het prima gevonden om het voor de rest van mijn leven met meisjes te doen, als hij me niet zo nodig had moeten lokken met die verleidelijke glimlach van hem. En ik had ook voor de rest van mijn leven zijn kleine minnaar kunnen zijn; ik zou geen eisen hebben gesteld, maar ik zou gewoon als een schoothondje zijn komen aandraven wanneer hij 'druk' moest ontladen. Ik zou alles wat hij wilde met hem gedaan hebben en ik zou hem alles wat bij hem opkwam met mij hebben laten doen. En er kwam veel bij hem op. Als hij de ballen had gehad om als een man op me af te stappen en te zeggen dat het nu voorbij was (of zelfs dat het niet voorbij was, maar dat hij iets met een meisje was begonnen), denk ik dat ik het over me heen had laten komen. Godverdomme, ik zou hem vast bewonderd hebben om zijn eerlijkheid en om het feit dat hij me in de gelegenheid stelde bijzit nummer twee of drie op de ranglijst te zijn. Ik denk dat er geen limiet zat aan wat ik allemaal gepikt zou hebben waar het hem betrof, maar hij moest me zo nodig behandelen alsof ik niets waard was. Hij moest zo nodig liegen en bedriegen alsof ik een fucking echtgenote of huisvrouw was.

En toen moest hij me aanvallen en proberen me te vermoorden.

En toen moest hij op zijn hoofd vallen en bijna doodgaan en mij achterlaten met de schuld en het verdriet en het gemis en een godvergeten slecht geweten. En met een dode minnares als klap op de vuurpijl. En met een zoon van wie hij dacht dat die hem haatte, maar die in het echt genoeg van hem hield om te doen wat hij deed.

Met mijn verdomde hulp. Hoe had ik nee kunnen zeggen? Hoe kwam ik erbij om ja te zeggen?

negenenvijftig

Toen Marteinn de woonkamer zag opvlammen, begreep hij meteen dat er geen hoop op ontkomen was. Zijn handen en voeten waren met plakband vastgebonden en daarnaast had Hallgrímur hem zijn schoenen uitgetrokken. De hele woonkamer stond binnen een mum van tijd in brand. Het oude tapijt dat hij zich herinnerde uit de woonkamer van zijn opa en oma toen hij klein was, brandde als een fakkel en even later stonden de vloerplanken in lichterlaaie; daar kon hij met geen mogelijkheid op zijn sokken overheen lopen. Zoals Hallgrímur had voorspeld kon hij niet tegen de rook: zuigend en piepend haalde hij adem. Om frisse lucht te krijgen zou hij zonder te aarzelen het raam hebben gebroken, maar de luiken zaten voor de ramen, dus dat zou niets uithalen. Zijn ogen brandden en hij begroef zijn hoofd in het dekbed om het zichzelf een heel klein beetje aangenamer te maken. Om alles nog erger te maken plaste hij in zijn broek; een diepgewortelde weerzin voorkwam dat hij in bed toegaf aan deze dwingende lichamelijke behoefte, dus liet hij zich van het bed af rollen. Hij zou er wat voor hebben gegeven om zijn broek open te kunnen ritsen, zodat hij voor de laatste keer in zijn leven met een minimale hoeveelheid waardigheid kon plassen, maar die mogelijkheid werd hem niet geboden. Zijn opa had destijds linoleum in de slaapkamer gelegd en toen Marteinn zijn behoefte deed, liep er een smalle straal over het linoleum; de brandende muren van de woonkamer, die Hallgrímur met benzine overgoten had, werden erin weerspiegeld. Er hingen twee ingelijste foto's aan de wand tegenover hem; de lijsten brandden en de foto's zelf staken onder het glas nog zwarter tegen de lichte wand af. Marteinn zou zich deze details later herinneren en zich erover verbazen hoe gefascineerd hij hiernaar had liggen kijken. Hij ontdekte dat hij helemaal niet bang was: hij was over zijn angst heen en bevond zich nu in een merkwaardig soort stoïcijnse roes. Als in trance volgde hij de stroom urine met zijn ogen, zoals die dwars over de vloer van de slaapkamer liep. Er kwam stoom van af toen hij de woonkamer naderde; toen verdween hij. Marteinn begon zich bijna uit kinderlijke nieuwsgierigheid af te vragen wat er met zijn urine was gebeurd. Bij de vloer was de lucht een beetje beter, waardoor hij niet zo'n brandend gevoel in zijn longen had en ook zijn gedachten helderder werden. Hij merkte ineens dat hij het niet wilde opgeven: in omstandigheden zoals deze gaf je het gewoon niet op. De tijd verstreek zowel razendsnel als tergend langzaam: zijn verstand zei hem dat de tijd opraakte, maar elders in zijn hoofd had hij genoeg tijd om zijn plas weg te zien stromen naar de wand, totdat hij opeens in de gaten kreeg waar de stroom naartoe ging. Hij voelde een kinderlijke blijdschap in zich opkomen toen het antwoord hem duidelijk werd, zo logisch als het maar kon: de urine droop natuurlijk weg in de ruimte waar hij Sunneva had verborgen. Waarom hadden huizen muren die niet op de grond stonden, vroeg hij zich af, maar eigenlijk wist hij daar zelf ook het antwoord niet op. Zijn gedachten hadden zijn urine naar de ruimte onder het huisje gevolgd. Daar zou hij niet meer verdampen: daar zou hij rustig afkoelen, omdat de rook daar niet kon komen. Aangezien er bij de vloer minder rook was dan boven het bed, moest er onder de vloer nog veel minder rook zijn. Was er een mogelijkheid om eronder te komen, vroeg hij zich af. Hij lag met zijn neus op de vloer, omdat de rook nu ondraaglijk bijtend en afschuwelijk was en de hitte zo vreselijk intens werd dat Marteinn in zijn merkwaardige onbevreesdheid besefte dat hij gauw aan de hitte zou bezwijken en dat hij deze verzengende hitte niet veel langer kon inademen. Zijn urine was inmiddels op het linoleum verdampt door het naderende vuur. Het vuur verteerde alles waar het bij in de buurt kwam, dacht hij.

En het vuur had het grootste deel van de vloer in de woonkamer al in brand gezet, omdat Hallgrímur daar het merendeel van de benzine op gegoten had; het vloerkleed was al in vlammen opgegaan. De hele vloer in de woonkamer stond in lichterlaaie. Het was een fraai gezicht, op zijn eigen manier spectaculair.

Marteinn kon zich later niet herinneren dat hij een beslissing had genomen of zijn conclusies had getrokken, maar ineens was hij overeind gekrabbeld en toen hij eenmaal stond, begon hij naar de deur naar de woonkamer te huppen. Hij hupte de brandende hitte, de verzengende rook en de brandende vloer tegemoet en sprong de woonkamer in.

En hij landde op de brandende vloer. De planken gaven niet mee. Hij voelde hevige pijn en viel plat voorover. Zijn kleren vatten vlam. Zijn haar vatte vlam. Hij rook de geur van brandend vlees en hij had een schroeiend gevoel over zijn hele lichaam. Hij had het gevoel dat zijn longen in lichterlaaie stonden. Hij probeerde weer te gaan staan. Hij probeerde de slaapkamer in te rollen, maar het lukte hem niet helemaal.

Even dacht hij dat het huis instortte: de vliering was aan de binnenkant langs de wanden naar beneden gekomen en de dakspanten waren buiten naar beneden gevallen. Hijzelf rolde over de scheefgezakte, brandende vloer naar beneden en kwam in de ruimte onder het huisje terecht, tegenover de deur naar de slaapkamer.

Later zou hij er nog vaak over nadenken hoe de Franse slag van zijn opa bij de bouw van het huisje in die nacht zijn leven had gered; meestal dacht hij dan dat de balken onder dit deel van de vloer te kort waren geweest om tussen de draagbalken in het houtwerk onder het huisje te passen.

Hij wentelde zich net zo lang om in de koelte en de duisternis totdat zijn brandende kleren en haar gedoofd waren. Hij probeerde op te staan en kwam met zijn schouder tegen een spijker aan; een geluksspijker, want hij bracht zijn handen omhoog, stak de spijker door het plakband en rukte zijn handen naar beneden. Zijn handen waren los en hij slaagde erin het half verbrande plakband van zijn voeten te halen.

In hem laaide de haat op jegens de man daarbuiten die dit met hem had uitgehaald en die hem alles wat hij had, had willen ontnemen.

Hij bleef daar een tijdje op zijn hurken zitten. Het vuur verspreidde zich door het hele huis; dat hoorde hij aan het geknetter boven hem. Tegenover hem brandde de vloer van de woonkamer die zijn leven had gered, maar die hem nu de weg naar buiten aan de voorkant blokkeerde, naar de betimmering onder de veranda waar hij naar zijn gevoel duizend jaar geleden Sunneva's lijk onderdoor had getrokken.

Weer reageerde hij instinctief. Waar kwam die steen in zijn hand opeens vandaan? Dat wist hij niet. Vijftig jaar geleden had zijn opa kruiwagens vol steenslag van de weg naar het fundament van het huisje gereden; hij had daar foto's van gezien, zou hij zich later herinneren. Een deel van

313

de vloer was al bijna doorgebrand: door de dunne, zwarte planken heen kon je een glimp van de vuurzee zien. Daar kroop hij naartoe; hij trok zijn hoofd in en duwde de plank omhoog. Er was veel minder weerstand dan hij zich had voorgesteld: hij rolde naar buiten door het brandende houtwerk, een zwakke constructie die waarschijnlijk ook onder zijn gewicht zou zijn bezweken als het vuur niet meegeholpen had.

Terwijl hij daar op zijn knieën in het gras lag, kwam er een vijandige gedaante vanuit het duister aangelopen. Verblind door de gloed van het vuur kon hij niets zien, maar hij voelde dat er iemand aankwam; misschien hoorde hij iets. Hij kreeg zijn zicht langzaam terug en zag een schoen en een knie. Toen ramde hij zijn wapen, de steen die van een in stukken gehakte rots was afgebroken, recht tegen de knieschijf. Hij had het gevoel dat de knieschijf voor zijn ogen versplinterde en hoorde een doordringende kreet van pijn van zijn vriend, nee, van zijn vijand. Hij zag hem vallen. Mooi, mooi, nu was het geen probleem om hem te vermoorden.

zestig

Het had niet veel gescheeld of ze waren getuige geweest van moord of doodslag. Valdimar wist trouwens dat de jongen nooit voor moord zou zijn veroordeeld op grond van hetgeen eraan vooraf was gegaan. Hij had daar halfblind en verdwaasd over het effen terrein rond het huisje rondgekropen en herhaaldelijk pogingen gedaan om met de steen die hij in zijn hand hield, Hallgrímur tegen het hoofd te slaan. Hallgrímur kronkelde telkens als een slang van hem weg, maar kon niet overeind komen, want Marteinn had zijn beide knieschijven weten te verbrijzelen en had vervolgens zijn linkerarm gebroken op het moment dat Valdimar en Haflidi de veranda op waren gerend en hem overmeesterd hadden. In zekere zin vond Valdimar dat ze eerder Marteinn hadden gered dan Hallgrímur: ze hadden een afschuwelijke daad voorkomen die Marteinns leven zou hebben verwoest, maar die Hallgrímur een lot zou hebben bespaard dat velen veel erger achtten dan de dood, namelijk het feit dat hij als verkrachter en moordenaar bekend zou staan, ook al hield hijzelf vol dat hij geen van beide was.

Valdimar en Haflidi waren net met een groep agenten in vier auto's op weg naar Thingvellir gegaan toen ze bericht kregen dat het zomerhuisje in brand stond. Dit bevestigde wat ze al wisten sinds de slimme jongens van het Telefoonbedrijf de gsm's van beide jongens bij het Thingvallavatn gelokaliseerd hadden.

Zelden had hij zich zo afschuwelijk gevoeld als toen ze het brandende huisje naderden. Hij zou het zichzelf nooit vergeven als Marteinn hier niet levend van afkwam. Hij had het al moeilijk genoeg met de vele missers in deze zaak, zoals de vergissing om de jongen niet meteen te arresteren toen hij de inbraak bekend had. Hij wist niet waar hij met zijn verstand had gezeten. En de trui had hij direct moeten herkennen aan de hand van de beschrijving ervan in Grand Rokk.

De zaak was nu in zijn geheel vrij duidelijk. Hallgrímurs bekentenissen schilderden hemzelf natuurlijk beduidend positiever af dan de politie bereid was aan te nemen; het hing waarschijnlijk van zijn raadsman af wat de uitkomst zou zijn. De naaktfoto van Björn, glimlachend met een erectie in het zomerhuisje, was de enige die Hallgrímur had gehad; hij had eerder in een beveiligde folder verborgen gezeten, maar in de prullenbak kon je er zo bij.

Het was meer ten behoeve van zichzelf en zijn eigen denkwerk dan iets anders dat hij weer naar Björns huis was gegaan en nu in de witte woonkamer zat.

Hij had Eva's aanbod van thee aanvaard, maar toen het erop aankwam, kreeg hij wat ze voor hem op tafel had gezet, niet naar binnen. Hij werd altijd misselijk van vruchtenthee.

'Ik kan niet zeggen hoe dankbaar ik ben dat jullie Marteinn hebben gered.'

'Dat heeft hij voornamelijk zelf gedaan', zei Valdimar gul. 'Hoe is het met vader en zoon?'

'Marteinn is zich aan het herstellen. Met zijn rechteroog ziet hij niets meer en we moeten nog zien hoe hij eruitziet als de plastisch chirurg met hem klaar is. Met Björn gaat het ietsje beter. Hij schijnt een paar dagen geleden zijn eerste woorden te hebben geuit', zei Eva met een ietwat scherpe blik.

'Welke woorden waren dat?'

'"Wat een gedoe", heb ik begrepen', zei Eva. 'Marteinn was bij hem.'

'Niet ontoepasselijk', zei Valdimar. 'Waar staan trouwens de telefoons in dit huis?' vroeg hij toen vriendelijk. Eva keek hem verbaasd aan.

'We hebben er hierbeneden eentje en de andere staat boven in de slaapkamer. Allebei draadloos. Waarom vraagt u dat?'

'Een van de kleinigheden die ik me steeds afvraag in deze zaak is waarom u van telefoon bent veranderd in de nacht dat Björn naar Thingvellir reed en waarom u daarna minder vaak hebt gebeld. Een uur na zijn vertrek hield u ermee op hem om de vijf minuten vanuit huis te bellen: u begon vanaf uw gsm te bellen en dat hebt u daarna nog maar twee keer gedaan, met tussenpozen van een kwartier.'

'Ik ben gewoon weer naar bed gegaan', zei Eva. Ze had het moeilijk.

'Zei u niet dat er een telefoon in de slaapkamer is?' vroeg Valdimar.

Eva zweeg.

'U weet dat er vrij eenvoudig achter te komen valt waar uw gsm was toen u hem na drieën opbelde?'

Nu wrong ze ongerust haar handen.

'U bent achter hem aan gereden, nietwaar?'

'Wat zou u gedaan hebben?'

'En toen?'

'Niets. Ik vond daar niemand. Het huisje zat op slot toen ik daar kwam.'

'Weet u zeker dat u het niet afgesloten hebt?'

'Waarom zou ik dat gedaan hebben?'

'En u hebt Björn niet gezien?'

'Denkt u nou werkelijk dat ik hem in zijn eigen bloed had laten liggen?' zei ze terwijl ze hem strak aankeek.

'Nee, ik denk het niet', zei hij onzeker.

'Was er nog iets? Gaat u mij ergens voor aanklagen?'

Valdimar keek haar zwijgend aan.

'Nee', zei hij toen. 'Ik zou niet weten waarvoor.'